ROBERT TOCQUET

HOMMES PHÉNOMÈNES
et
PERSONNAGES D'EXCEPTION

UNE ÉDITION SPÉCIALE DE LAFFONT CANADA LTÉE

ISBN 2-221-00307-1
I.S.B.N. 2-89149-096-7
Imprimé aux Etats-Unis, 1981

AVERTISSEMENT

L'homme « ordinaire » est caractérisé par un développement corporel moyen et par des qualités physiques, physiologiques et psychologiques bien définies qui varient dans des limites peu étendues.

Mais on connaît des individus qui présentent des caractéristiques morphologiques absolument originales ou des qualités beaucoup plus développées que les qualités correspondantes de l'homme ordinaire. Ils sont, par exemple, à même d'exécuter certaines prouesses physiques ou intellectuelles que celui-ci serait incapable d'effectuer.

Ce sont ces individus que nous désignons sous le nom d' « hommes-phénomènes » ou « personnages d'exception ».

Nous les avons classés en quatre catégories :

Les phénomènes somatiques et physiologiques ;
Les phénomènes d'adresse et de témérité ;
Les phénomènes intellectuels ;
Les phénomènes parapsychologiques.

Dans la première catégorie nous avons placé les jumeaux, dont l'étude est pleine d'intérêt car elle éclaire maints problèmes de physiologie et de psychologie, les nains et les géants, les hommes qui présentent des malformations tératologiques, dont certaines sont littéralement fantastiques, les macrobites, c'est-à-dire les centenaires, et, enfin, les champions et les cosmonautes, qui, par leurs performances, dépassent le commun des mortels.

Dans le second groupe sont rangés les prestidigitateurs, qui, on le sait, possèdent une extraordinaire dextérité, et les gens du voyage, acrobates, équilibristes, jongleurs, dompteurs, qui nous subjuguent par leur adresse ou par leur témérité.

Avec les phénomènes intellectuels, nous abordons la délicate question du génie ainsi que le mystérieux et peut-être insoluble problème des enfants précoces. Nous examinons aussi le cas des calculateurs et des artistes prodiges, et, enfin, celui des hommes dont la mémoire ou la volonté sont exceptionnelles.

Cette troisième catégorie d'hommes-phénomènes nous conduit tout naturellement à étudier les hommes pourvus de facultés paranormales qui sont, lorsqu'ils possèdent réellement des pouvoirs transcendants, des êtres prodigieux, des hommes-phénomènes dans la plus haute acception du mot. Ce sont les télépathes, les clairvoyants, les radiesthésistes, les précognitifs, les télékinésistes, les téléplastes, les sujets qui agissent sur des structures matérielles et en particulier sur des métaux, les sorciers et les guérisseurs, les fakirs, les stigmatisés. A ce quatrième et dernier groupe, qui constitue celui des phénomènes parapsychologiques, nous avons adjoint les hypnotiseurs.

C'est parce que l'ensemble des hommes-phénomènes constitue l'une des branches les plus curieuses et les plus instructives de l'anthropologie — son examen est en effet susceptible de jeter des lumières sur d'importants points de morphologie, de physiologie, de psychologie, de pathologie, et même sur certains aspects du folklore — que nous avons jugé utile d'en faire l'étude, d'autant plus qu'aucun ouvrage, digne d'être cité, n'a été jusqu'alors publié sur la question.

LES PHÉNOMÈNES SOMATIQUES ET PHYSIOLOGIQUES

LES JUMEAUX

La reproduction chez l'homme, comme d'ailleurs chez la plupart des animaux, résulte de l'union de deux cellules spécialement différenciées, l'ovule ou cellule femelle et le spermatozoïde ou cellule mâle. La fécondation de l'ovule par le spermatozoïde produit un œuf qui, par divisions successives, fournit un nouvel individu.

Tout enfant provient donc d'un œuf.

Comme une femme ne pond habituellement qu'un seul ovule à chaque menstruation, il n'y a, en règle générale, qu'un ovule fécondé au cours de l'insémination, que celle-ci soit naturelle ou artificielle.

Parfois, cependant, deux ou plusieurs ovules peuvent être expulsés en même temps de l'ovaire et fécondés séparément. Il s'ensuit deux ou plusieurs œufs, et, consécutivement, autant d'embryons. D'où les grossesses gémellaires, triples, quadruples, quintuples, etc.

Les jumeaux, les triplés, les quadruplés, les quintuplés qui proviennent de la fécondation d'ovules différents sont dits bivitellins ou polyvitellins. Ce sont des frères, des sœurs, ou des frères et sœurs conçus en même temps. Leur patrimoine héréditaire, leurs traits physiques, leur physiologie et leur psychologie peuvent être assez dissemblables.

Cela est si vrai que des jumeaux sont susceptibles d'être

procréés par des pères différents. On a vu, par exemple, à la suite de relations sexuelles rapprochées avec un Noir et avec un Blanc, des négresses accoucher de jumeaux dont l'un était un enfant nègre et l'autre mulâtre. De même, on a observé des femmes blanches donner naissance à des jumeaux l'un blanc, l'autre mulâtre. Comme dans le cas précédent, elles avaient « connu » deux partenaires successifs qui n'étaient pas de la même couleur.

Fait plus rare, la femme devient quelquefois enceinte plusieurs semaines après la formation du premier œuf. Il en résulte des jumeaux dont le cadet légal peut être le véritable aîné ; il suffit que l'enfant procréé en premier soit le second né.

Les vrais jumeaux

Les jumeaux univitellins ou « vrais jumeaux » s'opposent aux jumeaux bivitellins que l'on qualifie souvent de « faux jumeaux ». Ils proviennent d'un seul ovule fécondé par un seul spermatozoïde. Sous l'effet de causes mal connues, l'œuf se scinde en deux parties égales et chaque moitié évolue pour son propre compte comme si elle était seule. Ces jumeaux ont le même patrimoine héréditaire et sont, en quelque sorte, le même individu reproduit en deux exemplaires.

Il existe également de vrais triplés, quadruplés, quintuplés. C'est le cas, entre autres, des célèbres quintuplées Dione qui ont été l'objet d'études systématiques.

L'œuf ayant donné naissance aux cinq sœurs s'est d'abord, semble-t-il, divisé en deux parties égales. L'une des moitiés s'est probablement scindée à son tour pour donner Yvonne et Antoinette. L'autre moitié s'est vraisemblablement coupée également en deux parties, mais l'une d'elles n'aurait donné que Cécile tandis que l'autre aurait fourni Marie et Émilie.

Les vrais jumeaux présentent une extraordinaire ressemblance qui porte, non seulement sur leur constitution physique, mais aussi sur leur physiologie, leurs maladies, leurs aptitudes, leurs facultés et leurs goûts. Leur destinée est même parfois analogue.

Leur taille, leur physionomie, la coloration de leur teint, de leurs cheveux et de leurs yeux peuvent être identiques, de sorte qu'il est souvent difficile de distinguer l'un de l'autre deux sœurs ou deux frères jumeaux. Ainsi, le Dr Apert, de l'*hôpital des Enfants-Malades,* cite le cas de deux sœurs jumelles de huit ans qu'il eut à soigner et que la mère ne pouvait différencier que grâce à une légère variation dans la couleur des iris. Quant à la grand-mère, qui vivait cependant constamment avec elles, elle ne pouvait les distinguer qu'en regardant le côté droit du cou où l'une des jumelles portait, dès sa naissance, quelques petites taches colorées que l'on appelle dans le langage populaire des « envies », et, en médecine, des « nævi ».

Deux jumeaux de Lyon, Yves et Marc B., qui, à l'heure où nous écrivons (décembre 1978), sont âgés de 25 ans, présentent également une ressemblance telle que, jusqu'à l'âge de dix ans, leurs parents ne parvenaient à les distinguer qu'à cause de leur constitution « en miroir », cas très peu fréquent, mais que l'on rencontre parfois, Yves est droitier, Marc est gaucher ; l'un a des cheveux orientés dans le sens des aiguilles d'une montre, l'autre les a dans le sens contraire.

Cette constitution « en miroir » provient du fait que la séparation des deux embryons a été assez tardive. Elle peut, non seulement concerner des détails extérieurs, mais intéresser les organes internes.

Une curieuse preuve de l'identité des jumeaux vrais est fournie par l'examen des empreintes digitales. On sait que sur une empreinte digitale il existe en moyenne cent particularités. D'autre part, pour avoir, par exemple, 16 détails identiques sur deux empreintes similaires dont l'une appartiendrait à une personne et l'autre à une autre personne, on a calculé qu'il faudrait examiner au moins 4 294 967 296 empreintes différentes. Le nombre des habitants du globe étant de 2 528 000 000 environ, on peut donc affirmer qu'il n'y a aucune chance, en règle générale, de trouver une empreinte digitale présentant 16 coïncidences avec une empreinte d'un autre individu. C'est sur ce principe qu'est fondée l'identification des personnes par leurs empreintes digitales. Or, si l'on compare les empreintes digitales de deux vrais jumeaux, on observe souvent plus de 30 coïncidences, et ce fait montre que, même dans les détails morphologiques infimes, l'identité des jumeaux vrais est très grande.

Elle n'est pas moindre du point de vue physiologique. La croissance des vrais jumeaux est habituellement parallèle, ce qui signifie que les périodes où la croissance en poids et en taille est plus importante coïncident. Quelquefois cependant on observe l'inverse, c'est-à-dire qu'à tour de rôle l'un des jumeaux peut surpasser l'autre.

Il arrive que deux jumeaux vrais percent leur première dent le même jour et perdent leur chevelure à la même époque.

Leurs maladies sont souvent communes. Il n'est pas étonnant qu'il en soit ainsi dans le jeune âge pour la rougeole, la coqueluche, la varicelle, la variole ou la scarlatine, car ce sont des maladies éminemment contagieuses, mais, ce qui est curieux, c'est qu'elles évoluent d'une manière semblable et que les vrais jumeaux les contractent ensemble selon un pourcentage plus élevé que celui fourni par les faux jumeaux. Ainsi, pour 1 000 couples de vrais jumeaux où l'on observe 1 000 cas de scarlatine, on a, chez les frères jumeaux des malades, 667 cas de cette maladie. Chez les faux jumeaux, le nombre de cas n'est, dans les mêmes conditions, que 433. Cette différence tient au fait que les jumeaux vrais possèdent un terrain pathologique analogue.

Fait plus surprenant encore : en ce qui concerne des maladies non contagieuses telles que la goutte, le diabète et l'asthme, les crises, chez les vrais jumeaux, surviennent souvent le même jour et parfois à la même heure ou à quelques heures d'intervalle. Le cas suivant, cité par le professeur Trousseau, est, à cet égard, particulièrement significatif.

« J'ai donné mes soins, écrit-il, à deux frères jumeaux, tous deux si extraordinairement ressemblants qu'il m'était impossible de les reconnaître à moins de les voir l'un à côté de l'autre. Cette ressemblance physique s'étendait plus loin : ils avaient une ressemblance pathologique plus remarquable encore. Ainsi, l'un d'eux, que je voyais à Paris, atteint d'une ophtalmie rhumatismale (inflammation de l'œil), me disait : « En ce moment, mon frère doit avoir une ophtalmie comme la mienne », et, comme je m'étais récrié, il me montrait quelques jours après une lettre qu'il venait de recevoir de ce frère alors à Vienne et qui lui écrivait : « J'ai mon ophtalmie, tu dois avoir la tienne. » Quelque singulier que cela puisse paraître, le fait n'en est pas moins exact ; on ne me l'a pas raconté, je l'ai vu, et j'en ai vu d'autres analogues dans ma pratique. Or, ces deux jumeaux étaient aussi tous deux asthmatiques et asthmatiques à un effroyable degré ; dans leurs crises, ils perdaient presque complètement la respiration. Originaires de Marseille, ils n'avaient jamais pu demeurer dans cette ville, où leurs intérêts les appelaient souvent, sans être pris de leur accès. Jamais ils n'en éprouvaient à Paris. Bien mieux, il leur suffisait de gagner Toulon pour que l'accès cessât, et, dans tous les pays où ils étaient appelés pour leurs affaires, ils avaient remarqué que certaines localités leur étaient funestes et que, dans d'autres, ils étaient exempts de tout phénomène d'oppression. »

Ailleurs, ce sont des altérations sanguines, des déficiences cardiaques, des malformations du corps et des organes telles que hernie, bec-de-lièvre, cryptorchidie, polydactylie, inversion des viscères, hermaphrodisme, qui sont semblables.

Ainsi le Dr Escart a observé chez deux jumeaux univitellins une malformation identique des voies urinaires consistant en une dilatation congénitale du rein et de l'uretère gauche avec reflux génito-rénal.

Le Dr Anseaux a rapporté l'histoire des jumeaux Benkenne qui portaient tous deux un goitre de même forme, de même volume et ayant apparu en même temps.

Bramwell a constaté chez deux jumeaux vrais des anomalies rares et identiques de l'œil.

Chose plus impressionnante, on peut rencontrer chez les jumeaux vrais les mêmes combinaisons de malformations multiples. A cet égard, le Dr Lehmann a décrit deux jumeaux qui étaient atteints d'une même malformation des organes génitaux, consistant en une variété particulière d'hermaphrodisme, et qui, en outre, portaient à la région occipitale une volumineuse hernie congénitale de l'encéphale. De son côté, le Dr Vrolik a observé et autopsié deux jumeaux nouveau-nés hermophrodites qui présentaient tous deux quatorze conformations vicieuses très rares parmi lesquelles on peut citer une hernie de l'encéphale à la région occipitale, un bec-de-lièvre, une fissure de la voûte du palais, six doigts à chaque main et à chaque pied, les testicules retenus de chaque côté dans l'abdomen, l'orifice de l'urètre imperforé, un utérus bicorne, une inversion partielle des viscères.

Il existe également un nombre assez considérable de cas de troubles mentaux se produisant chez les jumeaux et apparaissant au même âge et sous la même forme.

Deux sœurs jumelles, habitant respectivement en deux lieux très éloignés l'un de l'autre, furent prises ensemble d'un même accès de folie et se firent amputer un sein et arracher toutes les dents.

On a de même observé deux jumeaux, l'un interné à l'*hôpital de Bicêtre,* l'autre à l'*hôpital Saint-Anne,* qui, tout en présentant une extraordinaire ressemblance physique, furent atteints conjointement de la même idée fixe ; tous deux étaient la proie de persécutions imaginaires ; les mêmes ennemis voulaient les détruire et y employaient d'identiques moyens ; tous deux croyaient entendre des voix (hallucinations auditives) ; tous deux étaient mélancoliques et tristes. De temps en temps, à intervalles irréguliers, de deux, trois ou plusieurs mois, sans cause apparente, un changement très marqué survenait dans leur état : tous deux, presque en même temps et souvent le même jour, sortaient de leur habituelle stupeur, faisaient les mêmes récriminations et présentaient au médecin une mise en demeure de les libérer d'urgence.

L'étude systématique des maladies mentales chez les jumeaux a été faite en ces dernières années en Amérique par le Dr F.-J. Kallmann.

Il classa les malades internés dans les hôpitaux psychiatriques de New York selon qu'ils avaient : 1° un jumeau vrai, 2° un faux jumeau, 3° un frère ordinaire, 4° un demi-frère, 5° un frère d'adoption et il constata que l'hérédité intervenait à 100 p. 100 chez les jumeaux vrais, diminuait considérablement dans les catégories 2, 3, 4, et tombait, comme l'on pouvait s'y attendre, à 0 p. 100 pour les frères d'adoption.

En ce qui concerne la maladie mentale la plus grave, la schizophrénie, qui est essentiellement caractérisée par l'incohérence de la pensée, par des manifestations affectives paradoxales et par la dysharmonie des réactions avec les perceptions extérieures, il vit que sur 1 000 paires de jumeaux vrais où, d'un côté,

1 000 étaient atteints de cette maladie, 862 frères souffraient de la même affection et les 138 autres présentaient, à l'état plus ou moins larvé, les symptômes du terrible mal.

La proportion descend à 145 p. 1 000 chez les faux jumeaux, à 140 p. 1 000 chez les frères ordinaires et à 70 p. 1 000 chez les demi-frères. Elle est réduite à 20 p. 1 000 chez les frères d'adoption où les couples de sujets ont pu subir, dans l'enfance, les mêmes chocs émotionnels. L'hérédité n'intervient plus. Il est à remarquer, en effet, qu'en Amérique, la proportion de personnes quelconques qui peuvent être atteintes de schizophrénie (formes mineures comprises) s'élève à 10 p. 1 000 environ. Cette maladie serait due, d'après le Dr Kallmann, à un gène *[1] défectueux qui provoquerait des troubles hormonaux.

L'étude des jumeaux montre également que certaines déviations sexuelles, comme l'homosexualité, que les psychanalystes attribuent à des causes psychiques, ont essentiellement une origine hormonale. Sur cent paires de jumeaux vrais, dont cent étaient homosexuels, les cent frères présentaient cette perversion dans la proportion de 97,5 p. 100. Chez les faux jumeaux, le pourcentage tombe à 11,5. Le facteur héréditaire, qui, en l'occurrence, est une carence en hormones sexuelles, paraît donc jouer un rôle plus important que les facteurs externes psychologiques.

Ce procédé d'investigation médicale, appelé souvent « méthode des jumeaux », a permis aussi de constater que la prédisposition à la tuberculose est héréditaire, que la sclérose en plaques, que l'on croyait héréditaire, ne l'est pas en réalité et que l'épilepsie pouvait avoir une double origine : héréditaire dans certains cas, acquise dans d'autres.

Les goûts et les aptitudes intellectuelles des jumeaux vrais sont souvent identiques ou analogues. Il est fréquent qu'ils poursuivent les mêmes études, et, soit dans les lettres, soit particulièrement encore en musique ou dans les carrières théâtrales, ils sont habituellement associés. Ainsi, les sœurs jumelles allemandes Alice et Elen Kaessler, qui se ressemblent d'une étonnante

1. Le lexique, en fin d'ouvrage, donne la définition de tous les mots suivis de cet astérisque *.

façon, ont été toutes deux girls et présentaient un numéro commun de danse.

S'ils sont chanteurs, leur voix est généralement la même, mais on a noté que, sans le vouloir expressément, ils ne chantent pas, en règle générale, dans le même registre.

Au cours de leurs études ils se suivent le plus souvent à quelques places l'un de l'autre. On l'a particulièrement remarqué dans les grandes écoles telles que l'*École Polytechnique* et l'*École Centrale*. Un fait très singulier est que l'identité de leur écriture est très rare. On ne connaît guère qu'un cas ou deux cas où des jumeaux ne pouvaient distinguer eux-mêmes leur propre écriture. Dans quelques autres cas ils pouvaient faire cette distinction, mais des tierces personnes étaient incapables de saisir des différences dans les graphismes. Enfin, comme nous venons de le dire, les écritures sont généralement nettement dissemblables, d'où il ressort que l'écriture constitue un test différentiel très sensible.

Leurs goûts semblables se manifestent parfois dans des circonstances imprévues. On a, par exemple, relaté ce cas singulier : un jumeau avait acheté en Écosse un service à champagne dont la forme particulière avait attiré son attention ; or, pendant ce temps, son frère, qui était en Angleterre, ayant vu le même service de verres, avait eu le même désir et avait également fait l'achat du même service.

Enfin, fait assez impressionnant, la destinée des jumeaux est souvent très analogue. Tout d'abord, l'identité de leurs aptitudes les conduit à embrasser la même carrière. Ainsi, les deux célèbres frères jumeaux Auguste et Jean Piccard, qui furent élevés, le premier en Belgique et le second aux États-Unis, témoignèrent de la même passion pour les sciences. Alfred Coste-Floret a été député de la Haute-Garonne et son frère jumeau Paul a été député de l'Hérault. Ils obtinrent le même nombre de points à leurs examens de droit et devinrent tous deux chefs de cabinet et ministres.

D'autre part, les jumeaux vrais ont souvent tendance à accomplir en même temps les actes importants de la vie. Fréquemment ils se marient le même jour, et, parfois, s'il s'agit de frères, ils s'unissent avec des sœurs jumelles. Quelquefois ils meurent à la même époque.

Les cas de télépathie ne sont pas rares, paraît-il, entre jumeaux. En voici un particulièrement net qui a été observé en de bonnes conditions. Enzo Rambaldi, ouvrier de 25 ans, travaillait en son usine à Bologne (Italie), lorsqu'il donna soudain des signes d'une violente émotion, se plaignit d'une forte douleur à la tête et s'effondra devant sa machine.

Secouru par ses camarades, il revint à lui et reprit son travail. Mais, peu après, il fut averti que son frère jumeau venait de mourir dans un accident de la circulation, la tête broyée par un autobus. On put constater, par la suite, que ce fatal événement s'était produit au moment même où Enzo avait perdu connaissance.

De plus, une étude systématique de la télépathie entre jumeaux vrais, effectuée par des parapsychologues soviétiques et des parapsychologues américains, a montré qu'un changement dans les ondes cérébrales survenant chez l'un des jumeaux provoquait généralement une modification identique dans l'activité du cerveau de l'autre. Le Dr Thomas Duane, chef du service ophtalmologique au *Jefferson Medical College* à Philadelphie, et son confrère, le Dr Thomas Behrendt, ont en particulier constaté que l'apparition des ondes alpha (caractéristiques de l'état de repos) chez un jumeau pouvait, à distance, susciter la production du même tracé chez l'autre jumeau.

On a aussi signalé des coïncidences plus étonnantes encore, mais elles sont probablement dues au hasard. Entre autres celle-ci concernant les frères Chanteau bien connus comme dessinateurs et comme peintres et nés à un quart d'heure d'intervalle : lorsqu'ils tirèrent au sort, à Saint-Georges-sur-Loire, en Anjou, l'un des frères, Alphonse, prit le numéro 86 et Gabriel le numéro 87. Ajoutons qu'ils épousèrent les demoiselles Renaud, également jumelles, qu'ils menèrent une existence identique, habitant la même maison et partageant les mêmes occupations.

Les causes de la gémellité

Les causes provoquant les grossesses multiples restent obscures. On a cru pouvoir les rattacher à des intoxications ou à des infections telles que l'alcoolisme et la syphillis, mais le fait est loin d'être certain.

En revanche, il semble que la tendance à la gémellité se rencontre surtout chez les femmes présentant des signes d'hyper-ovarie. Elles sont réglées abondamment et parfois à intervalles plus courts que les 28 jours classiques. Elles sont vives, actives, ardentes. Elles ont été réglées précocement et elles continueront à l'être tardivement.

Au surplus, la disposition à procréer des jumeaux a sa plus grande fréquence chez les femmes dans la force de l'âge, c'est-à-dire entre 35 et 39 ans, et se voit surtout chez celles qui engendrent facilement. A cet égard, le record semble appartenir à Mme Cedar Rapids de l'Iowa qui, en 27 mois, eut trois fois de suite des jumeaux.

Une double ovulation peut se produire dans le cas d'hyperpituitarisme, c'est-à-dire lorsqu'il y a hyperfonctionnement de l'hypophyse qui, on le sait, est le « chef d'orchestre » des glandes endocrines *. C'est ainsi que l'on a réussi, en laboratoire, grâce à des injections d'hormone hypophysaire, à provoquer des naissances gémellaires chez des animaux qui ne comptent normalement, ainsi que ceci a lieu dans la race humaine, qu'une ovulation par cycle. Le procédé est même maintenant employé dans les élevages de moutons afin de susciter des naissances gémellaires.

On a vu également des femmes soumises à un traitement hypophysaire donner naissance à des jumeaux.

Certaines radiations et des corps chimiques favoriseraient aussi les grossesses gémellaires. Ainsi, le Dr Vignes a cité le cas d'une jeune femme docteur qui avait travaillé pendant deux mois sur des appareils de radiologie sans prendre les mesures de sécurité nécessaires et qui, neuf mois plus tard, accouchait de trois enfants issus du même œuf. D'autres observations identiques furent ensuite signalées.

De son côté, l'*Association des Médecins américains* a montré, à l'aide de vastes statistiques, qu'il existe une coïncidence frappante entre l'exposition aux radiations de natures diverses et la mise au monde de jumeaux vrais. Ce travail a permis également d'expliquer la fréquence beaucoup plus grande des jumeaux chez certaines peuplades, les Lapons du pôle, les Péruviens des Andes, les Tibétains de l'Himalaya qui vivent dans des régions beaucoup plus exposées aux radiations cosmiques que le reste de l'humanité.

D'innombrables corps chimiques, employés couramment dans la vie moderne, les goudrons et les colorants en particulier, peuvent, comme les radiations, entraîner des grossesses gémellaires. Ce serait la raison pour laquelle les jumeaux sont plus nombreux dans les régions très industrialisées où les corps chimiques polluent l'atmosphère.

Bien que la femme, plus ou moins affectée par des facteurs extérieurs, soit essentiellement la cause des grossesses multiples, l'opinion populaire attribue plutôt celle-ci à l'homme et ne fait, en cela, que reproduire une thèse défendue autrefois par les médecins. « Si le mari, lit-on en effet dans un ancien traité d'accouchements, travaille avec trop d'ardeur à faire tomber un œuf, au lieu d'un il en tombe deux ou trois, principalement quand il a une femme féconde aussi sensible au plaisir et aussi emportée que lui. » Une idée communément admise également est que les jumeaux sont dus à des coïts répétés coup sur coup : d'où les histoires de maris furieux de devenir pères de jumeaux, persuadés que leur femme les avait trompés parce que, n'ayant jamais eu deux fois de suite des relations sexuelles avec leur épouse, ils n'avaient pu, disaient-ils, engendrer des jumeaux. Remarquons à ce propos que l'exemple de femmes procréant des jumeaux, l'un blanc, l'autre noir, semble corroborer cette croyance, mais, en réalité, la cause première de cette singulière aventure est une ponte ovarienne double.

Ce qui est à peu près sûr, c'est que certains hommes présentent une disposition spéciale à engendrer des jumeaux. On a cité à ce propos le cas de M. Sestini qui eut d'une première femme deux couples de jumeaux et des quintuplés d'une seconde. Un paysan russe fit mieux encore. Marié deux fois, il eut de ses deux femmes 87 enfants : 22 fois des jumeaux, 9 triplés et 4 quadruplés. Un autre paysan, presque aussi bien doué, donna plusieurs jumeaux à sa femme et des triplés à sa servante.

Contrairement à ce que l'on pourrait penser, ce n'est pas, en l'occurrence une concentration exceptionnelle en spermatozoïdes qui provoquerait des grossesses multiples. Elle entraîne, au contraire, une stérilité aussi radicale qu'une insuffisance spermatique. On compte normalement chez l'homme 80 millions de spermatozoïdes par centimètre cube. Mais, chez certains sujets, on en a trouvé jusqu'à 350, 400 millions et même plus. Or, en pareil cas, les sécrétions chimiques destinées à permettre la pénétration de l'ovule deviennent si intenses qu'elles dépassent leur but et le dissolvent complètement.

Un autre facteur qui semble jouer un rôle important dans la gémellité, c'est l'hérédité. Quand une femme accouche de jumeaux, il est fréquent d'apprendre qu'il y a déjà eu des jumeaux dans sa famille, soit du côté maternel, soit, plus rarement, du côté paternel, mais on n'hérite pas de la faculté de créer des jumeaux avec la même facilité que l'hémophilie par exemple. Ce qui se transmet est seulement un tempérament endocrinien que les circonstances peuvent exalter ou freiner. Des statistiques récentes semblent montrer que l'hérédité n'agirait que sur la gémellité bivitelline ; elle serait à peu près nulle sur la gémellité univitelline, mais la question est encore discutée.

Quoi qu'il en soit, elle apparaît nettement dans les familles régnantes. Ainsi, Philippe de Nassau, qui eut, entre autres enfants, deux jumeaux, fut la souche de descendants (maisons de Hesse, de Holstein-Gossorp, de Bade, etc.) où les jumeaux sont fréquents. Dans le détail de l'arbre généalogique de cette famille on constate que la faculté de procréer des jumeaux se transmet aussi bien par les hommes que par les femmes.

L'hérédité gémellaire s'affirme également dans la lignée des Capétiens. Philippe-Auguste, son fils Louis VIII, Charles Ier d'Anjou, son petit-fils, eurent tous trois des jumeaux. La petite-fille de Charles d'Anjou épousa Charles de Valois son cousin et lui donna deux jumeaux. Le petit-fils de Charles de Valois, Jean II le Bon, eut aussi des jumeaux. Charles VII, son arrière-petit-fils, en eut aussi, ainsi que son petit-neveu Louis XII et le petit-neveu de celui-ci, Henri II.

Plus tard, Élisabeth de France, fille de Henri II, épousa en 1560 à 15 ans Philippe II beaucoup plus âgé qu'elle, car, avant d'être veuf, il l'avait retenue pour son fils don Carlos. Élisabeth n'était pas encore réglée ; elle ne devint enceinte qu'en 1564, mais, après trois mois de grossesse, elle fit une fausse couche et expulsa deux jumelles.

La gémellité se poursuivit chez les Bourbons. Dès sa première grossesse, Marie Leczinska eut deux jumelles : Louise-Élisabeth et Anne-Henriette. Une médaille fut frappée à l'occasion de cet événement. Elle porte à l'avers l'effigie de Louis XV et de Marie, et, au revers, une femme portant un nouveau-né dans chaque bras, avec l'inscription : *Fecunditas augusta — Gemellae regiae notae XIV augusti MDCCXXVII.*

En même temps que l'hérédité gémellaire, les statistiques font apparaître une curieuse décroissance dans les grossesses multiples. Les jumeaux, vrais ou faux, naissent au taux d'une paire pour 85 naissances simples, les triplés à la fréquence de un triplé pour 85 naissances doubles, les quadruplés à raison de un quadruplé pour 85 triplés et les naissances quintuples à raison de un quintuplé pour 85 quadruplés.

Il existe en France entre 300 000 et 400 000 couples de jumeaux, et, dans le monde, quelque 20 000 000. La proportion des faux jumeaux est de 75 % et celle des vrais, 25 %.

Le saviez-vous ?

— Certaines peuplades sud-africaines redoutent les naissances doubles : les jumeaux sont sacrifiés et la mère est exclue de la société. L'explication de cette coutume est que ces peuplades pensent qu'en cas de naissances multiples, l'un des enfants recèle un « Mauvais Esprit » et qu'il faut le supprimer. Mais comme il est impossible de déceler lequel des jumeaux est possédé, on tue les deux pour être certain de ne pas se tromper.

— Chez les Hottentots on suppose qu'en cas de gémellité l'homme s'est servi de ses deux glandes sexuelles à la fois. Et comme les jumeaux passent pour être un signe de mauvais augure, on ôte un testicule au père afin de lui enlever la possibilité de recommencer.

— Certains Indiens de l'Équateur ne mangent jamais des bananes doubles de crainte que la gémellité du fruit n'entraîne la gémellité de la progéniture.

En revanche, chez d'autres peuplades, les naissances doubles sont considérées comme des signes de fécondité et de prospérité. Dans l'espoir d'obtenir une récolte abondante on met les graines en contact avec le ventre d'une femme ayant porté des jumeaux.

— Quatorze paires de jumeaux fréquentaient ensemble l'école des Hughlands à Salisbury, ce qui mettait dans un certain embarras le personnel enseignant. Pour distinguer les frères jumeaux, les maîtres s'attachaient à saisir les petites différences existant dans l'intonation de la voix des enfants ou dans leur façon de s'exprimer.

— M. Jean Rostand cite le cas de deux chefs d'orchestre qui pouvaient, au cours d'un récital, permuter l'un avec l'autre sans que le public risquât de s'en apercevoir.

— Un dangereux malfaiteur, Ronald Kray, s'est échappé le 26 mai 1958 de l'asile de *Long Grove,* près d'Epsom, grâce à son frère jumeau Reg. Ce jour-là, plusieurs personnes étaient venues rendre visite à Ronald, et, parmi elles, son frère jumeau. Quand l'heure de la visite fut terminée, Ronald sortit à la place de Reg qui se laissa conduire à la cellule de son frère. On ne s'aperçut de la substitution que plusieurs heures plus tard et c'est en vain que des barrages furent dressés sur les routes pour arrêter le bandit.

— Les jumeaux sont soumis à une série de tests qui permettent de déterminer s'ils sont vrais ou faux. Les vrais appartiennent au même groupe sanguin et ont, à la fois, des empreintes digitales, des pupilles et des oreilles identiques. Les faux ne présentent pas ces concordances.

Le test de la langue roulée est caractéristique : les jumeaux vrais peuvent, tous deux, tourner la langue en cylindre ou en sont tous deux incapables.

— Les chiens policiers les mieux doués ne peuvent distinguer les jumeaux vrais. On leur fait flairer un gant appartenant à l'un des jumeaux. Les chiens suivent aussitôt la piste du frère jumeau faisant partie d'un groupe traqué. Si les deux jumeaux sont dans le groupe à rechercher et si l'un d'eux laisse tomber son gant, les chiens prennent généralement l'un des jumeaux pour l'autre. Si, après l'épreuve, les deux jumeaux se présentent simultanément devant les chiens, ceux-ci s'embrouillent et s'énervent.

— Deux jumeaux russes, Karen et Levon Grigorion, âgés de

dix ans, ont été classés joueurs d'échecs de première catégorie après avoir participé à de nombreux tournois. Levon s'est, en particulier, mesuré au champion d'Ukraine, le grand maître Geller ; après une longue lutte, ils ont fait partie nulle.

— Linda Voss, de Redians (Californie), a mis en défaut la règle d'après laquelle la disposition à procréer plusieurs enfants à la fois s'observait surtout chez les femmes dans la force de l'âge : bien qu'ayant à peine seize ans, elle a donné naissance à des triplés. Son mari était lui-même âgé de dix-neuf ans.

— Deux jumeaux hollandais, élevés dans un grenier par une vieille femme à moitié idiote et ne leur parlant jamais, se formèrent eux-mêmes un langage composé d'une centaine de vocables qui ne ressemblaient en rien au hollandais.

— Dans un ordre de faits voisin, deux jumelles de Midnapour (Bengale, Inde) adoptées par des loups alors qu'elles étaient très jeunes furent capturées non loin de la tanière d'une louve. Elles ne parlaient pas et poussaient de temps à autre un hurlement analogue à celui des loups. Étudiées par le Révérend Singh, ce n'est qu'avec beaucoup de peine qu'il parvint à leur apprendre quelques mots.

— Le 18 septembre 1977 la Hollandaise Corrie Nijssen a donné naissance à des sextuplés vivants : Priscilla, Ivo, Mirella, Patricia, Ramona et Dennis, soit quatre filles et deux garçons, mais Dennis est mort deux mois après sa naissance. Il est à noter que la procréation de sextuplés est un phénomène rarissime.

LES NAINS ET LES GÉANTS

Les anciennes légendes mythiques des Pygmées et des Titans nous apprennent que, depuis longtemps déjà, l'on observe dans le genre humain des différences considérables de stature et de poids.

Effectivement, l'on a connu des individus dont la taille ne dépassait par 55 cm à l'état adulte et d'autres qui atteignaient jusqu'à 2,85 m. Les premiers sont des nains, les seconds des géants.

Ces différences notables, qui font que certains sujets peuvent avoir plus de cinq fois la hauteur de certains autres, ont des causes multiples de sorte qu'il faut distinguer plusieurs catégories de nains et de géants. Dans une première catégorie les différences de taille sont dues à la race, et, dans un second groupe, elles s'observent à l'intérieur même d'une race et sont provoquées par des troubles physiologiques que nous précisons plus loin.

Les variations dues à la race sont dites « ethniques ». On admet généralement que les races ne dépassant pas 1,50 m sont des races naines et que celles qui atteignent 1,80 m sont des races géantes. La taille moyenne des Pygmées africains est de 0,90 m. Les Akkos d'Afrique centrale et les Noirs Obongo sont comparativement beaucoup plus grands mais arrivent à peine à 1,38 m. Les tailles moyennes s'échelonnent ensuite comme l'indique le tableau suivant :

Négritos	1,40 m	Hottentots	1,66 m
Boschimans	1,43 –	Australiens	1,67 –
Lapons	1,56 –	Javanais	1,67 –
Cochinchinois	1,58 –	Allemands	1,68 –
Japonais	1,58 –	Russes	1,68 –
Siciliens	1,58 –	Belges	1,69 –
Péruviens	1,59 –	Anglais	1,73 –
Malais	1,60 –	Néo-Zélandais	1,73 –
Australiens	1,61 –	Patagons	1,73 –
Tahitiens	1,62 –	Polynésiens	1,77 –
Ando-Péruviens	1,63 –	Cafres	1,78 –
Chinois	1,63 –	Hollandais	1,78 –
Roumains	1,64 –	Caraïbes	1,86 –
Hongrois	1,64 –	Batutsi du	
Français	1,66 –	Ruandi-Urundi	1,93 –

Ces chiffres ne s'appliquent qu'aux individus masculins. Dans toutes les races, la femme est généralement plus petite que l'homme d'une dizaine de centimètres, sauf dans les races jaunes où cette différence est un peu moins marquée. Bien entendu, dans chaque race, il existe des individus ayant une taille inférieure ou supérieure à la moyenne fournie par le tableau. Ainsi, les Boschimans peuvent mesurer de 1 m à 1,44 m.

On a recherché quelles pouvaient être les causes capables de produire ces variations, et l'on a invoqué tantôt le climat, tantôt le terrain, tantôt l'altitude, parfois la nourriture, mais il est très difficile de donner des lois précises expliquant ces différences. Ainsi, en Europe, les populations des régions septentrionales, Écossais, Norvégiens, Suédois, sont de grande taille, alors que les Français, qui vivent sous un ciel plus doux, sont de taille moyenne. En revanche, en Afrique, les Noirs les plus grands vivent sous l'équateur. Cependant, dans une même race, on constate que les montagnards sont plus petits que les habitants des plaines et que les populations d'un terrain crayeux ou d'alluvions sont plus grands que ceux d'un terrain schisteux. Parfois, des petits groupes conservent longtemps leur caractère. En Touraine, par exemple, les conscrits des communes d'Avoine, de Savigny et de Beaumont ont, en moyenne, une taille qui dépasse de 3 cm celle des conscrits des autres communes du canton de Chinon.

Les nains

Le nanisme proprement dit est l'état des sujets dont la taille est de beaucoup inférieure à la taille moyenne des individus du même âge, appartenant à une même race.

Il peut être dû à un défaut de nutrition. Le fœtus, porté par une mère souffreteuse, mal alimentée, naît avec une taille réduite. Il n'aura que 30 ou 40 cm au lieu des 50 cm qui constituent la taille normale des nouveau-nés. Ce petit être supportera toute la vie ce dur handicap.

S'il reçoit une nourriture insuffisante, mal équilibrée, imparfaitement vitaminée, sa croissance s'en trouvera retardée. De plus, sa constitution faible et une alimentation incomplète le voueront à certains troubles pathologiques tels que maladies de foie, dyspepsies, entérites, etc., qui n'arrangeront pas les choses. L'enfant restera petit.

Le rachitisme, qui est causé essentiellement par une mauvaise assimilation des sels de chaux, mais qui est heureusement en forte régression dans les pays civilisés, conduit aussi à ce genre de nanisme. Les os longs se courbent, les articulations se nouent, la croissance est lente, et l'individu, devenu adulte, conserve une petite taille.

Certaines lésions congénitales ou précoces du cœur, le rétrécissement des artères sont également susceptibles de déterminer de grands arrêts de croissance aboutissant au nanisme. On a alors des nains qui sont simplement des diminutifs de l'homme moyen ; ils ne présentent aucune malformation corporelle et restent bien proportionnés ; leur tête n'est pas trop grosse, leur tronc n'est pas trop long, leurs membres sont bien dessinés. Ils ressemblent, en somme, à des adultes vus par le gros bout de la lunette. On peut les comparer aux arbres nains du Japon en ce sens qu'ils se sont mal développés parce que, en raison d'un système de circulation défectueux, les matériaux alimentaires sont parvenus péniblement et parcimonieusement aux cellules.

A vrai dire, ces différents nanismes, que l'on peut qualifier de « nutritifs », n'attirent guère l'attention. Les nains qui provoquent la curiosité et aussi la pitié sont des avortons affligés de disgrâces corporelles. Leur nanisme est généralement dû à un mauvais fonctionnement de certaines glandes endocrines : thyroïde, surrénales, sexuelles, etc.

Une variété très commune de nains résulte précisément d'une insuffisance thyroïdienne. Ce sont des nains bouffis, dont le corps est gonflé d'eau. Ils ont une face en pleine lune avec des paupières boursouflées, des lèvres épaisses, des dents mal plantées, peu de cheveux. Beaucoup ont un développement intellectuel rudimentaire ; ils sont apathiques et immobiles. Ces nains myxœdémateux sont souvent exhibés dans les cirques ou dans des baraques foraines.

Leur taille est cependant normale à la naissance. Pendant un an, 2, 3 ou 4 ans, elle se développe, puis ne progresse plus ou ne progresse que d'une façon insensible. Arrivés à la puberté, on n'en voit pas apparaître les signes et les organes sexuels restent rudimentaires. On a alors des jeunes gens, des adultes même, ne mesurant que 0,70 m, 0,80 m, 0,90 m, 1 m, comme des enfants de un an, deux, cinq ou huit ans.

Un autre genre de nanisme est provoqué par l'arrêt de l'accroissement des os des membres. Ces nains sont très caractéristiques avec leur tête volumineuse, leurs membres courts et leur torse de grandeur quasi normale. Leur système musculaire très développé leur donne l'apparence de petits athlètes.

Un type de nain extrêmement curieux résulte d'un mauvais fonctionnement des glandes surrénales. Il s'agit de sujets, qui, encore enfants ou adolescents, ont l'aspect de vieillards. Leur peau est sèche, flétrie, ridée et fortement pigmentée. Ils n'ont ni cheveux, ni cils, ni sourcils. La puberté avorte et les caractères sexuels secondaires n'apparaissent pas. A l'état adulte, ils ne dépassent guère le mètre, c'est-à-dire la taille d'un enfant de 8 ans.

Il existe aussi un nanisme génital où la puberté se manifeste de façon très précoce. On a vu des fillettes réglées à trois ans et même plus tôt, et des garçons présenter un pénis et des testicules bien développés avec érections et pertes séminales dès les premières années.

Pendant l'installation de ces fonctions physiologiques, l'enfant devenu précocement adolescent grandit rapidement, mais, dès que la puberté est terminée, la croissance se ralentit puis s'arrête.

Voici, à ce propos, deux observations du Dr L. Dubreuil-Chambardel, professeur à l'*École d'Anthropologie* de Paris.

« Marie G., de Joué-lès-Tours, voit ses premières règles à l'âge de six ans, elle a alors 0,94 m, ce qui est une taille légèrement inférieure à la moyenne ; de six à huit ans, elle grandit de 17 cm, atteignant donc 1,11 m ; à ce moment, ses menstrues se font régulièrement, ses seins sont gros, les poils pubiens et axillaires sont abondants et réguliers. A quatorze ans, elle a une taille de 1,20 m.

« Jean L., de Bressuire, mesure 0,84 m à l'âge de trois ans. A ce moment on remarque l'accroissement du pénis et des testicules ; le pubis, puis les aisselles se couvrent de poils ; à quatre ans, on constate des pertes séminales. La croissance est très active. A cinq ans et six mois, l'enfant a l'apparence d'un petit homme ; il a à ce moment 1,16 m, c'est-à-dire la taille d'un enfant de neuf ans. Mais la croissance se ralentit alors, et, à vingt-deux ans, il mesurait 1,30 m. »

Enfin, on a décrit un infantilisme hypophysaire et un nanisme hypophysaire. Le premier est caractérisé à la fois par la réduction de la taille et par l'absence de caractères sexuels secondaires, tandis que chez le second ces caractères sont conservés ainsi que les fonctions sexuelles correspondant à l'âge des sujets. Ces nains sont bien conformés.

Autrefois, dans les cours royales, les nains servaient de bouffons et de pages. François Ier et Henri II en possédaient plusieurs. Le fameux Triboulet, qui, de son véritable nom, s'appelait Le Fleurial et qui fut le « fou » de Louis XII et de François Ier, était de petite taille et d'aspect disgracieux. Le roi Stanislas Ier de Pologne eut quelques nains dont les exploits défrayèrent la chronique du temps. Jeffey Hudson, qui était le nain de Charles Ier d'Angleterre, fut nommé baron en raison de son caractère chevaleresque et de son grand courage. Offensé un jour par un nommé Crofts dont la taille était normale, il le provoqua en duel et le tua.

Parmi les nains célèbres, qui furent exhibés sur les champs de foire ou dans les music-halls, on peut citer Tom Pouce qui mesurait 0,57 m, Adrien Esmilaire qui, à seize ans, ne dépassait pas 0,69 m, la petite reine Mah qui mesurait 0,70 m à dix-neuf ans, le jeune Birch qui atteignait à peine la taille d'un nouveau-né.

En Amérique, un nain nommé « General Mite » mesurait 0,82 m à seize ans. Il avait une fiancée « Miss Millie » qui ne mesurait que 0,62 m.

Le nain Pieral, qui a su, grâce à sa volonté et à son élégance, devenir une personnalité parisienne très en vue, a créé un remarquable personnage dans le film : « L'Éternel Retour. »

D'autres nains moins connus méritent aussi d'être signalés. Citons, entre autres, ce couple de nains madrilènes dont le fils, à l'âge de quinze ans, mesurait 2 m, et l'Égyptienne Hilany Agybé qui, à soixante ans, atteignait tout juste 0,38 m.

Les géants

Le gigantisme, que nous allons maintenant examiner, est un état qui s'oppose au nanisme. Il a, autant que celui-ci, excité l'imagination populaire. Le Samson de la Bible qui, pendant sa jeunesse, déchira un lion entre ses bras était probablement un géant. On se rappelle qu'enfermé par les Philistins dans la ville de Gaza, il en enleva les lourdes portes pendant la nuit et les transporta au sommet d'une haute montagne. Trahi par Dalila, qui parvint à le priver de sa force, et livré à ses ennemis, il fut employé à divers travaux. Plus tard, rendu aveugle et attaché aux colonnes d'un temple, il les renversa, ce qui amena l'effondrement de l'édifice. Samson, sous les débris, fut écrasé avec trois mille Philistins qui célébraient la fête de leur dieu Dagon.

Goliath qui fut tué par David d'un coup de pierre, était un géant.

Dans la mythologie grecque on trouve un grand nombre de géants qui réalisèrent des prouesses ou des travaux extraordinaires ; plusieurs ont reçu le nom d'Hercule, mais le plus connu des héros de ce nom est le fils de Jupiter et d'Alcmène. Tout enfant, il étouffa dans ses mains les serpents envoyés par Junon pour le dévorer. Adulte, il accomplit les douze exploits connus sous le nom de « travaux d'Hercule ».

Les Gaulois avaient l'Hercule Pantophage qui possédait un formidable appétit. Le Gargantua de Rabelais en dérive directement.

Quelques auteurs moyenâgeux relatent également d'étonnantes prouesses accomplies par des géants.

D'après l'un de ces chroniqueurs, un géant nommé Œnother se trouvait dans l'armée de Charlemagne. « Il abattait les hommes comme s'il eût fauché du foin, et quelquefois en emportait bon nombre, embrochés dans sa pique et tous sur son épaule comme on porterait des oiseaux enfilés au bout d'un bâton. »

Louis de Boufflers, surnommé le Robuste, qui vivait en 1534, rompait facilement un fer à cheval et déplaçait un bœuf en le tirant par la queue. Il soulevait un cheval puissant et l'emportait sur ses épaules.

Semblable exploit est attribué par Froissard à un seigneur espagnol nommé Ernaulton qui « était grand, long et fort avec de gros membres, sans être trop chargé de chair ». Ernaulton se trouvant dans le château de Foix, avec plusieurs seigneurs qui se plaignaient de la température rigoureuse et du faible feu allumé dans la salle où ils étaient, ayant vu dans la cour des ânes chargés de bois, descendit, chargea l'un d'eux sur son dos et remonta allégrement l'escalier de vingt-quatre marches, pénétra dans la salle et vint renverser les bûches et l'âne au milieu du foyer.

On peut rapprocher de cette histoire la facétie exécutée une nuit par un gentleman anglais de grande taille. Ayant rencontré un veilleur de nuit endormi dans sa guérite, il enleva contenant et contenu et les plaça sur le haut du mur d'un cimetière.

L'empereur d'Allemagne Maximilien Ier accomplissait des prouesses analogues. « Il était si démesurément haut, rapporte l'un de ses historiographes, qu'il passait la taille de huit pieds. Il avait le pouce d'une telle grosseur qu'il se faisait un anneau du bracelet de sa femme. »

On pourrait multiplier les exemples de ce genre, mais ils ne nous apprendraient rien de plus. Aussi voyons maintenant les différents types de géants, ainsi que la taille qu'ils peuvent atteindre.

Parmi les géants célèbres par leur taille sinon par leurs exploits, on peut citer l'Anglais Charles Byrne, lady Amma, l'Allemand Herold qui mesuraient 2,25 m. Le Suisse Constantin les dépassait de 25 cm. L'Autrichien Winkelmaier atteignait 2,73 m et l'Alsacien Jen Kraw, 2,80 m. Le Chinois Chang-You-Ling et le Turc Enzkan étaient un peu plus grands avec 2,83 m. Le Russe Machnow, qui fut exhibé dans la plupart des grands music-halls d'Europe et d'Amérique, atteignait 2,87 m et pesait 182 kg. Il mourut à quarante ans de tuberculose osseuse.

A notre époque, les géants ayant quelque notoriété sont Fernand Bachelard, alias le géant Atlas, qui mesure 2,35 m, pèse 225 kg et chausse du 62, deux Frisons, William et Marsina van Droysen, frère et sœur, qui mesurent respectivement 2,48 m et 2,38 m, Sandy Allen, jeune américain qui mesure 2,40 m et pèse 190 kg[1], et, enfin, l'Iranien Sia Khad qui, actuellement, avec ses 3,27 m, est très probablement l'homme le plus grand du monde. En raison de son poids, il ne peut ni marcher ni se tenir debout. Sa tête est si grosse et si pesante qu'il est incapable de la porter droite et qu'elle repose constamment sur sa poitrine.

Certains géants conservent l'harmonie des proportions humaines. Ce sont des hommes de grande taille, vigoureux, à l'intelligence normale. Ce gigantisme peut devenir familial et héréditaire. Il n'a probablement rien de maladif.

Tout autre est le « gigantisme vrai » qui est un état pathologique. « Les géants, écrit Henry Meige, sont à la fois des monstres et des malades. »

Il semble dû essentiellement à des troubles du fonctionnement de certaines glandes à sécrétion interne, en particulier de l'hypophyse, des glandes génitales et du thymus.

Une maladie qui se rapproche beaucoup du gigantisme est l'acromégalie, caractérisée par l'hypertrophie des extrémités, tête, mains, pieds, et, souvent aussi, par une taille élevée. Elle

1. Sandy Allen a été engagé par Fellini pour être l'une des vedettes de son nouveau « Casanova ».

débute ordinairement vers 20 ou 30 ans et est due à une activité exagérée de l'hypophyse. D'après quelques auteurs, « le gigantisme est l'acromégalie de la période de croissance ».

Il existe également, semble-t-il, un gigantisme testiculaire. On a en effet remarqué de tout temps que les sujets privés dans leur jeune âge de leurs testicules, que ce soit accidentellement ou intentionnellement, présentent une croissance continue jusqu'à 24 ou 25 ans et atteignent une taille supérieure à la normale. Les eunuques mesurent facilement 2,25 m ou 2,30 m. Ils conservent en même temps des caractères infantiles : absence de poils pubiens et axillaires; absence de barbe et de moustache; voix

INDICES DE LA TAILLE DÉFINITIVE

ÂGES	GARÇONS	FILLES
6 mois	37	39,8
1 an	42	44,8
2 ans	48,6	52,2
3 –	53	57
4 –	57,6	61,5
5 –	61,7	66
6 –	65,5	71
7 –	69,3	74
8 –	72	77,5
9 –	75	81
10 –	78,1	84
11 –	81	87,2
12 –	83,8	91,7
13 –	87,3	95,5
14 –	91,5	98
15 –	95,5	99
16 –	97,7	99,8
17 –	98,8	99,8
18 –	99,6	99,8
19 –	100	99,8

grêle ; pomme d'Adam peu saillante ; thorax étroit ; pénis rudimentaire ; prostate petite.

Le thymus a vraisemblablement, lui aussi, une influence sur les croissances anormales, ainsi qu'en témoignent les bons résultats obtenus en thérapeutique par l'emploi des extraits de cette glande dans les retards de croissance.

Anormaux par leur taille, les géants, ainsi d'ailleurs que les nains, le sont également à d'autres points de vue : leur intelligence est généralement médiocre et leur vitalité souvent faible ; aussi comme l'on peut maintenant, à l'aide d'une alimentation spéciale, d'hormones et de vitamines appropriées, corriger dans une certaine mesure le gigantisme et le nanisme, à condition que le traitement convenable soit appliqué à temps, il peut être intéressant de prévoir la taille d'un individu à partir de sa taille mesurée aux différents stades de sa croissance. C'est ce que permet, avec une assez grande approximation, le tableau de la page précédente.

Pour utiliser ce tableau, il suffit de multiplier par 100 la taille mesurée à un âge déterminé et de diviser le résultat par l'indice de la taille définitive. Supposons, par exemple qu'un garçon mesure 1,20 m à 7 ans. Sa taille définitive, acquise généralement vers 19 ou 20 ans, sera :

$$1{,}20 \text{ m} \times \frac{100}{69{,}3} = 1{,}73 \text{ m}$$

Si l'on obtient, grâce à ce petit calcul, un nombre trop faible ou trop élevé par rapport à ce qu'il devrait être normalement, on pourra s'inquiéter et consulter un médecin.

Le saviez-vous ?

— Vélasquez a su rendre fidèlement toutes les monstrueuses difformités des nains dans son célèbre tableau des Ménines. On y voit : une ménine (fille d'honneur), l'infante Marguerite, une seconde ménine, l'affreuse naine Barbola habillée de vert et les nains Pertuso, Antonio, et don Diego de Acedo, le nain de Philippe IV.

— L'Europe centrale est une pépinière de nains. On attribue cette particularité à la consommation excessive de paprika (variété de piment), qui aurait une influence néfaste sur le développement des glandes à sécrétion interne, et, en particulier, sur la glande thyroïde.

— D'après beaucoup de biologistes, les explosions atomiques (qui produisent des particules radioactives nocives) risquent de provoquer de nombreux cas de nanisme et de gigantisme chez les plantes, les animaux et l'homme.

— La psychologie particulière du nain a été parfaitement analysée par le grand écrivain suédois Pär Lagerskvist dans son roman « *Le Nain* ». Ce remarquable ouvrage, qui a la valeur d'un document, nous fait comprendre en quoi le nain diffère de l'homme normal.

— Les vitamines qui favorisent la croissance se trouvent dans le beurre (vitamine D), dans les carottes crues (vitamine A), dans les légumes frais et dans les fruits (vitamine C).

— Le Dr Philip Henneman du collège médical de l'*Université Harvard* de Boston a réussi une audacieuse expérience médicale. Grâce à des hormones hypophysaires prélevées sur des cadavres, il est parvenu à faire grandir des nains.

— En inséminant des porcs et des lapins femelles avec un sperme traité par la colchicine, les biologistes suédois Haggqvist, de l'*Institut Caroline,* et Allan Bone, de l'*École vétérinaire royale,* ont obtenu des porcs et des lapins géants.

— La taille moyenne de l'homme va en augmentant. Depuis une centaine d'années, la taille moyenne des Européens s'est accrue de 10 cm environ et celle des Japonais de 15 cm.

— Robert Hughes, l'un des hommes les plus gros du monde, est mort d'une crise d'urémie aiguë le 10 juillet 1958 à Bremen (Indiana). Il était âgé de trente-deux ans, pesait 483 kilos et n'avait pas moins de 309 cm de tour de taille. Ce phénomène était exhibé dans un cirque ambulant. Quand il tomba malade, lors de son passage à Bremen, il fut impossible de l'admettre à l'hôpital : la porte n'était pas assez grande pour qu'il pût entrer et aucun lit n'aurait été assez résistant pour supporter son poids.

On utilisa sa roulotte pour le conduire à sa dernière demeure, aucun corbillard n'étant assez large pour le transporter.

VARIATIONS ANORMALES ET VARIATIONS MONSTRUEUSES DU CORPS HUMAIN

Nous n'examinons pas ici tous les cas de tératologie humaine qui sont innombrables, ni les variations monstrueuses incompatibles avec la vie, ni les arythmies de croissance qui pourraient compléter l'étude du nanisme et du gigantisme, ni, sauf exception, les malformations insignifiantes qui n'attirent pas l'attention. D'une part, leur description, même succincte, serait très longue, et, d'autre part, elle dépasserait considérablement le cadre de cet ouvrage. Nous avons à peu près uniquement retenu les dispositions irrégulières du corps faisant qualifier les êtres humains vivants qui en sont affectés, d'hommes ou de femmes phénomènes. Pour la clarté de l'exposé nous considérons successivement les irrégularités du tronc et de la tête, des membres, des organes génitaux, des téguments, le mongolisme, et, enfin, les unions gémellaires.

Les anomalies du tronc et de la tête

En ce qui concerne le tronc, signalons immédiatement que certains hommes et certaines femmes possèdent une queue pourvue ou non d'un squelette. Dans le premier cas elle peut être adhérente au sillon interfessier, ou, au contraire, libre et mobile. Dans le second cas, elle dépasse généralement la région fessière et est susceptible de s'accroître au cours de la vie. Elle est longue, mince et comparable à une queue de porc.

Ces queues humaines sont quelquefois recouvertes d'un pelage abondant.

D'autres variations du tronc, telles que le sternum en entonnoir, en gouttière, en saillie, l'absence de clavicule, sont en dehors de notre propos et méritent à peine d'être signalées.

En revanche, l'inversion des organes du tronc, qui a été observée plusieurs fois, peut être qualifiée de disposition phénoménale.

Tous les organes qui sont ordinairement à gauche, le cœur par exemple, sont à droite et ceux qui sont à droite se trouvent à gauche. Leur ensemble est précisément ce que serait, dans une glace, l'image des organes thoraciques et abdominaux d'un individu normal. Notons d'ailleurs que la transposition du cœur, seul, est plus fréquente que l'inversion générale et que l'on peut, d'autre part, trouver cet organe dans la région épigastrique ou même dans l'abdomen.

Les fissures faciales, qui ont recu le nom générique de « bec-de-lièvre », sont quelquefois des malformations monstrueuses. Elles sont dues à une coalescence imparfaite des bourgeons embryonnaires qui contribuent à former la face. Ainsi la non-coalescence des bourgeons maxillaires inférieurs peut conduire à une division de la partie inférieure de la face en deux moitiés égales ; parfois, la langue est elle-même divisée longitudinalement.

Les fissures commissurales, qui sont au reste fort rares, consistent dans le prolongement latéral de la commissure labiale plus ou moins loin en arrière à travers les joues. La bouche, ainsi fendue d'une oreille à l'autre, paraît énorme et laisse voir les dents. La salive n'est plus arrêtée par les joues et s'écoule constamment au dehors.

On rencontre également des fissures médianes supérieures et surtout des fissures nasales et lacrymales. On peut suivre le développement de ces dernières, depuis la simple échancrure latérale de la lèvre supérieure, qui n'est pas à vrai dire une monstruosité, jusqu'à la division complète, se prolongeant jusqu'à l'orbite, de l'os maxillaire supérieur. Dans les états intermédiaires on a la division de la lèvre puis celle de l'os maxillaire supérieur faisant communiquer la bouche et les fosses nasales, réalisant ce que l'on appelle : « la gueule de loup ».

Quelles que soient les variétés des fissures de la face, il est intéressant de constater qu'elles sont généralement héréditaires. Tantôt l'hérédité est sporadique, tantôt elle se poursuit régulièrement d'une génération à l'autre pour les deux sexes, parfois elle est homosexuelle, c'est-à-dire qu'elle n'atteint que les sujets du même sexe.

Il s'ensuit que le gène incriminé peut être récessif * ou dominant * et quelquefois lié au sexe.

Certaines malformations relatives à la tête sont plus ou moins visibles et plus ou moins « phénoménales ». Nous ne faisons que les signaler. Ce sont, pour l'œil : l'absence de paupières, de l'iris, du cristallin ; l'œil vairé ou bicoloration de l'iris, l'albinisme, la coloration bleue de la sclérotique qui est un trouble héréditaire ; le développement exagéré des glandes lacrymales ; la présence d'une troisième paupière ressemblant à celle des oiseaux ; l'asymétrie, la dénivellation, l'aplatissement des cavités oculaires. Pour l'oreille : son absence totale, ou, inversement, le développement exagéré du pavillon qui peut retomber au dehors comme une oreille de chien. Pour le nez : une forte asymétrie ; un double nez, avec, parfois, entre les deux nez, le rudiment d'un troisième œil, lequel est généralement considéré, ainsi que nous le verrons plus loin, comme étant un signe de gémellité. Pour la bouche, outre les fissures commissurales : le développement excessif du maxillaire inférieur, ou, au contraire, son extrême réduction (micrognathie) ce qui donne à la face l'aspect d'une tête d'oiseau. Pour la langue : sa forte diminution, ou, inversement, son développement exagéré conduisant à la macroglosie, disposition très gênante qui oblige à garder la bouche ouverte ; la langue bifide qui ressemble à celle d'un saurien ou d'un phoque ; la langue scrotale qui est profondément échancrée. Pour les parotides : leur hypertrophie qui fait que les deux glandes forment de chaque côté de la face de fortes saillies visibles à distance. Pour les dents : leur absence totale, laquelle est souvent héréditaire et liée à une alopécie * également congénitale * ; en ce cas le gène producteur du trouble est dominant ; la réduction de leur nombre qui, chez certaines races, comme la race romagnole *, est constante en ce qui concerne la troisième molaire ; les dents supplémentaires aboutissant parfois à une double rangée de dents, l'une normale, l'autre en arrière avec un nombre réduit d'éléments ; la gémination dentaire où deux dents sont fusionnées plus ou moins intimement ; le microdontisme caractérisé par la présence de très petites dents séparées de leurs voisines par de très longs intervalles ; le macrodontisme qui est l'augmentation considérable de certaines dents, les canines et les incisives surtout, qui peuvent faire saillie en dehors ; la présence des dents dès la naissance, et, enfin, chez l'adulte, une troisième dentition.

Les anomalies des membres

Les variations des mains et des pieds sont si nombreuses que nous sommes contraint à ne signaler que les plus typiques : elles portent essentiellement sur le nombre, la longueur, le volume et l'indépendance des doigts.

L'hyperdactylie, appelée aussi polydactylie, consiste dans l'augmentation du nombre des doigts ou des orteils. Elle peut être due, ou bien à un doublement de la palette embryonnaire qui donne naissance à la main ou au pied, d'où des mains ou des pieds doubles, ou, encore, et c'est le cas le plus fréquent, à la division longitudinale des rayons digitaux embryonnaires qui produisent les doigts et les orteils. On a observé des mains doubles symétriques avec pouces distincts (10 doigts en tout), avec pouce commun (9 doigts), sans pouce (8 doigts). Les mains doubles peuvent être aussi asymétriques, l'une des palettes ayant par exemple deux doigts et l'autre cinq.

Les doigts dédoublés peuvent avoir leurs deux moitiés également développées, mais, le plus souvent, l'un des éléments est d'un volume très sensiblement réduit. Son squelette est atrophié ou manque parfois complètement. Le doigt surnuméraire est même quelquefois rattaché au doigt normal par un pédicule très mince que l'on peut sectionner, à la naissance, à l'aide d'un scalpel ou même au moyen d'un simple coup de ciseaux.

L'hypodactylie, qui est le phénomène contraire de l'hyperdactylie, consiste en une diminution du nombre des doigts ou des orteils. Elle est beaucoup moins fréquente que la tare précédente.

La diminution peut porter sur un seul doigt qui, en ce cas, est habituellement le pouce. La main en pince d'écrevisse ou de homard résulte de la réduction ou de la disparition des doigts du milieu avec conservation des doigts extrêmes qui se recourbent l'un vers l'autre. Enfin, tous les doigts, ou tous les orteils, peuvent disparaître entièrement.

Les autres anomalies importantes des doigts sont leur allongement ou leur raccourcissement excessifs, leur développement ou leur réduction exagérés dans toutes leurs dimensions, et, enfin, la syndactylie.

Cette dernière affection, qui consiste en l'union de deux ou de plusieurs doigts, est souvent associée à d'autres imperfections digitales. Parfois, les pièces osseuses des doigts ou des orteils sont plus ou moins soudées, et la main ou le pied présentent la forme d'une palette. En d'autres cas, les doigts ou les orteils sont réunis par une sorte de palmure qui n'empêche pas les mouvements individuels.

Toutes les malformations digitales sont généralement héréditaires, le gène correspondant étant le plus souvent dominant.

La diminution et le raccourcissement des doigts et des orteils ne constituent que le premier stade du démantèlement des membres. Le second stade est représenté par la disparition totale des mains et des pieds ou achéiropodie. Ensuite, on assiste à la réduction puis à la disparition du segment moyen des membres pour aboutir à l'absence complète des bras et des jambes réalisant ce que l'on appelle en terme médical l'ectromélie, et, dans le langage populaire, l'état de l' « homme-tronc ».

Malgré leur grave infirmité les hommes-troncs sont susceptibles de vivre longtemps.

Les anomalies des organes génitaux

Les anomalies des organes sexuels féminins peuvent porter sur le clitoris, les petites lèvres, l'hymen, l'utérus et le vagin.

Le développement exagéré du clitoris est une manifestation assez rare. Néanmoins, chez certaines femmes, cet organe peut atteindre 13 cm de long et simuler un pénis avec gland, bourrelet circulaire, bourrelet cutané, prépuce.

Le Dr Cabanis prétend, mais nous lui laissons la responsabilité de cette affirmation, que « certaines tribades * de Rome, dont les vices étaient contre nature, possédaient un clitoris extraordinairement développé ». En tout cas, Tulpius raconte qu'une femme fut fouettée publiquement et bannie de Rome pour avoir abusé de sa conformation. Et Colombus cite l'exemple d'une autre femme dont le clitoris, « aussi long que le petit doigt, avait fini par s'ossifier ».

Les petites lèvres sont susceptibles également de prendre de grandes dimensions de sorte qu'elles arrivent à dépasser largement les grandes lèvres. Chez certaines peuplades, les Hottentots et les Boschimans par exemple, elles atteignent 20 cm environ et forment en avant du périnée une sorte de tablier fort disgracieux.

La malformation contraire, c'est-à-dire le faible développement des petites lèvres, est une variation commune et même, en quelques pays, une disposition normale.

Nous laisserons de côté les modifications de l'hymen (qui ne sont importantes à connaître qu'en médecine légale) mais nous signalerons qu'il existe assez fréquemment des utérus et des vagins doubles.

Les deux utérus d'une part et les deux vagins d'autre part peuvent être accolés ou séparés plus ou moins complètement. En cette dernière occurrence les deux vagins possèdent chacun un hymen distinct. La cloison commune qui les réunit est ordinairement détruite, en tout ou partie, par les rapports sexuels et les accouchements.

Les anomalies présentées par les organes masculins sont assez nombreuses.

La plus courante, qui d'ailleurs ne peut être qualifiée de « phénoménale », est la cryptorchidie dans laquelle le testicule reste caché dans l'abdomen. L'affection n'existe habituellement que d'un seul côté, mais parfois elle est double.

La présence de plus de deux testicules est, contrairement à l'opinion des anciens auteurs, une disposition très rare. On connaît cependant plusieurs exemples de triorchidie. L'erreur commise par les physiologistes d'autrefois provient du fait qu'ils prenaient pour des testicules ce qui, en réalité, n'était que tumeurs ou kystes.

Les testicules peuvent être minuscules ou, inversement, présenter un volume double ou triple de la taille normale.

La verge est quelquefois reliée au scrotum * par une membrane cutanée, ce qui, d'ailleurs, n'empêche pas l'érection. Elle est parfois entièrement recouverte, sauf le gland, par cette peau que l'on peut confondre avec le scrotum. A un degré plus avancé, le pénis est enfoui dans les bourses ce qui interdit l'érection. Sa séparation d'avec celles-ci nécessite une opération chirurgicale assez délicate.

L'absence totale de pénis semble incompatible avec la vie et on ne l'a jusqu'alors constatée que sur des fœtus monstrueux mort-nés. En revanche, la présence de deux pénis a été quelquefois observée chez l'homme vivant. En règle générale un seul est capable d'entrer en érection.

On a signalé aussi l'existence dans la verge d'un os pénien pouvant atteindre le volume et la forme d'un crayon de charpentier.

L'hypospadias est caractérisé par la présence d'une ouverture anormale siégeant sur la paroi inférieure de l'urètre. On en connaît trois variétés : l'hypospadias balanique situé au niveau du gland ; l'hypospadias pénien ou péno-scrotal qui se trouve entre le gland et le scrotum ; l'hypospadias scrotal et périnéo-scrotal qui occupe la région du scrotum. Le premier est fréquent, le second est rare et le troisième est exceptionnel. En cette dernière disposition la verge est sans méat, atrophiée et a l'apparence d'un clitoris. L'homme ne peut uriner contre les murs et doit s'accroupir comme les femmes.

L'hypospadias n'empêche pas l'érection et le coït mais le jet spermatique est plus ou moins dévié ce qui influe naturellement sur la fécondation. C'est une malformation qui semble héréditaire, de caractère récessif qui peut se manifester ou ne pas apparaître chez les porteurs du gène incriminé.

Chez la femme comme chez l'homme, on peut observer un

nombre anormal de seins. Il y a polymastie quand il est supérieur à deux et amastie lorsqu'il est inférieur à ce nombre.

Les mamelles supplémentaires siègent le plus souvent à côté et un peu au-dessous des seins normaux. Elles sont habituellement au nombre de deux et peuvent atteindre le même volume que les seins réguliers. On a cependant compté jusqu'à cinq paires de mamelles chez une femme : trois paires au-dessus et une paire au-dessous des glandes normales.

Au moment d'une grossesse les seins supplémentaires sécrètent généralement du lait et peuvent servir à l'allaitement.

Les statistiques montrent que la polymastie est héréditaire, qu'elle est plus fréquente chez la femme que chez l'homme et qu'elle est moins rare chez les races jaunes que chez les races blanches. Un caractère distinctif essentiel de la polymastie chez les races jaunes et, en particulier, chez les Japonais, c'est qu'elle siège en règle générale au-dessus des mamelles normales alors que c'est l'inverse dans les races occidentales où elle est plutôt sous-mammaire.

L'amastie, qui s'oppose à la polymastie, consiste en l'absence unilatérale ou bilatérale de mamelles. Elle peut intéresser à la fois la glande et son mamelon ou la glande seule. Elle est généralement accompagnée d'autres malformations des organes génitaux.

Un homme sur cent environ présente une hypertrophie mammaire mais cette disposition n'entraîne ordinairement aucune variation des organes génitaux ni d'inversion sexuelle. En revanche, dans le cas de gynécomastie, c'est-à-dire lorsqu'il y a chez l'homme développement précoce et persistant des mamelles, on observe souvent une hypotrophie des organes génitaux ainsi que l'existence de caractères sexuels secondaires équivoques tels que poils de la face rares et courts, hanches plutôt larges, et, au point de vue psychique, des sentiments d'inversion sexuelle.

La plupart de ces hommes sont aspermiques et, par conséquent, impropres à la reproduction. Quelques-uns cependant peuvent procréer et on a vu qu'ils engendraient généralement d'autres gynécomastes. L'affection est donc héréditaire.

Ce trouble nous conduit tout naturellement à envisager

l'hermaphrodisme qui, ainsi que chacun le sait, est l'état d'un individu réunissant les caractères des deux sexes.

Il pourrait être théoriquement fonctionnel, mais, en fait, il n'est, chez l'homme, que morphologique. C'est donc un pseudo-hermaphrodisme. Tantôt une seule glande, l'ovaire en général, contient des éléments sexuels, tantôt ni l'une ni l'autre glande génitale n'évolue jusqu'à la maturité des éléments reproducteurs.

Les gynandres sont des pseudo-hermaphrodites possédant un ou deux ovaires mais dont les organes génitaux externes ont l'apparence du sexe masculin. Il s'agit, en général, de sujets pourvus d'un clitoris très développé avec gland, méat et canal urétral, et dont la vulve, à ouverture très étroite, est cachée entre les grandes lèvres unies en partie l'une à l'autre. Ils peuvent évoluer extérieurement soit vers le type féminin, soit vers le type masculin, soit vers une forme mixte.

Les androgynes sont des pseudo-hermaphrodites pourvus d'un ou de deux testicules mais dont les organes externes sont analogues ou même identiques à ceux de la femme. Ils peuvent en effet posséder un clitoris, une vulve avec grandes lèvres et même parfois un vagin et un utérus. De même que les gynandres, leur apparence est masculine, féminine ou mixte. Chose curieuse, certains androgynes ont, d'un côté, à droite par exemple, des organes génitaux mâles, et, de l'autre côté, des organes féminins.

Enfin, il existe un pseudo-hermaphrodisme somatique caractérisé par la non-concordance entre les organes sexuels et l'aspect extérieur. C'est le cas, par exemple, de femmes qui, par de nombreux caractères, ressemblent à des hommes, et d'hommes qui ont l'aspect de femmes. Cette dysharmonie morphologique est généralement accompagnée d'une inversion psychique sexuelle.

L'hermaphrodisme se comprend aisément lorsqu'on sait qu'au début de son développement l'être humain est bisexué. Chaque glande génitale comprend deux parties, l'une superficielle qui est l'ébauche de l'ovaire, l'autre profonde qui donnera naissance au testicule. Il existe également deux sortes de conduits génitaux : une paire de conduits mâles et une paire de conduits femelles. La différenciation des sexes ne se fait qu'à partir de la 8e semaine par l'évolution continue d'un des éléments et l'atrophie de l'autre, mais, même chez l'adulte normal, on trouve quelques vestiges des ébauches génitales du sexe opposé. Ainsi, l'adénome de la prostate provient de l'hypertrophie d'un résidu embryonnaire femelle inclus dans cette glande et qui porte le nom d'utricule. Cette formation reste atrophiée tant que le testicule fonctionne normalement et exerce son action empêchante, mais, lorsque arrive la cinquantaine, le déficit testiculaire survient, l'utricule et les glandes qui l'entourent prennent un volume exagéré, comprimant le canal de l'urètre et le prostatisme apparaît. Notons toutefois que cette conception du prostatisme n'est pas acceptée par tous les biologistes.

Les organes génitaux externes restent également assez longtemps indifférenciés. Au début du développement embryonnaire, les conduits génito-urinaires et le rectum s'ouvrent dans une ouverture commune, le cloaque. Un éperon divise ensuite le cloaque en deux parties : l'orifice uro-génital en avant, l'anus en arrière.

Devant l'orifice uro-génital se développe une protubérance conique, le tubercule génital, qui présente à sa face intérieure un sillon appelé le sillon génital. Des bourrelets, ou replis génitaux, se forment bientôt autour du tubercule génital. L'embryon, alors âgé de deux mois, n'est, extérieurement, pas encore sexuellement différencié.

Ce n'est qu'ensuite qu'il évolue, soit vers le sexe féminin, soit vers le sexe masculin.

Dans le premier cas le tubercule génital se transforme peu et donne le clitoris ; le sillon génital reste ouvert et devient la vulve ; les bourrelets génitaux constituent les grandes lèvres.

Dans le second cas, le tubercule génital grossit, s'allonge et produit la verge ; le sillon génital se ferme ; les bourrelets génitaux s'unissent par leurs bords et forment le scrotum dans lequel descendront les testicules.

Le clitoris est donc l'homologue du pénis cependant que les grandes lèvres correspondent à l'enveloppe des testicules. D'une manière imagée on peut dire qu'en rapprochant les grandes lèvres et en les cousant par leurs bords, on constituerait les bourses.

Quant à la cause de cette évolution, elle tient à ce que l'embryon, de constitution mâle ou femelle (laquelle constitution est due à la formule chromosomiale *), sécrète les hormones qui correspondent à son sexe, hormones dont le type est l'œstrone chez la femelle et l'androstérone chez le mâle.

Dans le cas d'hermaphrodisme, il y a, à un stade plus ou moins précoce, soit déséquilibre hormonal, soit production d'une hormone intermédiaire, soit, de la part de l'organisme maternel, un excès de folliculine (hormone femelle) ce qui oriente un embryon masculin vers le type féminin, ou un excès d'hormone masculine qui « masculinise » un embryon femelle.

Ajoutons que les « changements de sexe » dont il est périodiquement question dans les journaux sont dus, en général, à une erreur de diagnostic du médecin ou de la sage-femme au moment de la naissance. D'après ce qui précède on conçoit que les organes génitaux externes d'un enfant de sexe masculin puissent ressembler à ceux d'une fillette, et, inversement. Comme l'accoucheur n'a pas d'autre critère du sexe, le garçon est inscrit sur les registres de l'état civil comme étant une fille et la fille comme étant un garçon. Quelques caractères inter-sexuels peuvent, par la suite, continuer à donner le change.

A l'âge adulte, le sexe véritable se révèle généralement de lui-même, mais parfois une opération chirurgicale est nécessaire pour qu'il puisse s'exprimer. S'il s'agit de la présence d'un organe viril chez un sujet femme, on en pratiquera l'ablation. Le chirurgien pourra même remédier à l'absence congénitale de vagin chez un sujet pourvu d'ovaires, donc femme, soit en en créant un entre la vessie et le rectum, soit en exerçant des dilatations de plus en plus importantes s'il en existe déjà une ébauche. Des traitements hormonaux et une rééducation psychologique compléteront l'intervention.

Mais des cas particulièrement troublants sont quelquefois annoncés dans la presse. Tel est celui de R. C. qui, marié et père de deux enfants, est devenu femme. En réalité, R. C. était, à sa naissance, de sexe féminin, mais d'apparence masculine. Il fut par conséquent inscrit comme garçon à l'état civil. Une fois légalement marié, il n'a donc pu avoir d'enfants avec sa « femme ». Les deux enfants de celle-ci n'étaient donc pas de lui.

En bref, il était une femme démunie de vagin mais pourvue d'un utérus et d'un clitoris volumineux qui lui permettait d'accomplir ses « devoirs » conjugaux et lui procurait des satisfactions amoureuses.

Les anomalies des téguments

Les variations du tégument, bien que moins étonnantes que l'hermaphrodisme, sont néanmoins intéressantes. Elles se rapportent à la pigmentation, au système pileux, aux phanères unguéaux et à la peau.

L'absence de pigment cutané sur une surface plus ou moins grande du corps produit l'albinisme. Toutes les races possèdent des cas d'albinisme, mais c'est naturellement dans la population noire qu'il est particulièrement apparent. Les nègres « pie » présentent de nombreuses taches blanches sur fond noir ou des taches noires sur fond blanc.

Les albinos ont l'œil rouge parce que l'iris, dépigmenté, laisse apercevoir, par transparence, les vaisseaux sanguins du fond de l'œil.

Le vitiligo, qui est caractérisé par l'existence d'îlots cutanés plus ou moins décolorés et généralement entourés d'un cerne hyperpigmenté, peut être rattaché à l'albinisme. Il affecte surtout le pénis, les grandes lèvres et les régions para-génitales.

Albinisme et vitiligo sont souvent héréditaires, le gène incriminé étant généralement dominant.

L'hyperchromie, qui s'oppose aux états précédents, consiste en une production anormale de pigment en certaines régions du corps. Le « grain de beauté » en est la forme mineure. Lorsque le trouble s'étend sur une grande étendue de la peau, il constitue la négritie. Le Dr Dubreuil-Chambardel, déjà cité, signale le cas d'un enfant, qui, atteint de négritie sur tout le pourtour de la région lombo-abdominale, les fesses et le tiers supérieur des deux cuisses, semblait porter un véritable caleçon de bain.

Certains individus sont totalement glabres ou, au contraire, entièrement ou presque complètement recouverts de poils.

Les hommes-phénomènes

Si l'absence de poils est extrêmement rare, l'hypertrichose, ou excès de poils, est, en revanche, assez répandue.

Elle peut être localisée à la chevelure et à la barbe. On connaît des femmes dont la chevelure atteint plus de 2,50 m de long et des hommes pourvus de gigantesques barbes. Ce fut le cas, par exemple, de Louis Coulon de Vendenesse, qui portait une barbe mesurant 3,30 m de long et une moustache de 1,50 m d'envergure. Jules Dumont, qui fut exhibé dans des cirques, avait une barbe de 3,60 m de longueur.

Mais ce qui, parmi les anomalies pilaires, excite particulièrement la curiosité du public, c'est incontestablement la présence d'une barbe chez la femme.

Bien entendu, il ne s'agit pas des quelques poils qui, après la ménopause, « ornent » si l'on peut dire les lèvres et le menton de beaucoup de femmes.

Dès leur puberté, les vraies femmes à barbe voient leur visage s'encadrer de poils drus qui atteignent bientôt une grande longueur. Ainsi, la « belle Algérienne » de Vouvray, dont parle le Dr Dubreuil-Chambardel dans l'un de ses mémoires médicaux, avait une forte moustache noire et une barbe épaisse de 40 cm de long. Mrs. Taylor, de Londres, qui fut étudiée par le Dr Bérillon, portait une barbe qui descendait jusqu'à la taille.

L'hypertrichose uniforme de la poitrine et du dos est assez courante de sorte que l'on ne peut pas dire qu'elle « est phénoménale ». Située le long de l'échine, elle peut constituer, chez la femme comme chez l'homme, de véritables crinières ou des queues touffues. Elle apparaît aussi assez fréquemment dans la région pubienne comme chez cette Danoise « dont les poils du pubis, selon le Dr Bartels, avaient une telle longueur qu'elle en faisait une tresse dont l'extrémité, remontant par le pli fessier, atteignait les vertèbres lombaires ».

En revanche, l'hypertrichose généralisée est peu fréquente. On connaît néanmoins des « hommes-chiens » et des « hommes-lions » dont le corps, visage compris, est recouvert de poils. Seules, la paume des mains et la plante des pieds restent glabres.

Les ongles peuvent manquer totalement ou partiellement, ou, au contraire, être très volumineux et transformés en une sorte de griffe.

De véritables cornes, tantôt droites, tantôt coniques, tantôt spiralées, se développent quelquefois sur la tête, les membres, le tronc, la région génitale, et atteignent jusqu'à 13 ou 15 cm de longueur. Les Anciens, qui avaient représenté le dieu Pan avec des cornes frontales, n'ignoraient pas leur existence. Une curieuse kératinisation de l'épiderme se rencontre aussi chez les « hommes porcs-épics » dont la peau, dure et épaisse, est parsemée de productions cornées affectant la forme d'épines. Ils sont atteints d'ichtyose qui, généralement, transforme la surface de la peau en écailles analogues à celles des poissons.

Précisément l'ichtyose est une anomalie des téguments dans laquelle la peau se couvre d'écailles épidermiques, plus ou moins épaisses, pouvant être comparées à celles des poissons. L'ichtyose peut être locale et affecter par exemple la paume des mains et la plante des pieds ; mais elle est le plus souvent généralisée tout en étant plus marquée en certains lieux d'élection tels que les coudes, les genoux, la face externe des membres ; en revanche, elle respecte les régions où il y a d'abondantes sécrétions cutanées (anus, plis génitaux, creux axillaire). On distingue différentes catégories d'ichtyoses selon la nature des squames, c'est-à-dire des lamelles épidermiques : l'ichtyose nacrée, dans laquelle les squames sont minces et brillantes ; l'ichtyose pityriasique lorsque la desquamation a l'apparence du son de blé ; l'ichtyose serpentine quand il y a formation d'écailles longues et aplaties rappelant l'aspect de la peau des reptiles et l'ichtyose cornée ou ichtyose hystrix, qui est relativement rare, lorsque la peau, dure et épaisse, présente des formations épineuses conduisant à ces « hommes-porcs-épics » précédemment signalés.

Enfin, il existe une ichtyose congénitale, apparente dès la naissance, et se rapprochant plus ou moins des formes précédentes. En l'occurrence, les enfants ont la peau recouverte d'écailles et le visage, qui peut être atteint, prend alors un aspect hideux ; cette ichtyose est due à un gène récessif à l'état homozygote *. Elle provoque généralement la mort plus ou moins précoce de l'enfant, soit in utero, soit à la naissance, soit quelques mois après celle-ci. Toutefois, certaines formes atténuées sont compatibles avec la vie.

Le mongolisme

Les enfants mongoliens sont des enfants anormaux qui ont été ainsi désignés autrefois, et ce nom leur est resté, parce qu'ils offrent une certaine ressemblance avec les individus des races mongoles. Mais ce terme, qui a prévalu, est d'autant plus regrettable qu'il n'est basé que sur une analogie superficielle et que la maladie se rencontre dans toutes les races humaines, blanche, jaune ou noire.

Quoi qu'il en soit, les enfants mongoliens présentent les caractères suivants : petitesse des yeux, obliquité en bas et en dehors des fentes palpébrales (fente des paupières) qui sont étroites et souvent limitées par un repli cutané semi-lunaire ; crâne large et court (brachycéphalie) plus petit que la normale ; pommettes aplaties ; les fontanelles, c'est-à-dire les espaces situés entre les os de la boîte crânienne avant son entière ossification, ne s'obturent que vers l'âge de trois ans ; la bouche reste constamment ouverte comme chez tous les enfants ayant des végétations adénoïdes *, lesquelles, d'ailleurs, sont ici très volumineuses ; la langue est hypertrophiée et fissurée ; l'espacement entre le premier et le second doigt des mains et des pieds est exagéré ; les empreintes digitales sont modifiées, les lignes de tête et de cœur sont réunies ce qui donne un pli palmaire transverse unique. La croissance des enfants mongoliens, qui se fait lentement, reste incomplète et ils souffrent de malformations thoraciques et cardiaques et sont prédisposés à la tuberculose ; leurs articulations sont lâches et distendues et ils ont souvent une hernie ombilicale.

Mais la manifestation essentielle de leur état est une intelligence très rudimentaire qui va de l'idiotie totale ou quasi totale à un âge mental de sept ans quand ils sont adultes. Toutefois, ils sont généralement gais et affectueux, ont des dispositions à l'imitation, écoutent avec quelque complaisance la musique et possèdent une certaine mémoire des lieux.

Jusqu'en ces dernières années, ils ne dépassaient pas l'adolescence, mais, aujourd'hui, grâce à des traitements appropriés, ils peuvent survivre beaucoup plus longtemps.

Au total, ces enfants, quoique marchant et parlant très tard, peuvent mener une vie assez bien adaptée si le milieu familial est particulièrement favorable, mais ils ne peuvent exercer aucune activité sociale malgré, comme nous l'avons signalé, une affectivité en général assez développée.

En dépit du très grand nombre de travaux suscités par cette maladie, on peut dire que son étiologie est restée mystérieuse jusqu'à la découverte de l'anomalie chromosomique qui en est la cause (Jérôme Lejeune, Marthe Gauthier et Raymond Turpin, comptes rendus de l'*Académie des Sciences,* 26 janvier 1959).

Le mongolisme résulte en effet principalement d'un défaut dans le processus normal de la division cellulaire. Les mongoliens possèdent, en général, 47 chromosomes * au lieu de 46, qui, dans l'espèce humaine est le nombre chromosomique normal. Cependant, dans quelques cas de mongolisme, le nombre des chromosomes est égal à 46, mais une fraction de chromosome, qui s'est rompu, s'est accolée à un autre chromosome. Quel qu'en soit le processus, ce développement irrégulier de la mitose semble lié à un déséquilibre hormonal qui, chez les jeunes mères, serait constitutionnel, et, chez les mères âgées de plus de 35 ans, lesquelles donnent naissance à près de la moitié des enfants mongoliens, résulterait d'un vieillissement de l'ovule et des glandes à sécrétion interne. Si cette hypothèse se trouve confirmée, on peut espérer qu'il sera possible, dans un avenir plus ou moins proche, de réduire les cas de mongolisme à l'aide de traitements appropriés.

Ce qui est éminemment souhaitable lorsqu'on sait que près d'un enfant sur cinq cents naît affecté de la maladie et que, malgré une mortalité infantile sévère, il y a probablement plus de vingt mille mongoliens vivants en France.

Les unions gémellaires

Les unions gémellaires qu'il nous reste à examiner dans ce chapitre constituent une monstruosité majeure plus saisissante encore que les malformations précédentes, et, de ce fait, parfois exploitées par les organisateurs de spectacles.

Nous avons vu que les jumeaux vrais proviennent du même œuf. Qu'ils restent accolés en un point de leur organisme, ils constituent alors des monstres doubles. Examinons ceux qui naissent viables.

Ils peuvent être parallèles l'un par rapport à l'autre. Tel était le cas des fameux frères siamois Chang et Eng Bunher, nés de parents chinois, et qui étaient unis par l'appendice xiphoïde du sternum. Grâce à l'élasticité de cet isthme de chair, ils purent vivre côte à côte, et non face à face, deux bras en avant et deux bras en arrière. Lorsqu'on touchait ce lien commun en son milieu les deux jumeaux éprouvaient à la fois la sensation du toucher.

Les deux frères étaient étonnamment semblables par les traits de leur visage mais ils étaient de taille un peu différente, et, d'autre part, leurs caractères étaient opposés : Chang était vif et gai tandis que Eng était triste et taciturne. Leur respiration et les pulsations cardiaques étaient synchrones, mais le rythme de ces mouvements n'était plus le même quand l'un des frères accomplissait un travail violent pendant que l'autre restait au repos. Peines et plaisirs étaient distincts mais ils éprouvaient ensemble le besoin de boire et de manger, sans, du reste, que l'absorption de nourriture par l'un rassasiât l'autre.

Ils se marièrent tous deux avec deux sœurs non jumelles, dont l'une eut 6 enfants et l'autre 5, tous bien constitués. On imagine aisément l'extraordinaire complication de la vie conjugale de ces deux couples.

Chang mourut d'une fluxion de poitrine et Eng succomba quelques heures après, quoique n'ayant pas souffert de la maladie de son frère.

Une opération chirurgicale aurait pu les séparer, mais ils la refusèrent toujours. Elle réussit, en général, lorsqu'aucun organe essentiel ne se trouve dans le pont commun.

C'est ce qui s'est produit pour les jumeaux nigériens de sexe masculin, âgés de seize mois, qui ont été séparés le 17 novembre 1977 par le professeur Pellerin et son équipe de l'*hôpital Necker Enfants-Malades* à Paris. Les deux enfants se tournaient le dos et étaient réunis au niveau du bassin. Il fallut suturer la partie commune du canal rachidien et reconstituer, à partir d'organes uniques (rectum, partie inférieure des appareils urinaire et génital), des organes propres à chaque enfant. L'opération, qui fut très longue, commença à 7 heures et se termina à 19 h 30.

Il convient de souligner que parfois, et pour des raisons encore obscures, l'un des partenaires ou même les deux ne survivent pas à l'opération. Ainsi, le professeur Pellerin a révélé que l'une de ses tentatives de séparation de siamois, faite en 1971, avait échoué, les deux enfants séparés n'ayant pas survécu, et qu'une autre opération, effectuée en 1972, s'était soldée par un « demi-succès », un seul des enfants (une fille) ayant survécu.

Rosa et Josepha, aussi célèbres que les frères siamois, étaient unies par le bassin et par leurs colonnes vertébrales soudées dans la région du coccyx. Elles n'avaient, pour elles deux, qu'un seul anus et une seule vulve mais leurs rectums et leurs organes génitaux-urinaires (vessie, vagin, uretère) étaient doubles. Les autres viscères, cœur, estomac, poumons, etc., étaient également séparés. L'une des sœurs s'est mariée et a eu un enfant normal.

Les sœurs Millie-Christine étaient constituées comme Rosa-Josepha.

Les sœurs russes Macha et Dacha, qui étaient âgées de vingt-huit ans en décembre 1978, appartiennent également au même type. Elles ont chacune une tête, un thorax, une colonne vertébrale distincte jusqu'au coccyx où a lieu l'union avec la colonne vertébrale voisine, deux bras, une jambe, plus une jambe commune atrophiée terminée par un pied double, un tube digestif complet aboutissant à un anus commun, un système circulatoire présentant des liens vasculaires étroits (surtout dans la région abdominale) avec le système vasculaire voisin, un système nerveux autonome. La vulve est unique. Chaque jumelle commande la jambe qui lui appartient mais n'a pas d'action sur la jambe de l'autre. En revanche, la jambe médiane commune, qui est parcourue par des nerfs non fusionnés de chaque système nerveux, peut être mue par l'une ou l'autre jumelle. Leur intelligence est normale mais Dacha a toujours été un peu en avance sur Macha. Le professeur Anokhine, spécialiste de tératologie, les a recueillies dans sa clinique de Moscou.

La jonction devient plus étroite avec les monstres en Y. Ils sont simples dans la région inférieure du corps et doubles dans la partie supérieure. Le tronc est unique, les jambes sont au nombre de deux mais les têtes sont doubles et les bras quadruples.

Intérieurement ces êtres ont deux colonnes vertébrales et des viscères doubles à l'exception de l'appareil uréto-génital et de l'anus qui sont communs. Le bassin est également unique. Les Tocci présentaient cette étrange constitution. Un autre monstre de ce genre a vécu jadis à la cour du roi Jacques IV d'Écosse. Les deux têtes de cette extraordinaire créature n'étaient pas toujours d'accord et se disputaient parfois violemment. L'une des personnalités apprit à jouer du violon.

L'union est encore plus parfaite lorsque la tête et le tronc sont uniques. Mais la face est plus ou moins dédoublée. D'où ces monstres à deux nez et à quatre yeux. Enfin, les deux yeux contigus peuvent fusionner pour constituer un œil impair ou un rudiment d'œil. La dualité du monstre n'est plus exprimée que par le dédoublement du nez.

Parfois, l'un des partenaires est réduit à un organe qui se comporte comme un véritable parasite. Ainsi, chez Frank Lentini, il était essentiellement représenté par une jambe droite. Ce membre surnuméraire, qui était fixé au bassin normal par un bassin rudimentaire, avait une mobilité volontaire assez grande et une sensibilité parfaite. A l'origine de la cuisse se trouvait une petite masse ovoïde garnie de poils et terminée par un mamelon entouré d'une auréole. C'était un sein atrophié. Il existait aussi des restes d'organes génitaux.

Frank Lentini avait de nombreux frères et sœurs normaux et il eut lui-même des enfants normaux.

Le « frère jumeau » devient méconnaissable lorsqu'il est constitué soit par des amas informes externes ou internes, soit par des kystes dermoïdes ou des tératomes. Seuls, des examens anatomiques et histologiques permettent de rattacher ces formations à la gémellité.

Les kystes dermoïdes et les tératomes, qui sont les plus typiques parmi ces monstruosités, ont comme caractéristique essentielle de contenir des éléments anatomiques organisés. Ils sont relativement fréquents et on en trouve dans toutes les régions du corps et dans les tissus. Ceux de l'ovaire sont particulièrement développés.

Leur volume varie depuis celui d'une noix jusqu'à celui d'une tête d'adulte et plus.

Ils contiennent, à côté d'une substance de remplissage, ou, parfois, baignant dans un liquide kystique plus ou moins abondant, des formations organiques les plus inattendues en cet endroit : poils, cheveux, dents, os, et cartilages, muscles à fibres lisses et striées, fibres et cellules nerveuses, viscères (bronches, fragments d'intestin, de pancréas, de foie, etc.). Dans les cas les plus complexes, ils renferment des fœtus plus ou moins différenciés.

Les poils et les cheveux s'y rencontrent couramment. Ils sont souvent très longs, enroulés et enchevêtrés. Après les poils on y trouve surtout des dents. Elles sont libres ou fixées dans la paroi kystique. Quelquefois elles sont implantées dans une sorte de maxillaire. Leur nombre peut varier de 2 à 300. Les fœtus sont, en général, assez aisément reconnaissables. Ainsi, on a trouvé dans l'abdomen d'un jeune homme de quatorze ans une tumeur volumineuse contenant une sorte d'embryon avec dents, colonne vertébrale, rudiment de crâne et de centres nerveux, vestiges de membres supérieurs, ébauche de bassin et membre inférieur gauche pourvu de trois doigts. De même, on a extrait de l'ovaire droit d'une femme de trente-quatre ans un squelette de 9 cm de longueur.

Quelques physiologistes ont prétendu que ces étranges formations dermoïdes étaient parthénogénétiques, c'est-à-dire engendrées par un œuf non fécondé, mais il existe une telle continuité entre elles et les monstres doubles bien individualisés qu'il convient de les considérer comme étant des frères jumeaux aberrants.

La détermination des anomalies embryonnaires

En étudiant le code génétique des cellules du liquide amniotique où baigne le fœtus, on peut maintenant déterminer, avec 99,5 p. 100 de chances de réussite, la présence de certaines anomalies de l'embryon et même prévoir, de façon sûre, si l'enfant sera mongolien. A ce propos, le professeur Etzioni, sommité médicale de l'Université de New York, a justement précisé : « On ne peut cacher à une future mère le fait qu'il est possible de savoir, bien avant la naissance, que son enfant sera mongolien. » Ce qui pose, bien entendu, le problème de l'avortement.

Cette méthode, qui s'appelle l'amniocentèse, permet également de révéler le sexe du bébé.

Elle peut être envisagée sous différents angles : le point de vue des parents qui ne désirent pas mettre au monde un enfant difforme ou monstrueux ; celui de la société qui n'est pas forcément disposée à venir en aide aux enfants anormaux et en particulier aux mongoliens qui, par la suite, lui seront une lourde charge ; celui des régimes totalitaires lesquels, comme le souligne le professeur Etzioni, « peuvent utiliser l'amniocentèse pour interdire la naissance d'un des sexes et diriger ainsi la démographie ».

Ce qui signifie que l'amniocentèse pose, en certains cas, des problèmes moraux d'une extrême gravité.

Le saviez-vous ?

— Le volume du crâne est déterminé par la pression du cerveau au cours de son développement. La microcéphalie et la macrocéphalie résultent donc d'une insuffisance ou d'un excès de matière cérébrale.

— Rubens, dans l'une de ses toiles que l'on peut voir au Louvre, a symbolisé la richesse sous les traits d'une femme pourvue de quatre seins.

— Afin de limiter les naissances, certaines peuplades australiennes réalisent artificiellement l'hypospadias. Elles fendent le canal de l'urètre de sorte que l'urine et le sperme s'écoulent latéralement.

— Des fillettes ont été réglées dès l'âge de trois ans, ce qui est anormal. En revanche, chez le garçon comme chez la fille, il se produit régulièrement, dans les jours qui suivent la naissance, une fluxion mammaire qui s'accompagne de l'écoulement d'un liquide séreux. A la puberté, cette congestion se renouvelle.

— On a signalé des maternités précoces chez des fillettes âgées de dix ans et même de sept ans. C'est ainsi qu'en 1958 la jeune Sumanawathie de Ceylan a donné naissance à un bébé alors qu'elle venait d'avoir sept ans.

— En 1957-1958 un extraordinaire chassé-croisé eut lieu entre deux jumeaux d'origine espagnole mais demeurant en France, un garçon, Sébastien C., et une fille, Miguella. Après un séjour de quelques années à la *Légion étrangère,* Sébastien, bâti en colosse, devint catcheur puis ouvrier dans une usine de vulcanisation de Nîmes. Mais un jour il s'aperçut qu'il devenait femme de sorte que, depuis décembre 1957, il s'appelle Sébastienne. Sébastienne est maintenant représentante de commerce, et, le soir, danseuse de strip-tease.

Dans le même temps, Miguella présentait une transformation inverse et devenait danseur acrobatique.

— Les « grossesses nerveuses », qui simulent parfois étonnamment les grossesses réelles, sont dues à un phénomène d'autosuggestion.

— Les albinos supportent mal la lumière et voient mieux au crépuscule.

— Les races de couleur présentent, de façon presque constante, une tache pigmentée dans la région sacro-lombaire. Elle est bleuâtre chez les races jaunes et verdâtre chez les Indiens d'Amérique du Sud. On la trouve également chez beaucoup de Noirs. En revanche, elle est peu fréquente chez la race blanche.

— On connaît des familles qui possèdent une touffe de poils blancs, soit au milieu de leur chevelure, soit à la barbe ou aux moustaches, soit aux toisons génitales.

— Les stigmatisés du Moyen Age n'étaient probablement, dans la généralité des cas, que des malheureux que l'on accusait de sorcellerie parce que porteurs de formations naturelles bizarres que l'on assimilait à des marques diaboliques : nævi pigmentaires et tubéreux, excroissances diverses qui rappelaient plus ou moins la forme d'une main, d'une griffe, d'une paire de cornes, d'une patte de chat, de lièvre, de chien, de crapaud.

— On peut, en laboratoire, reproduire toutes les variétés de monstres que l'on rencontre dans la nature et même créer des monstruosités nouvelles. A cet effet, l'on soumet l'œuf à des actions les plus diverses telles que : variations inusitées de la température, de la pression osmotique, asphyxie partielle ; chocs mécaniques, électriques ; compressions ; ligatures ; radiations anormales comme les rayons X, les rayons α, γ, le rayonnement ultraviolet ; substances chimiques comme les bases, les acides, les alcools, les alcaloïdes et autres poisons, les toxines microbiennes, etc.

— On observe dans le monde un cas de frères siamois sur cinquante mille ou soixante mille naissances.

— D'après le professeur Pauling, prix Nobel de physique, les essais de bombes « A » et de bombes « H » auront de terribles conséquences sur notre descendance. Sur les 40 millions d'enfants qui naissent chaque année sur la terre, 150 000 d'entre eux risquent de venir au monde atteints de défauts graves de constitution ou de malformations plus ou moins monstrueuses.

LES MACROBITES

Le docteur Flourens, célèbre physiologiste français du XIXe siècle, a montré que l'on pouvait déterminer approximativement la durée normale de la vie des mammifères en multipliant par cinq le temps de leur croissance. D'après cette règle, comme l'accroissement du lapin est de 12 mois, du chat 20 mois, du chien 2 ans et demi, du lion 4 ans, du bœuf 4 ans, du cheval 5 ans, la durée de la vie serait en moyenne : du lapin, 5 ans ; pour le chat, entre 8 et 9 ans ; pour le chien 12 ou 13 ans ; pour le lion et le bœuf, 20 ans ; et, enfin, pour le cheval, 25 ans.

Effectivement, l'observation directe confirme la règle de Flourens.

Il convient d'ailleurs de remarquer que la longévité qu'elle prévoit est la longévité habituelle, la longévité maximale individuelle pouvant être supérieure aux chiffres qu'elle fournit. Si, par exemple, la longévité normale du chien est effectivement de 12 13 ans, bien des chiens dépassent cet âge ; certains atteignent 17 ou 20 ans. De même, le chat peut vivre jusqu'à 20 ans et le cheval jusqu'à 50 ans.

Appliquée à l'homme la règle de Flourens donne 100 ans comme longévité normale, car le temps de croissance de l'être humain est de 20 ans environ. Il s'ensuit que les hommes centenaires ne feraient qu'accomplir normalement le cycle de la vie humaine. Toutefois, comme ils sont exceptionnels, on les considère généralement comme des hommes-phénomènes.

Au surplus, quelques-uns dépassent largement le siècle. Ainsi, Thomas Parr mourut à l'âge de 154 ans à la suite d'une indigestion. Il vivait heureux dans son comté de Shrop, lorsque le roi le manda à la cour, et, pour le fêter dignement, lui offrit un repas si plantureux qu'il en mourut. Le célèbre Harvey, qui fit son autopsie, affirma qu'il était admirablement conservé et qu'il aurait pu vivre encore un grand nombre d'années.

L'exemple de Henri Jenkins n'est pas moins intéressant. C'était un pauvre pêcheur du comté d'York, qui, à 100 ans, traversait encore les rivières à la nage et qui mourut à l'âge de 169 ans à la suite d'un refroidissement.

Signalons également Drakemberg qui mourut à l'âge de 146 ans, Bayles qui vécut 130 années, et cet extraordinaire paysan norvégien, J. Gurvigton qui, décédé à l'âge de 160 ans, aurait laissé de son dernier mariage un fils de 9 ans dont le frère aîné en avait... 108.

Parmi des cas moins anciens, on peut citer Mrs. Ann Powder, de Baltimore qui décéda le 10 juillet 1917 à l'âge de 110 ans et 64 jours ; Mrs. Margaret Ann Neve, née en 1792 dans l'île de Guernesey et qui mourut le 4 avril 1903, 44 jours avant de fêter son 111e anniversaire. Catherine Plumket, née en 1820 à Kilsaran en Irlande et décédée le 5 octobre 1932 âgée de 111 ans et 327 jours ; Pierre Joubert, né le 15 juillet 1701 à Charlesbourg au Canada et qui vécut exactement 113 ans et 100 jours. Notons aussi le cas absolument exceptionnel et qui semble authentique de Mme Kumru Demir Sine, doyenne des femmes turques, morte le 8 août 1955 à l'âge de 172 ans dans la petite ville de Mardin. Née alors que Louis XVI régnait en France, elle comptait 74 printemps à la fin de la guerre de Crimée. Mère de huit enfants, la défunte avait 48 petits-enfants dont l'un est actuellement âgé de 95 ans. Elle ne se nourrissait plus, depuis près d'un siècle, que de yaourts et de fruits.

Les facteurs et les moyens qui favorisent la longévité

Beaucoup de biologistes se sont penchés sur les mystères de la longévité humaine et ont recherché quels étaient les facteurs qui la favorisaient. Le plus probable est l'hérédité. Les centenaires sont, pour la plupart, des rejetons de parents qui ont vécu longtemps. Il importe, semble-t-il, d'examiner la longévité des deux parents respectifs et, si l'un d'eux atteint l'extrême vieillesse, l'enfant a d'autant plus de chance de survie qu'il lui ressemble davantage. Un médecin anglais, le Dr B. Richardson, s'est même efforcé de formuler une sorte de loi de longévité, fondée sur les tendances héréditaires. Il suffit, d'après lui, de prendre le nombre d'années passées sur terre par le père, la mère, les deux grands-pères et les deux grands-mères d'un individu, d'en faire le total et de diviser celui-ci par six. Le quotient donnerait l'âge que peut atteindre la personne en question. De plus, il ajoute que les sanguins et les nerveux dépassent le chiffre calculé, tandis que les bilieux l'atteignent rarement.

Mais comme cette loi est basée sur des statistiques, elle n'exprime que des moyennes et ne concerne que la majorité. Plus d'un cas individuel peut la faire mentir et il est réconfortant de penser que l'on n'est pas condamné à disparaître précocement pour avoir été engendré par des parents dont la vie fut brève. D'ailleurs, des statistiques récentes semblent montrer que le caractère « longévité » de la mère ne se transmet pas nécessairement.

Ce qu'il importerait le plus de connaître, ce sont les moyens permettant de prolonger la vie. A cet égard, les recettes données autrefois par les apothicaires, les médecins, les hermétistes et les philosophes sont innombrables.

Au XVIIIe siècle, un médecin allemand, le Dr Cohausen, recommande le contact avec un corps jeune et vigoureux. La méthode avait d'ailleurs été employée bien avant le XVIIIe siècle. Dans le premier chapitre du *Livre III des Rois,* nous lisons en effet que, le roi David ayant atteint 70 ans et son corps ne pouvant se réchauffer, ses serviteurs lui dirent :

« Nous chercherons, si vous l'agréez, une jeune fille vierge pour le roi notre Seigneur, qu'elle se tienne devant le roi, qu'elle l'échauffe, et que, dormant auprès de lui, elle remédie à ce grand froid de notre Seigneur. »

On trouva la belle Abisag de Sunnam qui servit le roi et

partagea sa couche. L'histoire prétend que le roi la laissa vierge.

Un procédé de ce genre se trouve aussi dans le *Recueil des secrets excellents* paru à Milan en 1558. « Qu'on prépare une petite chambre bien isolée, y lit-on, et qu'on y établisse cinq petits lits, chacun pour une seule personne. Qu'on fasse coucher dans ces lits cinq jeunes vierges, c'est-à-dire au-dessous de treize ans (sic) et de bonne constitution. Qu'au printemps de l'année, vers le commencement du mois de mai, un trou soit percé dans la muraille de la chambre, et à travers lequel on fera passer le col d'un matras, dont le corps de glace sera exposé à la fraîcheur de l'air extérieur. Il est aisé de concevoir que, lorsque la petite chambre se trouvera remplie de l'haleine et de la matière perspirée par ces jeunes vierges, les vapeurs passeront continuellement de la chambre dans le corps du matras où, à travers la fraîcheur dont il est environné, elles se condenseront en une eau très limpide, c'est-à-dire en une teinture de l'efficacité la plus admirable, et qu'on peut très justement appeler un Elixir de Vie. »

Bien qu'extravagants en apparence, ces procédés partent d'un principe vrai : l'influence bienfaisante, au point de vue psychologique, et, par répercussion, sur le plan physiologique, d'un entourage de jeunes êtres resplendissants de gaieté et de santé.

De leur côté, les alchimistes préparèrent des mixtures réputées infaillibles pour faire reculer les limites de notre existence. Leur vaste répertoire contenait aussi bien de l'or, du mercure, des perles et de l'ambre que de la peau de caméléon ou de l' « eau de vipère ». Le fameux élixir philosophique, qui était une teinture alcoolique de pierre philosophale dont la préparation était paraît-il fort longue, conservait la santé et, selon le dire d'Arnaud de Villeneuve, « prolongeait considérablement la vie ».

Les prescriptions des anciens médecins juifs ou romains sont beaucoup plus intéressantes, car leur ensemble constitue une sorte de doctrine organothérapique. Celle-ci, répudiée avec mépris par les savants et les médecins aux XVIIe, XVIIIe siècles et dans la première moitié du XIXe siècle, a fini par triompher de nos jours grâce à Brown-Séquard, à Charles Richet et à leurs disciples.

Bien sûr, sous sa forme moderne, la méthode est rigoureuse et scientifique : elle a rejeté les superstitions et n'a retenu que les résultats expérimentaux obtenus avec la médication animale. De plus, elle est appliquée dans certaines conditions qui n'étaient pas celles d'autrefois.

C'est ainsi que le Dr Voronoff, qui était d'origine russe, mais qui avait fait ses études médicales à Paris, a préconisé l'implantation dans les bourses de fragments de testitules de singes anthropoïdes. Plusieurs milliardaires américains et des personnalités connues se soumirent à cette intervention chirurgicale dont l'effet est, a priori, spectaculaire : les patients reprennent du poids, leur force musculaire renaît cependant que leur fatigabilité décroît. Malheureusement, les greffons finissent par dégénérer et l'organisme subit de nouveau le processus naturel de vieillissement.

Pour remédier à cet inconvénient, on chercha et l'on parvint à isoler le principe hormonal bienfaisant : la testostérone. L'injection ou l'implantation de « pellets » de cette hormone, sous forme de propionate, d'acétate ou d'heptylate de testostérone synthétique, détermine les mêmes effets que l'implant testiculaire, mais, ici encore, son usage n'est pas sans inconvénients majeurs. La testostérone ou ses dérivés peuvent en effet favoriser le développement de cancers de la prostate et réveillent certainement la libido, d'où certaines prouesses amoureuses souvent fatales à leurs auteurs.

Outre les hormones génitales, on a aussi utilisé en gériatrie l'hormone hypophysaire somatotrope, qui est l'hormone de croissance générale sécrétée par l'hypophyse, et l'hormone thyroïdienne, ou thyroxine, mais il faut être très prudent dans leur emploi, car la première stimule la croissance des cancers digestifs et la seconde est souvent plus dangereuse qu'utile chez les vieillards.

Le savant russe Bogomoletz a fabriqué un sérum qui semble donner de bons résultats. Il estimait que le tissu conjonctif remplit des fonctions trophiques (du gr. *trophê,* nourriture) extrêmement importantes et que son état conditionne, dans une très large mesure, celui des autres cellules corporelles, y compris les cellules nerveuses qui sont le centre de la vie de l'organisme et de la vie psychique.

D'où, d'après Bogomoletz, la nécessité de s'opposer à la sclérose prématurée des éléments du tissu conjonctif.

Et il pensa y parvenir grâce à un sérum obtenu en injectant à des chevaux ou à des lapins des extraits frais de rate et de moelle osseuse humaine. Ce sérum a été désigné sous le nom de sérum antiréticulaire-cytotoxique ou sérum A.C.S.

Effectivement, l'expérience a montré qu'il diminue souvent l'asthénie physique et psychique des vieillards, mais, s'il a sa place dans les thérapeutiques gériatriques, il ne peut être considéré comme une source réelle de rajeunissement.

Ce sérum a fait l'objet de diverses variantes dans différents pays. C'est ainsi qu'en France, le professeur Bardach, de l'*Institut Pasteur,* a préparé un sérum orthobiotique en partant des travaux de Bogomoletz. Il a donné des résultats positifs en de nombreux cas, à condition toutefois qu'il soit utilisé à doses extrêmement réduites et soigneusement déterminées en fonction de l'idiosyncrasie, c'est-à-dire en fonction des réactions particulières du sujet. En outre, il est formellement contre-indiqué pour certains malades.

Quoi qu'il en soit, il est maintenant reconnu que les considérations de Bogomoletz, relatives au rôle du tissu conjonctif et qui furent accueillies naguère avec quelque scepticisme, étaient justes dans leur ensemble.

Signalons également, parmi les thérapeutiques propres à enrayer la sénescence, les implantations placentaires * ou amniotiques * selon la méthode de Filatov et l'emploi de sucs cellulaires obtenus soit avec des embryons de poulets, soit à partir de cellules embryonnaires de divers organes comme le fait le professeur Nichaus qui a soigné Sir Winston Churchill, le chancelier Adenauer, le peintre Braque, Charlie Chaplin, le duc de Windsor et le pape Pie XII.

De son côté, la doctoresse roumaine Anna Aslan a mis au point le « H3 » composé essentiellement de procaïne et de vitamines. Il est utilisé en injections intramusculaires à raison de trois injections par semaine avec une pause de dix jours toutes les quatre semaines. Mais, pour être efficace, le traitement doit être poursuivi pendant des mois. Il est appliqué, en particulier, à l'*Institut de Gériatrie de Bucarest,* l'*Institut Parhon,* créé en 1951 par le gouvernement roumain. Selon Anna Aslan, le H3 prolonge la vie, redonne une partie des forces de la jeunesse et le goût de vivre. Parmi ses clients, on peut citer Miguel Angel Asturias, prix Nobel de la Paix, le président Tito et le président Mao Tsé-toung.

Au surplus, les personnes relativement jeunes, atteintes de dépressions nerveuses ou de diverses affections à caractère sénile, bénéficient également de la cure.

Celle-ci, d'ailleurs ne se borne pas, en règle générale, à des injections de H3. Les pensionnaires de l'*Institut Parhon* suivent des régimes alimentaires appropriés à leur cas particulier et presque tous se livrent à une activité manuelle ou intellectuelle.

D'autre part, les laboratoires chimiques-pharmaceutiques Pharmaton S.A. de Lugano-Bioggio (Suisse), s'inspirant des travaux de Anna Aslan, ont préparé un médicament anti-vieillesse, le *Geriatric Pharmaton,* comprenant quatre groupes de substances, lesquelles, d'après la notice acccompagnant cette spécialité pharmaceutique qui est prise par voie orale, c'est-à-dire par la bouche, « préviennent et combattent avec efficacité les différents troubles provoqués par la vieillesse ».

Ces substances sont les suivantes : 1° Le bitartrate de diméthylaminoéthanol « Pharmaton » (D.M.A.P.), fraction modifiée de la procaïne, qui possède des propriétés stimulantes sur les fonctions intellectuelles tout en présentant, par rapport à la procaïne, l'avantage de franchir la barrière hémato-méningée, c'est-à-dire de pouvoir être administrée par voie orale alors que la procaïne doit être injectée ; 2° Les produits actifs du rhizome du ginseng (gingembre) qui possèdent une action fortifiante, le ginseng étant un petit arbrisseau originaire d'Extrême-Orient ; 3° Les principales vitamines, des sels minéraux et des oligo-éléments qui renforcent l'action des substances précitées et dont le dosage est adapté aux besoins de l'organisme vieillissant ou épuisé ; 4° Des substances essentielles telles que la choline, l'acide linoléique, l'acide linolénique et l'inositol. Elles préviennent les dépôts de cholestérol dans les vaisseaux sanguins, empêchent un dépôt anormal de lipides (corps gras) dans le foie et améliorent le métabolisme lipidique chez les personnes âgées ou épuisées.

En France, ce médicament est distribué par les *Laboratoires Valda.*

Enfin, nous nous permettons d'indiquer que dans nos deux ouvrages : *Les Secrets du Troisième Age* et *Manuel de thérapeutique naturelle*[1], nous donnons les moyens permettant d'éviter la maladie et d'atteindre un âge avancé tout en conservant l'activité physique et intellectuelle de.la jeunesse ou de l'âge mûr.

A cet effet, nous préconisons une diététique rationnelle, parfaitement équilibrée, où interviennent judicieusement vitamines, oligo-éléments et « aliments miracles », ainsi appelés parce qu'ils contribuent à assurer la santé et à entretenir la juvénilité. En même temps nous dénonçons vigoureusement les nombreux produits alimentaires « chimiques » qui, en nous empoisonnant insidieusement, sont, à n'en pas douter, à l'origine de beaucoup de troubles pathologiques, et, dans une certaine mesure, la cause de l'accroissement du cancer.

Nous insistons également sur l'hygiène de la respiration, sur la nécessité de doser exactement les exercices physiques, sur les applications bénéfiques de l'eau, de l'air et du soleil, lesquels, harmonieusement combinés, sont de merveilleux agents de rajeunissement et des sources de force et de santé. Dans cet ordre d'idées nous conseillons de revenir périodiquement à la mer, où, il y a des millénaires, s'est élaborée la vie.

Enfin, nous indiquons comment il faut se reposer par la relaxation et soulignons l'importance des facteurs psychiques dans la lutte contre le vieillissement.

Le saviez-vous ?

— La vie des organismes formés d'une seule cellule, comme le sont les microbes, se termine, non par la mort, mais par la division, c'est-à-dire par la multiplication. La mort de ces êtres n'est donc pas fatale ; ils succombent à des accidents et non à la vieillesse.

1. Robert Tocquet, *Les Secrets du Troisième Age,* Paris, 1973 ; *Manuel de thérapeutique naturelle,* Saint-Jean-de-Braye, 1979.

— La longévité moyenne n'a cessé d'augmenter dans les pays civilisés, par suite de l'amélioration des conditions de vie. En France, la durée de la vie moyenne était de 14 ans au Moyen Age, de 19 ans au cours du XVe siècle, 21 ans au XVIe siècle, 25 ans au XVIIe siècle, 30 ans sous le règne de Louis XVI, 38 ans en 1850, 40 ans en 1880, un peu plus de 47 ans en 1900. Ensuite, elle augmente rapidement. En 1921, elle atteint 53 ans, en 1945 elle s'élève à 56 ans, et en 1978, elle était de 68 ans. On peut prévoir que, prochainement, elle dépassera 70 ans.

Actuellement, la longévité moyenne est de 76 ans au Canada, 73 ans en Nouvelle-Zélande et aux Pays-Bas, 72 ans en Australie, 70 à 71 ans en Suède et en Norvège, 69 ans en Angleterre, 66 ans en Lituanie, 65 ans en Belgique et en Ecosse, 63 ans en Autriche, en Finlande et en Estonie, 61 ans en Italie, 60 ans aux États-Unis, en Suisse, en Allemagne et en Tchécoslovaquie, 54 ans en Pologne, en Grèce et en Hongrie, 50 ans en Bulgarie et au Japon.

En Inde, en Chine, en Égypte, pays régulièrement ravagés par les épidémies ou par la famine, la longévité moyenne n'est que de 25 à 37 ans. Dans les régions tropicales non civilisées, elle est encore plus basse.

— L'accroissement de la longévité moyenne ne signifie pas que la durée maximum de la vie des individus augmente. Ainsi que le dit subtilement le docteur Carrel : « Les gens ne vivent pas plus vieux, mais plus de gens vivent mieux. »

— Les statistiques ont mis en évidence un certain nombre de faits assez curieux : 1° le faible taux des décès entre 5 et 14 ans ; 2° la mortalité des personnes mariées inférieure à celle des célibataires, des veufs ou des divorcés ; 3° le taux de la mortalité masculine supérieur au taux de la mortalité féminine ; 4° la mortalité des membres des professions libérales et des ministres du culte très inférieure à celle de l'ensemble de la population (exception faite pour les médecins, où le taux de la mortalité est normal) ; 5° la mortalité des salariés, ouvriers et employés supérieure à celle des chefs d'entreprise ; 6° le taux élevé de la mortalité dans les classes pauvres et dans les classes riches.

— D'après les derniers recensements, sur 1627 centenaires

(âgés de cent ans ou plus) on comptait, en France, 1 297 femmes contre 330 hommes. Les veuves (ou les veufs) sont les plus nombreux (762 veuves et 273 veufs) ; ensuite viennent les personnes mariées (414 femmes, 10 hommes), les divorcés (101 femmes, 38 hommes) et enfin les célibataires (20 femmes, 9 hommes).

D'autre part, ces recensements donnent les chiffres décroissants suivants pour les personnes âgées de plus de soixante-dix ans :

— de 70 à 74 ans : 1 170 000 f et 817 100 h — de 75 à 79 ans : 888 200 f et 486 600 h — de 80 à 84 ans : 558 500 f et 234 100 h — de 85 à 89 ans : 275 400 f et 96 000 h — de 90 à 94 ans : 85 200 f et 25 300 h — 95 ans et plus : 16 500 f et 3 600 h.

— La femme française vit en moyenne 6 ans de plus que son mari, 5 ans de moins qu'une Américaine blanche, 4 ans de plus qu'une Américaine noire.

— Au cours de la première année de la vie, la mortalité est toujours plus élevée chez les garçons que chez les filles, malgré les progrès de la médecine infantile qui ont fait baisser d'une façon spectaculaire le nombre des décès des bébés en bas âge. Chose curieuse, la nature semble avoir prévu cette moindre résistance des garçons, puisque, dans tous les pays du monde, il y a toujours un peu plus de garçons à la naissance (au moins 1 p. 100) ce qui permet de rétablir l'équilibre à partir de la deuxième année où le monde des bébés de sexe différent s'égalise à peu près.

— La biographie des jumeaux vrais, dont le patrimoine chromosomique est identique, fournit les arguments les plus convaincants en faveur du caractère héréditaire de la longévité : ils meurent généralement à la même époque, bien que vivant parfois dans des conditions différentes.

— Pour vivre longtemps, un Chinois, du temps de Confucius, conseillait à ses disciples : 1° La sobriété et une alimentation saine ; 2° Une bonne élimination par l'intestin, les reins et les poumons ; 3° L'optimisme et le développement de la volonté.

Nous ne dirions pas mieux aujourd'hui.

— La méthode dite de « suspension cryogénique », qui commence à être utilisée aux États-Unis, consiste à mettre un individu en hibernation profonde un peu avant son décès clinique. Après une série d'opérations délicates, il est placé dans une capsule remplie d'azote liquide dont la température est de −196°C. Après quoi, il sera « réveillé » au bout d'un certain nombre d'années, 25, 50, 100 ou 200 ans par exemple. Cette méthode permettrait donc, au mourant d'aujourd'hui, de jouer sa chance de survie dans l'avenir, car il semble évident que les générations futures sauront rétablir l'équilibre biologique des cellules lorsque le corps du « réfrigéré » aura repris sa température normale. « De toute façon, écrit le professeur Ettinger, auteur de la méthode, il n'y a rien à perdre à l'utiliser et peut-être un grand nombre d'années à gagner. L'idéal est d'intervenir quelques instants avant la mort clinique. »

De son côté, le docteur Burnol, de l'*Association cryogénique de Californie*, a publié un mode d'emploi de la méthode, lequel, jusqu'à présent, fait autorité en la matière, et qui, selon la plaisante expression de F.B. Peire, « apparaît comme une sorte d'itinéraire vers l'éternité ».

LES CHAMPIONS

Les champions d'aujourd'hui, que l'on peut considérer comme des hommes-phénomènes — ne parle-t-on pas de « géants de la route » —, courent, roulent, nagent plus vite, lancent plus loin, sautent plus haut qu'il y a quelques années alors qu'à cette époque il était admis que les records ne pouvaient être dépassés. Ces résultats, qui ont étonné non seulement le grand public mais aussi les techniciens et les médecins sportifs, sont dus essentiellement à trois causes : la démocratisation du sport qui a permis une sélection plus large, le temps plus grand consacré aux exercices, et, enfin, les méthodes rationnelles d'entraînement qui sont beaucoup plus physiologiques qu'autrefois, car elles cherchent à réaliser, dès le plus jeune âge, une adaptation progressive à l'effort.

Parmi ces méthodes, l'une des plus intéressantes est la méthode d'entraînement de Zatopek qui permet de « fabriquer » un cœur au rythme lent et d'une puissance triple du cœur normal. Celui de l'illustre athlète tchèque battait à 52 pulsations-minute (alors que le rythme habituel est de 70 à 80 pulsations par minute) et mesurait 139 mm de diamètre contre 90 à 115 mm pour un cœur ordinaire. De même, Mimoun, qui a suivi intelligemment les principes de Zatopek, Fausto Coppi, Anquetil, Pirie, Altig, Stablinski, Motta, Zilioli, Eddy Merckx, Poulidor et la plupart des grands champions (quelques-uns d'entre eux sont décédés à l'heure où nous écrivons) ont ou avaient un cœur qui bat ou qui battait à 60 ou 65 pulsations-minute.

Cette particularité physiologique a permis la réalisation d'extraordinaires performances. C'est ainsi qu'un gain de 60 secondes a été obtenu, au cours de ces cinquante dernières années, dans la course de 5000 m.

Cependant, et c'est pourquoi nous ne consacrons qu'une très courte étude aux champions, il n'est pas absolument sûr que ces résultats soient toujours dus au perfectionnement des méthodes d'entraînement et aux qualités intrinsèques des athlètes.

Le « doping » ou dopage, c'est-à-dire l'absorption d'un produit capable de supprimer la sensation de fatigue et d'augmenter le rendement de l'effort, est, en effet, la tare des épreuves de compétition. Ce produit peut être l'ortédrine, la benzédrine, la corydrane, le maxiton, le N 63, le tonédron, la kinortine, la symparine, la morphine de synthèse, les corticoïdes et anabolisants, le palfium, l'amphétamine, la méthylamphétamine, etc.

Mais, aussi « merveilleuse » qu'elle soit pour les chasseurs de performances sportives, l'une ou l'autre de ces substances perd son efficacité dans un organisme qui en a abusé. Alors on change de drogue, on alterne, on mélange, ce qui, bien entendu, est fort préjudiciable à la santé et plus particulièrement au cœur, au foie et aux reins.

Le doping s'observe dans tous les sports : boxe, tennis, courses à pied et surtout cyclisme. Dans le Tour de France, en particulier, les coureurs usent et abusent de symparine, d'amphétamine ou de traitements à base de cortisone qui permettent parfois de réaliser de sensationnels exploits mais qui provoquent aussi des effondrements spectaculaires lorsqu'elles cessent d'agir. Ainsi, le 13 juillet 1967, dans le Tour de France, un coureur britannique s'écroula sur la route du Ventoux à moins de trois kilomètres du sommet. Quelques heures plus tard, il décédait en Avignon, victime de son ambition, de son courage et surtout de l'amphétamine qu'il avait absorbée. De même, en trois ans, de 1974 à 1977 inclus, dix-sept coureurs en activité, ou depuis peu à la retraite, sont morts d'une crise cardiaque, « et, souligne le Dr De Mondenard, ils ont été victimes de la cortisone ou des amphétamines ».

Les hommes-phénomènes

En règle générale, dès avant l'épreuve, les cyclistes commencent à se doper de sorte qu'ils sont déjà intoxiqués lorsqu'ils se mettent en selle. La drogue est dissoute dans l'eau sucrée, du thé ou du cherry et c'est ce mélange qui garnit certaines « topettes » distribuées pendant la course.

Bien sûr, le doping ne peut, selon l'argot sportif, « faire pédaler un cheval de bois », mais il permet de tenir jusqu'à l'extrême limite des forces.

Le saviez-vous ?

— L'entraînement provoque presque toujours : 1° des modifications de la nutrition générale ; 2° des changements dans les rapports qui existent entre les différents tissus des organes ; 3° une meilleure coordination des mouvements ; 4° un perfectionnement des qualités intellectuelles et morales.

— La vitamine pyridoxine B6, qui est essentiellement utilisée dans certaines insuffisances cardiaques, est, semble-t-il, destinée à remplacer le doping. Cette vitamine possède en effet le pouvoir de donner un regain d'énergie physiologique, sans affecter le cœur, bien au contraire, car elle réintègre l'acide lactique dans le cycle énergétique tout en tonifiant l'appareil circulatoire.

LES COSMONAUTES ET LES SUPERCOSMONAUTES

Les cosmonautes

A côté des champions sportifs, on peut placer, d'une part, les pilotes d'avions de chasse qui sont capables d'effectuer d'étonnantes prouesses et d'invraisemblables acrobaties aériennes de sorte qu'ils sont, dans une certaine mesure, des « surhommes » de l'air, et, d'autre part, les cosmonautes qui sont des « surhommes » de l'espace. Selon les examinateurs, qui leur font subir des tests physico et psychotechniques préliminaires, les deux qualités essentielles des « surhommes » de l'air ou de l'espace sont l'enthousiasme et une très forte volonté. Quelques-uns suivent les pratiques du yoga.

Rappelons ici que le premier homme de l'espace fut le Russe Youri Gagarine (12 avril 1961), que le premier Américain de l'espace fut John Gleen (20 février 1962), que la première femme de l'espace fut la Russe Valentina V. Terechkowa (16 juin 1963), et que le premier « piéton de l'espace » fut le Russe Alexis Leonov qui, le 18 mars 1965, est sorti du vaisseau spatial Voskhod II pour évoluer au voisinage de son habitacle.

Ainsi qu'on a pu le constater sur les écrans de télévision, les mouvements de Leonov étaient très mesurés. En l'absence de pesanteur, il faut, en effet, se mouvoir avec beaucoup de précaution car tout déplacement se continue de lui-même et se trouve ainsi amplifié. Pour le faire cesser, il est nécessaire, ou bien de prendre appui sur le vaisseau spatial, ou encore d'utiliser une petite fusée auxiliaire ou un simple pistolet à air comprimé.

Le second « piéton de l'espace » fut l'Américain Edward White qui, le 3 juin 1965, fit une « promenade » dans le cosmos à partir de la cabine spatiale Gemini IV.

Enfin, rappelons également que, le 21 juillet 1969, Neil Armstrong et Adwin Aldrin ont atterri sur la Lune dans la Mer de la Tranquillité et que 4 mois après, le 19 novembre 1969, Charles Conrad et Alan Bean se sont également posés sur notre satellite, mais, cette fois, dans l'Océan des Tempêtes, beaucoup plus accidenté que la Mer de la Tranquillité.

Avec les « surhommes » de l'espace et, en particulier, avec ceux qui, les premiers, ont foulé le sol poudreux et glacé de la Lune, réalisant ainsi l'exploit le plus sensationnel depuis l'avènement de l'homme sur la Terre, c'est l'humanité tout entière qui s'est évadée de sa prison terrestre.

Mais, pour y parvenir, il a fallu résoudre de nombreux problèmes biologiques que l'on retrouve dans toute exploration des espaces cosmiques par l'homme et dont les plus importants se rapportent aux phénomènes d'accélération ou de décélération et à l'action des rayons cosmiques auxquels les cosmonautes sont soumis au cours de leurs voyages.

Remarquons d'abord que les vitesses élevées sont pratiquement sans effets sur les êtres vivants. Au reste, l'expérience quotidienne le démontre : nous n'avons aucune conscience d'être entraînés ni par la rotation de la Terre sur elle-même (1 650 kilomètres à l'heure à l'équateur), ni par sa révolution autour du Soleil (107 200 kilomètres à l'heure), ni par le mouvement de translation de tout le Système solaire vers l'Apex * (72 000 kilomètres à l'heure), ni par le mouvement de rotation de la Galaxie * (1 000 000 kilomètres à l'heure).

Tout mouvement est d'ailleurs relatif. Si nous sommes, par exemple, à l'intérieur d'un système se déplaçant à une vitesse uniforme, nous ne savons pas s'il est en mouvement, et un astronef voguant dans l'espace, toute réaction stoppée, paraîtra immobile au cosmonaute qui, muni d'un scaphandre, sortira de l'habitacle, comme l'a fait Alexis Leonov, car l'un et l'autre seront animés de la même vitesse.

En revanche, les phénomènes d'accélération et de décélération, c'est-à-dire de variation de vitesse dans un temps limité, revêtent une grande importance. Ils engendrent des forces, dites forces d'inertie, qui peuvent être funestes pour les êtres qui y sont soumis. L'automobile en offre des exemples familiers : un démarrage un peu brutal plaque les passagers sur leur siège ; un virage, même à vitesse curviligne constante, les applique sur la paroi extérieure au virage ; un freinage brusque les porte en avant. Bien entendu, leurs humeurs et leurs organes internes sont également sollicités par les forces mises en jeu.

Ces forces d'inertie, résultant de l'accélération ou de la décélération, se chiffrent généralement par comparaison avec la valeur de l'accélération due à la pesanteur, qui s'exprime par le symbole *g*, et qui, à Paris, est égale à 9,81 mètres environ par seconde. Si le cosmonaute est soumis à une accélération 2 *g*, cela signifie que la force d'inertie, qui résulte de l'accélération, correspond à deux fois le poids de ce cosmonaute. La fusée Atlas, utilisée pour les expériences de l'Américain Gleen, produisait une accélération maximale de 16 *g*, ce qui multipliait temporairement le poids du passager par 16.

Des accélérations progressivement croissantes produisent des troubles de plus en plus graves : d'abord une sensation d'engourdissement, d'inconfort, la perte de connaissance, et, enfin, le coma et la mort.

Leur durée d'application présente une grande importance. Ainsi, un lapin supporte, sans périr, une accélération de 23 *g* pendant 2 minutes, mais, en revanche, meurt au bout de 11 minutes sous 10 *g* seulement.

Leur sens d'application a aussi une importance essentielle. Si le sujet est debout ou assis, le sang afflue vers l'abdomen et les jambes, le cœur se vide et n'a plus la force d'irriguer le cerveau, d'où une cécité passagère, ce « voile noir » oculaire qui affecte les aviateurs soumis à une accélération de 7 *g* pendant plus de 4 secondes. L'expérience en laboratoire a montré qu'un pilote, soumis à cette accélération, accumule brusquement 500 centimètres cubes de sang dans ses deux jambes. En outre, des expériences réalisées avec des singes ont permis de constater que, sous l'effet de l'accélération, le corps des animaux se tasse, les vertèbres se télescopent, le cœur descend et se vide, la cage thoracique tout entière s'appauvrit en sang.

A vrai dire, l'organisme est capable de lutter, dans une certaine mesure, contre les effets vasculaires d'une surpesanteur grâce à un mécanisme régulateur composé des deux nerfs vaso-sensibles, le nerf dépresseur et le nerf du sinus carotidien. Le premier, qui est confondu anatomiquement chez l'homme avec le nerf pneumogastrique, envoie ses ramifications aux parois de la crosse de l'aorte. Le second provient d'un renflement de la carotide primitive qu'on appelle le sinus carotidien. L'un et l'autre agissent, par voie réflexe, sur le rythme du cœur et sur la pression artérielle : toute modification de la pression au niveau de l'aorte ou du sinus provoque une réaction de sens contraire qui compense cette variation. Mais, si la variation de pression est trop importante ou trop prolongée, la régulation nerveuse ne parvient pas à la compenser et des troubles graves éclatent.

Aussi, pour empêcher leur apparition, on a recours à un certain nombre de dispositions. D'une part, le cosmonaute, au lieu d'être debout ou assis, est couché sur le dos en travers de son engin, cuisses en l'air et jambes à peu près horizontales. D'autre part, il porte une combinaison gonflable permettant une compression des jambes lorsque l'accélération dépasse une certaine valeur ; de la sorte, l'afflux sanguin vers les membres inférieurs est réduit. Enfin, on le « moule », en quelque sorte, dans une couchette plastique, dite « couchette contour », qui épouse non pas exactement la surface de son corps au repos mais le contour correspondant à la meilleure répartition des efforts lorsque le corps est déformé par la surpesanteur. Dans ces conditions, le cosmonaute peut résister à dix-huit fois l'accélération de la pesanteur.

Après la brutale mais heureusement assez brève surpesanteur, le cosmonaute est soumis, cette fois, pendant des heures, des jours, et même des semaines, si le vol spatial est prolongé, à l'état d' « impesanteur », c'est-à-dire à l'absence de toute pesanteur sensible ou, comme on dit quelquefois, à l' « état de gravité zéro ». C'est là, dans les articles de vulgarisation scientifique et dans certains films, un thème favori aux anticipations : passagers et objets libres flottant dans la cabine s'ils ne sont pas amarrés ou fixés par des dispositifs adhérents ou magnétiques ; impossibilité de boire dans un verre, d'en renverser le liquide qu'il contient, etc.

Sans insister davantage sur les conséquences physiques de l'impesanteur, qui sont faciles à imaginer, venons-en immédiatement à ses effets biologiques.

D'après les expériences des cosmonautes russes et américains, la circulation, dans son ensemble, et la respiration ne subissent pas de troubles majeurs. Il se peut que certaines modifications réflexes de la pression artérielle produisent quelques perturbations physiologiques et quelques malaises passagers, mais ils ne sauraient avoir des conséquences graves. C'est ainsi que l'on a pu noter que le rythme cardiaque des sujets mis en absence de pesanteur orbitale était tantôt augmenté, tantôt diminué.

Ce sont plutôt les réflexes viscéraux du type mal de mer, nausées, vomissements, migraines, etc., qu'il y a lieu de redouter, réalisant une sorte de « mal du cosmonaute », sans qu'on puisse prévoir quelle sera la réaction d'un individu donné, car il s'agit, en l'occurrence, d'actions psychosomatiques auxquelles participent conjointement des facteurs physiologiques et des facteurs psychologiques. C'est ainsi que le cosmonaute russe Titov, à qui l'on avait imposé un programme d'exercices physiques après deux ou trois heures de vol orbital, s'est senti pris de nausées allant jusqu'aux vomissements, de sorte que les médecins, qui, de la Terre, suivaient ses réactions, lui ont prescrit l'immobilité. L'Américain Carpenter fut également victime de troubles analogues, mais moins gravement. Il semble qu'en l'absence de pesanteur nos sensations soient déréglées ; en particulier, le fait de bouger la tête entraîne des troubles très désagréables.

C'est en effet dans le fonctionnement du système nerveux, avec ses annexes les organes des sens, que les perturbations les plus marquées risquent de se faire sentir. En ce qui concerne l'oreille, nous savons qu'une partie de l'oreille interne (et tout spécialement les canaux semi-circulaires et les taches dites à tort « acoustiques ») n'a pas une fonction auditive, mais, en revanche, joue un rôle capital dans l'équilibration. L'épithélium des taches possède des cellules sensorielles qui émettent chacune un gros cil rigide, non vibratile, d'une longueur de 20 microns* environ, qui va plonger dans une membrane muqueuse otolithique renfermant des concrétions solides de carbonate de calcium, ou otoconies. Un liquide, l'endolymphe, circule entre l'épithélium et la membrane otolithique qui est comme accrochée aux cils. Cette disposition permet de comprendre comment les changements de position de la tête dans l'espace, en amenant la membrane otolithique d'une tache soit à reposer sur son épithélium, soit à y être suspendue par les cils (en y exerçant ainsi une pression ou une traction grâce au poids des otoconies), provoquent l'excitation des cellules sensorielles de cet épithélium. Elle permet aussi de prévoir que les réactions, ainsi occasionnées, dureront aussi longtemps que les positions imposées à la tête puisque la membrane otolithique exercera son action sur les cellules sensorielles pendant tout ce temps. Ces réactions provoquées, d'origine otolithique, sont des réactions toniques des membres, un réflexe de redressement de la tête, lorsque le corps ne se trouve pas dans une position normale, et des mouvements compensateurs des globes oculaires qui ont pour effet de conserver aux yeux, et par conséquent au champ visuel, leur orientation normale quand la tête quitte sa position habituelle ; ainsi, quand la tête se relève, le regard s'abaisse, et, inversement, quand elle s'abaisse, le regard se relève, tendant par conséquent à fixer toujours la ligne d'horizon.

Il en résulte que, lorsqu'on perturbe l'action des octoconies, des troubles toniques musculaires et des troubles visuels apparaissent. Ainsi, le sujet a l'impression que tout bascule dans un sens quand il est en surpesanteur, et, dans l'autre sens, en l'absence de pesanteur. Mais, et ceci est rassurant, une certaine adaptation à l'état anormal se produit, et, après un moment désagréable, le sujet supporte parfaitement l'absence de pesanteur.

L'excès ou l'absence de pesanteur provoque aussi un certain dérèglement des fonctions du cervelet qui, normalement, joue un rôle essentiel dans la motricité en augmentant la force élastique des muscles, en renforçant leur énergie, et en coordonnant leurs contractions pour amener le déplacement régulier des membres et maintenir l'équilibre du corps. C'est cet organe qui nous empêche d'effectuer des mouvements trop puissants ou trop étendus et qui freine nos gestes pour les rendre plus précis.

Lorsque la pesanteur est fortement modifiée, ce mécanisme de correction se trouve déréglé ainsi que le montre un certain nombre d'expériences dont l'une consiste à lancer des fléchettes sur une cible, soit au sol, soit dans un avion permettant de réaliser l'état de surpesanteur et d'impesanteur.

Au sol, et c'est le lancer témoin, les fléchettes sont groupées au centre de la cible si le sujet est suffisamment habile. Elles sont nettement déplacées vers le bas dans le cas de surpesanteur et orientées vers le haut en l'absence de pesanteur. En l'occurrence, le mécanisme de coordination des effets musculaires se trouve déréglé.

Mais, ici encore, grâce à une sélection des sujets et grâce à un entraînement préalable, ces troubles psychomoteurs peuvent être amendés. Ils ont été surmontés par les cosmonautes russes et américains au cours de leurs vols orbitaux, et, tout particulièrement, par les deux cosmonautes russes Vladimir Kovalenok et Alexandre Ivantchenkov qui, à bord du Saliout 6, sont restés 139 jours dans l'espace (exactement 139 j, 14 h, 49 mn, du 15 juin 1978 au 2 novembre 1978).

En revanche, et surtout dans le cas de vols prolongés, l'absence de pesanteur provoque une décalcification osseuse assez importante difficile à combattre, une tendance à grandir (1 cm environ par mois au cours des premiers mois), une certaine « paresse » du cœur qui fournit moins d'efforts, une relative atrophie des muscles des jambes qui sont peu ou pas utilisées.

Les problèmes relatifs à la respiration, à l'alimentation et à la température ne présentent pas de graves difficultés.

Restent les problèmes psychologiques et l'action des rayons cosmiques.

Des expériences, réalisées sur Terre à l'intérieur d'enceintes reproduisant aussi exactement que possible les conditions de vie dans un véritable astronef, ont montré que les sujets supportaient très mal la claustration. Au bout d'une semaine, l'ennui devient intolérable. Mais, dans le cas d'un voyage astronautique réel, il peut être atténué ou supprimé par des distractions telles que la lecture, la musique, le cinéma, par des travaux personnels divers, par la radiophonie et même par la télévision, et, enfin, si ceci s'avère nécessaire, par l'emploi de drogues tranquillisantes ou par le sommeil artificiel.

En ce qui concerne les rayons cosmiques, l'expérience a montré qu'ils n'étaient pas aussi redoutables qu'on le pensait a priori et que l'on pouvait, dans une certaine mesure, s'en protéger à l'aide d'un équipement approprié dont les qualités protectrices sont expérimentées dans les chambres à haute activité.

Les Supercosmonautes

Se rendre dans les parages d'une étoile apparaît actuellement aussi utopique que le semblait hier la navigation interplanétaire, réalité d'aujourd'hui en ce qui concerne la Lune et réalité de demain pour le Système solaire tout entier.

Si nous considérons, en effet, l'une des étoiles les plus proches de nous, l'étoile alpha du Centaure, qui se situe à environ 4,5 années-lumière * du Système solaire, soit à quelque 40 000 milliards de kilomètres, il faudrait plus de 30 000 ans pour l'atteindre en utilisant un engin animé de la « troisième vitesse cosmique », 42 kilomètres à la seconde ou 151 000 kilomètres à l'heure, qui est la vitesse permettant de s'éloigner de la Terre selon une orbite parabolique ayant le Soleil pour foyer.

Ce temps, 30 000 ans, est évidemment incompatible avec la durée de la vie humaine, à moins d'utiliser un vaisseau cosmique dans lequel se succéderaient d'innombrables générations.

Mais, pour des vitesses tendant sans cesse vers celle de la lumière, la Relativité, si nous tenons la théorie exacte en tous points, vient à l'aide du cosmonaute ou plutôt, en l'occurrence, à l'aide du supercosmonaute.

A la vitesse de 150 000 kilomètres à la seconde, qui est égale à la moitié de celle de la lumière, l'étoile précitée serait, en principe, comme le montre un calcul élémentaire, atteinte en

9 ans environ, et l'aller et retour, Terre-alpha du Centaure-Terre, durerait 18 ans.

Mais si nous admettons, avec Einstein, que le temps s'écoule moins vite quand la vitesse croît, et, ici, les équations relativistes indiquent que le temps serait ralenti de 15 p. 100, le voyage aller et retour envisagé ne durerait que 15,3 ans, alors qu'il se serait écoulé 18 ans sur la Terre. Autrement dit, les voyageurs auraient vieilli 2,7 ans de moins que les habitants restés sur notre Globe.

Ce décalage entre le temps relativiste et le temps terrestre devient de plus en plus important au fur et à mesure que la vitesse est plus grande.

« Si, comme l'écrivait dès 1920 le physicien français Langevin, un voyageur partait de la Terre à 99,998 p. 100 de la vitesse de la lumière pour y revenir au bout de 2 ans passés pour lui, il constaterait que 200 ans se seraient écoulés sur la Terre depuis son départ. »

Et le savant allemand Eugen Sänger renchérit sur ce célèbre paradoxe du voyageur de Langevin en envisageant le cas d'un astronef qui ferait le tour de l'Univers tout entier. En supposant, dit-il en substance, que ce parcours représente une distance de 10 milliards d'années-lumière, et que l'astronef atteigne 99 999 999 999 999 999 996 p. 100 de la vitesse de la lumière, le voyage ne serait qu'une affaire de 33 ans pour les navigateurs. Mais, à leur retour, la Terre — si elle existait encore — aurait vieilli de 10 milliards d'années.

Sommes-nous ici dans le domaine de l'utopie ou dans celui du réel ? Des expériences réalisées avec des satellites artificiels nous renseigneront bientôt. Il est prévu d'y placer une horloge atomique au césium dont la précision est supérieure à 1 dix milliardième, soit approximativement une seconde par 10 000 ans. Sa marche sera comparée à celle d'une horloge identique restée au sol, et, d'après ses indications, nous verrons si le temps est réellement relativiste et si nous pouvons compter sur sa « contraction » pour aller conquérir les étoiles.

D'autre part, des expériences seront également réalisées vers 1983 pour mettre en évidence un aspect de la relativité qui n'a encore donné lieu à aucune vérification : il s'agit de l'action de la gravitation sur l'axe d'un gyroscope laquelle se manifeste par une précession d'un type particulier dite géodésique. Mais, pour la détecter, il faudra arriver à mesurer des changements d'inclinaison de l'axe du gyroscope se situant à l'échelle du millième de seconde d'arc par an.

Cependant, même si le temps obéit vraiment à la relativité, les futurs supercosmonautes devront, pour atteindre les étoiles, utiliser des véhicules spatiaux dont la vitesse avoisinera celle de la lumière, et il est évident que la fusée, telle qu'elle est conçue actuellement, ne peut l'obtenir. Et cela d'autant moins que la charge utile en produit énergétique devrait être considérable. Ainsi, en utilisant l'énergie thermonucléaire fournie par la transformation d'hydrogène en hélium, et dans le cas d'un voyage aller et retour de 28 ans à une vitesse égale à 99 p. 100 de celle de la lumière, soit 297 000 km/s, il faudrait réaliser une fusée d'un million de tonnes pour lancer une tonne de charge utile.

Mais la fusée n'est peut-être pas la seule forme de propulsion possible, et, à cet égard, l'antigravitation ouvre, dès à présent, des perspectives encourageantes. Certains physiciens comptent déjà sur un générateur antigravitationnel convertissant, selon les théories d'Ivanenko, les gravitons * en photons *. On a aussi préconisé l'utilisation d'une énergie de l'espace « vide ». D'autre part, un ingénieur américain de renom, William P. Lear, a été plus audacieux encore puisqu'il songe à dématérialiser les cosmonautes pour les transporter, par ondes, à travers les espaces interstellaires. Mais il semble que nous soyons ici en pleine science-fiction.

En revanche, il est permis de dire qu'il n'est pas absolument certain que la vitesse de la lumière soit la vitesse limite qu'en a faite Einstein. L'impossibilité de la dépasser ressort essentiellement de la théorie et n'appartient peut-être pas au domaine de la réalité. Elle résulte de l'application de la formule

$$m = \frac{m_0}{\sqrt{1 - \frac{v^2}{c^2}}}$$

dans laquelle m_0 est la masse du mobile au repos, m la masse du mobile à la vitesse v, et c la vitesse de la lumière. Si l'on fait v = c, la masse m devient infinie de sorte que, parvenue à la vitesse de la lumière, on ne peut plus lui communiquer une accélération ultérieure, quelle que soit la force qu'on lui applique.

A ce sujet, dès 1968, deux revues scientifiques américaines, *Physical Review Letters* et *New York Scientist,* ont publié les premiers résultats obtenus par le Professeur Weber, de l'*Université de Maryland,* U.S.A., lesquels mettent, semble-t-il, en évidence des « ondes gravitationnelles » qui se propagent à des vitesses supérieures à celle de la lumière et qui transportent l'énergie sous forme de « tachyons » (du gr. *tachus,* rapide). Toutefois, il convient d'ajouter que les points de vue du Professeur Weber furent bientôt mis en doute par de nombreux physiciens et nettement réfutés par le Dr Tyson et son équipe des laboratoires *Bell Telephone.* De sorte que l'espoir de voir naître rapidement une astronomie de gravité s'est présentement évanoui. Néanmoins, on peut présumer, avec André Lichnerowicz, qui a repris certains calculs d'Einstein et les a développés avec la plus grande rigueur, que la vitesse de la lumière, comme nous l'avons signalé, n'est peut-être pas une vitesse limite.

S'il en est bien ainsi, et si, par surcroît, il est un jour possible de dépasser la vitesse de la lumière à l'aide d'engins dont nous n'avons, à vrai dire, pour le moment, aucune idée, de très lointaines étoiles seront à la portée des supercosmonautes.

Où ils trouveront peut-être, sur des planètes gravitant autour de ces étoiles, d'autres « hommes-phénomènes », ou, plutôt, des « surêtres » de l'espace.

Et pourquoi pas ?

En tout cas, il n'est pas interdit de rêver.

Le saviez-vous ?

— Le premier voyageur de l'espace fut la chienne Laïka (3 novembre 1957).

— Ce que nous a appris la mission « Apollo » 13, c'est que le départ de trois hommes vers la Lune n'est pas le début d'une mission. C'est la conclusion de travail de 300 000 personnes, voire de 400 000, puisque tel était l'effectif d'« Apollo » lors des années de pointe du programme en 1965 et 1966.

— « Dans vingt ans, a affirmé Willis Playa, vice-président de la *Pan-Am,* l'hydrogène propulsera des avions-fusées qui relieront l'Europe à l'Amérique en moins d'une heure, et, dès 1990, ou, au plus tard, en 1996, nous emmènerons des touristes sur la Lune. »

— Il est vraisemblable qu'on utilisera également le rayon laser * dont le générateur se trouvera d'une part au sol, et, d'autre part, dans l'espace sur quelque satellite artificiel. Ce rayon échauffera un fluide passif qui, jaillissant par une tuyère, assurera la propulsion de l'engin cosmique. De la sorte, l'énergie n'ayant plus besoin de se trouver à bord, le poids de l'engin en sera diminué d'autant. On peut également envisager le Soleil comme source d'énergie.

— Les techniciens de l'espace, et en particulier la NASA, espèrent réaliser avant la fin du siècle des satellites artificiels géants de plusieurs kilomètres de diamètre qui abriteront des centaines de chercheurs, de techniciens et d'ouvriers. Délivrée de la pesanteur, l'industrie pourra alors, à l'intérieur de ces communautés de l'espace, élaborer à moindre prix tous les produits lourds dont le maniement exige sur Terre d'importantes dépenses d'énergie. En outre, ce genre de satellites devra permettre de capter l'énergie solaire et de la renvoyer sur la Terre sous forme d'électricité. A ce sujet, la firme *Boeing* a d'ores et déjà établi les plans d'un satellite d'une trentaine de kilomètres de long sur six de large pour un poids de l'ordre de cent dix mille tonnes, qui, à l'aide de quatorze milliards de cellules solaires, transformera les rayons du Soleil en électricité. Cette énergie sera envoyée vers la Terre sous forme de micro-ondes que capteront au sol des antennes de plusieurs centaines de mètres de haut. Il ne restera plus qu'à reconvertir ces micro-ondes en électricité.

Boeing estime que ce satellite pourra être opérationnel dès 1995 avec une longévité de l'ordre du siècle. Ensuite, il suffira d'en construire une quarantaine pour produire toute l'électricité nécessaire aux États-Unis.

— Il est déjà prévu que sur ces super-stations orbitales des couples d'astronautes donneront naissance à des « enfants de l'espace ».

— Selon la NASA l'homme ne devrait pas débarquer sur Mars avant l'an 2000, étant donné, d'une part, le prix élevé d'une telle mission (30 milliards de dollars au minimum), et, d'autre part, la durée du trajet (trois ans aller-retour).

— En utilisant un moteur capable de réaliser la conversion totale de la masse en énergie, et étant donné que chaque kilogramme de matière consommée fournit la quantité formidable de 9×10^{23} ergs, il faudrait, pour effectuer le « tour » de l'Univers tel que l'imagine le Dr Eugen Sänger, c'est-à-dire un univers fermé, utiliser une masse de matière de l'ordre de celle de la Lune. Ce qui, avoue le Dr Sänger, « semble dépasser les limites de tout ce qui pourra jamais être raisonnablement possible ».

D'où, en l'occurrence, la nécessité de recourir à une autre forme d'énergie que celle issue de la désintégration atomique.

— Malgré les conclusions négatives du Dr Tyson, certains astrophysiciens estiment que les ondes gravitationnelles existent. C'est, en particulier, le cas des chercheurs de l'université du Massachusetts qui pensent avoir mis ces ondes en évidence en étudiant, à l'aide du radiotélescope d'Arecibo, un lointain pulsar situé à quelque 15 000 années-lumière de la Terre.

LES PHÉNOMÈNES D'ADRESSE ET DE TÉMÉRITÉ

LES PRESTIDIGITATEURS

C'est parfois vers les prestidigitateurs que nous reportons notre désir inné du mystère, héritage ancestral d'un très lointain passé. Car si nous répugnons en général au miracle, nous en acceptons volontiers les apparences. L'illusionniste, qui crée l'impossible, fait toucher l'invraisemblable et jongle avec le rêve, fait naître en nous un étonnement résigné, un état d'acceptation servile et de crédulité qui nous entraîne dans un monde merveilleux lequel rejoint souvent celui de nos propres songes ou se rattache à cet autre univers imaginaire qu'enfante quelquefois notre volonté de puissance ou notre besoin de créer.

L'illusionniste nous apparaît ainsi comme un homme-phénomène ou même comme une sorte de démiurge, de magicien ou de sorcier investi de mystérieux pouvoirs.

Mais ceux-ci ne sont magiques qu'en apparence. Ils reposent, en fait, sur un certain nombre de principes rationnels, psychologiques et techniques, que nous allons examiner.

Les principes psychologiques de la prestidigitation

Le principe essentiel d'ordre psychologique sur lequel sont basées beaucoup d'expériences d'illusionnisme est que tout individu porte en son esprit le schéma des gestes humains habituels. Il en résulte qu'il achève mentalement des mouvements qui, dans la réalité, ne se terminent pas.

La main droite, par exemple, prend une pièce de monnaie, la montre du bout des doigts, puis la porte vers la main gauche largement ouverte. Celle-ci se referme et s'éloigne cependant que les doigts de la main droite sont montrés vides. Si l'on exécute ces gestes comme on les accomplit d'ordinaire, le spectateur n'aura aucune raison de penser que l'un d'eux, faisant partie de la série normale, n'est pas exactement accompli comme les autres, même s'il se trouve comme par hasard masqué. En fait, lorsque la main droite s'est déplacée vers la gauche, elle a pu fort bien empalmer la pièce, c'est-à-dire l'appliquer dans la paume et la maintenir serrée entre les deux masses musculaires respectivement appelées thénar et hypothénar. Ce qui, en l'occurrence, aura produit l'illusion, c'est que les mouvements des deux mains sont rigoureusement ce qu'ils auraient été en cas de dépôt, sauf en ce qui concerne la fin de la manipulation qui se trouve cachée par la main gauche qui se referme.

De même lorsque la main droite prend une boule, la montre du bout des doigts, se dirige vers un chapeau, s'y plonge, puis en ressort les doigts allongés et ne tenant rien, quelle raison y a-t-il de penser, surtout si le prestidigitateur a annoncé : « je mets cette boule dans ce chapeau », qu'il ne l'a pas effectivement abandonnée ? On ne songe même pas qu'il pourrait en être autrement, si, outre la phrase prononcée, on entend un choc et que le chapeau, tenu de l'autre main, a légèrement fléchi vers le sol en recevant apparemment la surcharge. Or, la main droite a parfaitement bien pu, pendant qu'elle se trouvait momentanément cachée dans le chapeau, ne rien déposer, mais serrer la boule dans la paume puis ressortir les doigts vides. Quant au choc, c'était une chiquenaude des doigts de la main gauche contre les parois du chapeau qui l'avait produite, et le léger fléchissement sous un poids imaginaire, c'était une simple feinte. Il suffit que l'entrée et la sortie de la main droite soient rigoureusement ce qu'elles auraient été en cas de vrai dépôt pour que le spectateur, entraîné par l'habitude, admette implicitement que, dans la série des mouvements effectués aux fins de dépôt, cette dernière phase a réellement eu lieu comme les autres.

Dans ces deux expériences, comme d'ailleurs dans des expériences similaires, on peut dire, en bref, en employant le langage des mathématiciens, qu'il y a, de la part des spectateurs, « intégration », en une seule action continue et familière, de toute une série de petits mouvements dont quelques-uns leur ont échappé, ainsi que le fait notre œil lorsqu'il complète instinctivement les traits discontinus d'un profil à peine esquissé.

Or, et voici ce qui est précieux pour l'illusionniste, l'absence d'un acte partiel, non remarquée si elle est relativement courte, permet de ne pas exécuter réellement l'action et nul ne pensera à se défier de cette lacune d'un instant, à condition toutefois que les opérations initiales et finales soient bien visibles et faites comme d'habitude.

Le second principe psychologique, qui, d'ailleurs, découle immédiatement du précédent, est que les expériences doivent être exécutées d'une façon naturelle, sans hâte et sans nervosité, celle-ci étant l'ennemie mortelle du prestidigitateur. Effectivement, l'illusion la plus parfaite est obtenue avec le maximum de bonhomie.

En outre, cette banalité dans l'exécution des mouvements, cette absence de précipitation permettent d'insérer facilement et subrepticement, dans une série de gestes réguliers, la manipulation qui est le pivot de l'expérience.

C'est grâce aussi à un moment d'inattention des spectateurs que le prestidigitateur réalise des substitutions d'objets désignés sous le nom de « changes » en illusionnisme.

D'autre part, dans presque toutes les expériences de prestidigitation, le public, n'ayant pas l'attention attirée par la manipulation décisive, continue de s'occuper des opérations qui la suivent, lesquelles ne sont pratiquement d'aucune utilité puisque, en fait, le tour est déjà réalisé. A la faveur de cette orientation de l'attention, et nous avons là le troisième principe psychologique de l'illusionnisme, le prestidigitateur peut, en toute sécurité, préparer, s'il y a lieu, les éléments d'une nouvelle expérience.

Dans tous les cas, et ce quatrième principe est souvent négligé par les débutants, il doit donner l'impression que ce qu'il dit est vrai. Ainsi, lorsqu'il affirme qu'une pièce de monnaie est passée de sa main droite dans sa main gauche alors qu'elle est parfaitement restée en place, aucun spectateur ne doit douter de sa parole. Ce pouvoir de suggestion ne s'acquiert d'ailleurs, en général, qu'après une assez longue pratique.

Au surplus, afin que l'illusion soit parfaite, il est souhaitable que l'opérateur croie lui-même à ce qu'il dit et à ce qu'il fait, c'est-à-dire qu'il soit à la fois suggestionneur et suggestionné : « On doit se pénétrer assez de l'esprit de son rôle, écrit l'illustre prestidigitateur Robert-Houdin, pour croire soi-même à la réalité des fables qu'on débite. » De son côté, un autre prestidigitateur célèbre, Ponsin, qui a écrit des ouvrages didactiques de prestidigitation, enseignait : « Dites-vous à vous-même : ce ne sont pas des tours que je veux faire, ce sont des miracles. »

Parfois, l'illusionniste, et ce principe se rattache au précédent, fait associer des impressions qui n'ont entre elles aucun rapport de causalité. Toute la ventriloquie, sur laquelle nous revenons plus loin, le buste de plâtre qui semble parler parce qu'il est au foyer d'un réflecteur sonore, les harpes qui paraissent jouer seules, le sifflet spirite utilisent cette synesthésie*. Dans cette dernière expérience, un sifflet ordinaire est suspendu par une ficelle à l'extrémité d'un bâtonnet tenu à la main. A la grande surprise des spectateurs, qui peuvent entourer le « médium », le sifflet siffle seul et répond aux questions posées selon un protocole convenu : par exemple, un coup de sifflet pour « oui » et deux coups pour « non ».

En réalité, ce n'est pas le sifflet que l'on voit qui se fait entendre, mais c'est un autre sifflet analogue qui remplit ce rôle. Ce second sifflet est maintenu à l'aide d'une épingle de nourrice dans la partie inférieure d'une jambe du pantalon de l'illusionniste. Il est muni d'un tube de caoutchouc terminé par une poire qui est placée dans une poche du pantalon. Il suffit d'appuyer inostensiblement sur la poire pour que le sifflet fonctionne. Ce sifflet surnuméraire peut être aussi fixé au poignet et la poire de caoutchouc placée sous l'aisselle. Dans ces conditions les deux mains sont libres.

Cette association spontanée entre deux sensations de nature différente a été également largement utilisée par Félicien Trevey dans son étonnante présentation de « la pluie d'argent ». Au cours de sa cueillette imaginaire de pièces de monnaie dans l'espace, chaque feinte de jet de pièce dans le chapeau était accompagnée du bruit produit par un autre chapeau contenant réellement des pièces, lesquelles étaient agitées dans la coulisse par un servant qui synchronisait exactement ce bruit avec le geste du prestidigitateur.

Une autre association de deux impressions sensorielles, faite instinctivement par le spectateur, est celle de la vue et du toucher, par exemple lorsqu'il sent, à travers un foulard, un disque de verre qu'il croit être la pièce vue un instant auparavant. Elle est à la base d'un truc déjà ancien désigné sous le nom de « La Pièce soluble ».

La pièce, qui fait l'objet du tour, est placée au milieu d'un foulard, et, ainsi enveloppée, on demande à un spectateur de la maintenir par la tranche au-dessus d'un verre rempli d'eau. Ensuite, sous prétexte de vérifier le millésime de la pièce, on s'en empare et on la remplace inostensiblement par un disque de verre de même diamètre. C'est chose facile étant donné que l'opération a lieu sous les plis du foulard. Cela fait, on prie le spectateur de tenir le tout comme précédemment et de lâcher la pièce (en réalité le disque de verre) lorsqu'on aura compté « un, deux, trois ! ». Le disque est lâché et le bruit de sa chute est entendu, mais, lorsqu'on retire le foulard, le disque est invisible au fond de l'eau : la pièce a disparu. Elle est ensuite retrouvée à l'endroit que l'on désire, par exemple dans la poche du spectateur qui s'est prêté à l'expérience. A cet effet, il suffit, en priant celui-ci de faire face au public, de mettre la main sur son côté, comme pour mieux le placer, et de faire glisser dans sa poche de veston la pièce que l'on avait gardée à la main. Il est bon de bien faire remarquer que c'est toujours la même pièce qui est montrée au public ; au besoin, on y fait une marque avec la pointe d'un canif. Il est recommandé également d'emprunter la pièce, car une pièce empruntée est beaucoup moins suspecte qu'une pièce appartenant à l'opérateur.

On peut aussi ajouter une preuve supplémentaire de la disparition de la pièce, en retournant le verre, sans rien dire, afin de vider l'eau qu'il renferme : le disque adhère au fond du verre, à condition que ce fond soit bien plat.

Si, en prestidigitation, l'association de la vue et de l'ouïe et l'association de la vue et du toucher sont souvent employées, en revanche, le sens de l'odorat est rarement mis à contribution. Il a cependant été utilisé par Robert-Houdin, qui faisait évaporer de l'éther pendant qu'il présentait une expérience dans laquelle l'influence de l'éther était annoncée alors qu'elle n'y était pour rien, et employé également dans une expérience réalisée par le « professeur » Alber. « J'enveloppais une pomme dans un papier, écrit-il, et je donnais le paquet à tenir à un spectateur. Puis, l'interpellant, je lui disais : « Sentez-vous la pomme ? ». S'il essayait de sentir avec ses doigts, je lui disais qu'il s'agissait de son odorat. S'il sentait véritablement, je lui demandais ce qu'il sentait et il me répondait invariablement : « Je sens la pomme. » Or, la pomme n'avait jamais été dans le paquet, mais le papier que j'employais était renfermé depuis plusieurs mois avec des pommes dans un fruitier. Cette illusion de l'odorat réussissait très bien mais il est vrai de dire que les spectateurs croyaient avoir vu empaqueter la pomme (illusion de vue), et que celui qui tenait le paquet croyait toucher la pomme au travers du papier (illusion tactile), alors que la pomme était remplacée par un autre objet. »

Enfin, dernier principe fondamental, il ne faut jamais annoncer à l'avance le résultat d'une expérience, et cela pour deux raisons : d'abord parce qu'en la faisant connaître, on attire l'attention des spectateurs sur les opérations qui doivent s'effectuer, ce qui leur permettra de guetter les phases délicates du tour ; ensuite, ainsi que le souligne Robert-Houdin, « lorsque le spectateur est ignorant de ce qui va se passer, l'opérateur peut se tirer d'affaire si son opération, pour une raison ou pour une autre, vient à manquer. Au contraire, si le public est prévenu, il n'y a pas de salut possible et l'échec est irrémédiable ; or, un illusionniste, aux yeux du public, ne doit pas se tromper. Si, par hasard, il ne peut sortir d'un mauvais pas, il doit terminer son expérience d'une façon quelconque, sans rime ni raison s'il le faut : le public ne comprend rien à ce qui vient de lui être présenté ; il peut même s'étonner du décousu de l'expérience, le principal est qu'il n'y a pas lieu de lui annoncer une erreur ; l'honneur est sauf, il suffit de se rattraper au tour suivant ».

En revanche, il n'y a aucun inconvénient, bien au contraire, à faire connaître le but du tour lorsque sa phase essentielle est accomplie et quand la réussite est dès lors certaine, puisque, en somme, le tour est fait.

C'est aussi pour que la vigilance ne s'exerce pas prématurément qu'on ne fera jamais remarquer explicitement au public qu'une main ou qu'une boîte est vide : ce serait lui faire supposer qu'elle ne le sera pas toujours. On lui laissera simplement constater incidemment que la main est libre ou qu'il n'y a rien dans la boîte.

De même, on ne dira pas : « Choisissez une carte », mais on dira : « Prenez une carte », car la première expression pourrait suffire à mettre le spectateur en défiance, et, par exemple, faire manquer un forçage * de cartes.

Une excellente pratique, très propre à dérouter le jugement du public et recommandée par Robert-Houdin, consiste à laisser attribuer à l'adresse pure ce qui est le résultat d'une action mécanique ou d'une combinaison mathématique, et réciproquement. Un corollaire de ce principe est qu'il ne faut jamais recommencer un tour à moins de l'exécuter à l'aide d'un subterfuge différent. Si les spectateurs le redemandent, c'est, le plus souvent, dans l'intention d'en saisir le mécanisme.

Les bases techniques de la prestidigitation

Soulignons immédiatement qu'à l'encontre des principes psychologiques qui sont en petit nombre, les procédés techniques de l'illusionnisme, permettant de favoriser ou de créer l'illusion, sont très nombreux. Au reste, certains sont mi-psychologiques, mi-matériels. D'autres sont purement techniques.

Décrivons d'abord les principaux artifices utilisés pour détourner l'attention et pour dissimuler un mouvement ou le détail d'une manipulation.

Le prestidigitateur peut détourner l'attention du public par une interpellation adressée à un spectateur vers lequel tout le monde dirige aussitôt les regards, par la chute voulue d'un objet, par une feinte maladresse du servant, et, surtout, par le boniment. Des questions absolument saugrenues telles que : « Savez-vous compter jusqu'à cent », ou encore « Pouvez-vous, dans un jeu de cartes, distinguer les sept des dix », provoquent chez l'interlocuteur un certain ahurissement à la faveur duquel l'artiste peut, par exemple, exécuter un saut de coupe * ou toute autre manipulation. L'emploi d'un charabia pseudo-étranger, où, par-ci, par-là, quelques mots sont intelligibles, constitue un dérivatif du même ordre. Le demi-étourdissement causé par le verbiage du boniment, le moment de distraction que provoque un calembour sont encore des dérivatifs de ce genre.

A vrai dire, ces moyens un peu grossiers, et tout particulièrement le boniment avec digressions oiseuses et plaisanteries d'un goût douteux, qui étaient la tare de l'ancienne prestidigitation, sont inadmissibles pour un artiste consciencieux et sont de plus en plus abandonnés par les prestidigitateurs modernes. Et même, quelques-uns d'entre eux, les illusionnistes étrangers surtout, opèrent « à la muette », mais, de ce fait, le spectacle manque d'étoffe et ressemble souvent à un numéro de jonglerie. Il ne peut être que très court, car, formé essentiellement de multiples et subtiles apparitions et disparitions, il nécessite de la part des spectateurs une attention soutenue qui provoque à la longue une certaine fatigue. Mais, en définitive, il vaut mieux que des expériences diluées en deux heures de bavardage continu.

Les gestes aussi, par exemple l'index qui désigne un objet, le dépôt ébauché, une simple présentation au bout des doigts, le coup de baguette magique, peuvent détourner l'attention.

A ce propos, comme le note justement M. Alber, un public d'enfants, contrairement à ce qu'on croit souvent, est des plus difficiles à tromper, de sorte que si une feinte n'est pas exécutée impeccablement, le terrible : « Vous avez caché l'objet dans votre manche », ou : « Vous avez l'objet dans l'autre main », jaillira infailliblement. Dans cet ordre d'idées, et c'est là un fait que les professionnels de l'illusionnisme connaissent bien, les personnes bornées, à l'esprit étroit et entêté, sont beaucoup plus malaisées à mystifier que les gens instruits et intelligents. Ce n'est pas qu'elles devinent mieux le principe des expériences, mais elles ne se laissent pas facilement égarer.

Certains grands trucs, tels que la « Moto éclipsée » de De Rocroy, qui s'évanouissait, ainsi que son conducteur, d'une grande caisse suspendue, ou l'extraordinaire disparition d'un éléphant au milieu d'un cirque, qui était parfaitement réalisée par Harry Houdini, et cela sans trappe d'aucune sorte, sont basés sur le détournement général de l'attention. En ce qui concerne cette dernière illusion, Houdini parvenait à faire converger dans la même direction, avec un parfait ensemble, les regards de tout le public d'un vaste cirque en faisant descendre du haut du chapiteau un baldaquin étincelant vivement éclairé et supporté par des chaînes qui grinçaient fortement. La vue et l'ouïe étaient ainsi mises à contribution.

Il n'est pas possible, bien entendu, de détourner constamment le regard et l'attention des spectateurs, ce qui équivaudrait à leur dire : « Fermez les yeux et ne pensez plus. » D'où l'emploi d'autres méthodes de dissimulation dont les principales sont l'invisibilité optique, l'invisibilité par l'action et le masquage.

L'invisibilité optique peut être obtenue par la petitesse des accessoires, ou par certains détails, ou encore par la couleur.

Le fil de soie grise (moins visible en général que le noir) ou, mieux, de nylon, le fil de fer très fin, invisibles même de près, sont fréquemment employés. Ils permettent la lévitation d'une table légère (en carton par exemple), mais d'apparence massive, l'ascension de cartes qui, placées dans un verre, s'élèvent au commandement, les mouvements d'une main en plâtre disposée sur une plaque de verre, l'apparition et la disparition de foulards, d'œufs ou de boules mis dans un chapeau, la pièce sonnant dans un verre, la réalisation de certains équilibres truqués, et, en particulier, de la canne se tenant verticalement, l'expérience du foulard pondeur, etc.

L'étonnant et gracieux numéro des « anneaux chinois », qui s'enchaînent et se désenchaînent avec la plus grande facilité, est réalisé grâce à une fente, étroite d'ailleurs, cachée au moment opportun par les doigts de l'opérateur. Malgré la simplicité du moyen, ou peut-être à cause de cela, il permet les effets les plus surprenants.

La couleur noire ou sombre d'un objet et d'un fond rend invisibles certains détails. C'est sur ce principe que sont basés les trucs des ardoises spirites où s'inscrivent des « messages paranormaux », et, surtout, les admirables et stupéfiantes expériences de « magie noire » dans lesquelles on voit apparaître sur scène, venus on ne sait d'où, meubles, objets divers, squelettes, etc. En fait, au lever du rideau, tout ce matériel est déjà sur place mais se trouve dissimulé à la vue grâce à des draperies ou à des écrans noirs. Ce sont des aides, vêtus de noir de la tête aux pieds et chaussés de pantoufles noires silencieuses, qui provoquent l'apparition des objets en enlevant rapidement étoffes et écrans. Ce sont eux également qui soulèvent les tables ainsi que les autres accessoires et les font voltiger dans l'espace. Généralement, des lampes électriques sont placées sur la scène et sont tournées vers les spectateurs qu'elles éblouissent sans rien éclairer. Bien que le procédé ait été maintes fois décrit dans des revues ou des journaux, ces révélations n'ont jamais amoindri le merveilleux effet qu'il produit.

L'invisibilité de certaines manipulations est quelquefois obtenue, en pleine lumière, par une sorte de synchronisme des mouvements. C'est ce qui a lieu dans le jeu du bonneteau, qui fait perdre de vue la carte choisie, et dans le double empalmage (*back and front hand palm*) qui consiste à faire apparaître une ou plusieurs cartes après avoir montré que l'intérieur et le dos de la main sont absolument nus[1]. En réalité, quand la paume de la main est montrée vide, c'est le dos de la main qui maintient les cartes, et, lorsque le dos de la main est présenté, celles-ci passent dans la paume. Signalons au passage que le célèbre Houdini, déjà cité, parvenait à endosser correctement un jeu de 32 et même de 40 cartes (des *Steambout* américaines) et à faire revenir celles-ci, une à une au bout des doigts. Seuls, les prestidigitateurs peuvent mesurer l'extraordinaire difficulté d'une telle passe.

Contrairement à l'opinion courante, l'exécution très rapide, permettant l'invisibilité d'une manipulation, est rarement employée en prestidigitation ; ce mot même (issu de *presto,* qui signifie agile, vite), créé en 1815 par un amateur, Jules de Rovère, consacre, par l'étymologie, ce préjugé. Nous étonnerons probablement bien des profanes en soulignant que les plus subtiles et les meilleures manipulations sont faites très lentement et très posément. Toutefois, on peut citer, comme exemples de

1. Nous avons longuement décrit le jeu du bonneteau dans notre livre : *Les tours de cartes à la portée de tous,* Paris, 1977.

manœuvres à grande vitesse, les jets de pièces dans la manche ou dans les revers du pantalon et la disparition instantanée dans la manche d'une cage à oiseaux pliante tenue à la main.

Le masquage des manipulations ou des objets peut être réalisé par différents procédés. Souvent, c'est l'opérateur qui sert d'écran. En se retournant pour aller, par exemple, d'un spectateur à un autre, ou, encore, pour se rendre du public à sa table, l'illusionniste exécute généralement d'importantes manœuvres que nul mouvement des coudes ne doit trahir : prises d'objets, dépôts, échanges, etc. Le servant, auquel le public prête beaucoup moins d'attention, peut, plus facilement encore, réaliser ces manipulations, opérer, entre autres, l'échange d'un objet que l'opérateur lui a donné comme pour s'en débarrasser provisoirement et le redemander un instant après.

Les vêtements de l'illusionniste servent aussi de cachette. Ainsi, les bocaux de verre avec poissons vivants qu'il fait apparaître à l'abri d'un châle sont appendus verticalement aux basques de son habit. Une membrane de caoutchouc enlevée au moment opportun empêche l'eau de tomber. Certains bocaux sont d'ailleurs hermétiquement clos.

A l'encontre de ce que l'on croit habituellement, les manches sont peu utilisées. « Les prestidigitateurs sortent de leurs manches les montres et les cobayes qu'ils y tenaient cachés », affirme de bonne foi le Dr Toulouse. En désespoir de cause, les illusionnistes ont souvent pris le parti de retrousser les manchettes de la chemise sur la manche de leur habit relevée parfois jusqu'au coude, ce qui, par parenthèse, retire quelque élégance à la présentation. Néanmoins, cette loyauté n'a en rien diminué la conviction des spectateurs et leur erreur reste toujours aussi vivace et aussi répandue.

En revanche, le gilet peut cacher divers accessoires : boules de billard, pièces, foulards, etc., mais le mouvement de prise, à moins d'être masqué par le corps de l'opérateur ou par une table, doit être lent, progressif, discret et naturel. Moyennant quoi, c'est une excellente cachette, restée classique, pour les boules de billard. Toutefois, un long sac-réservoir à orifice inférieur, resserré par un caoutchouc et pendu sous le pan de l'habit, est, en l'occurrence, plus commode.

Le dos du servant peut, comme le gilet, cacher différents accessoires que le prestidigitateur saisira au moment opportun. Le même rôle est plus fréquemment rempli par des objets mobiliers garnis de poches et de tablettes sur la face la plus éloignée du public. C'est ainsi que le dossier des chaises, l'arrière de la table de manipulation supportent des « servantes » qui sont des pochettes remplies d'objets ou dans lesquelles, lorsqu'elles sont vides, l'opérateur abandonne inostensiblement boules, foulards et autres accessoires. On a construit de nombreux modèles de ces « servantes » : il y en a qui s'adaptent non seulement aux meubles mais aussi aux manchettes, au gilet, aux tapis des guéridons, au chapeau, etc.

Précisément, le chapeau est d'un emploi particulièrement commode ; il permet le tour classique de la pluie d'argent, dont nous avons précédemment parlé, où la même pièce sert continuellement grâce à l'empalmage rendu facile à l'intérieur du couvre-chef ; le tour des boules changeant de couleur ; celui des cartes passant de deux chapeaux dans un seul, etc.

Enfin, des foulards et des drapeaux déployés, des guirlandes de serpentins constituent un excellent écran permettant la mise en place d'objets divers et même de personnes ou d'animaux.

L'illusionniste ne se contente pas de masquer certains détails de ses expériences par les procédés que nous venons d'examiner. Il fait aussi souvent appel, pour réaliser celles-ci, à des principes de physique, de chimie, de mathématiques et de physiologie.

Les glaces sont employées dans le « truc des spectres » où l'on voit sur scène des spectres évanescents recevoir, sans dommage, des coups d'épée et de poignard ; dans le « Cabinet du Néant », où un spectateur, qui n'est pas un compère, placé dans un cercueil disparaît progressivement à la vue du public et est graduellement remplacé par un squelette ; dans la « Métempsycose », où un buste de plâtre semble se métamorphoser en une ravissante créature ; dans le « Décapité parlant », où une tête humaine parle et vit en dépit de sa séparation apparente du reste du corps ; dans l'étonnante expérience de la « Boîte aux épées », dont voici l'effet : une femme introduit sa tête dans cette boîte, on ferme la porte de devant et on enfonce sur les côtés un certain nombre de poignards. On ouvre de nouveau la porte et la tête de la femme a disparu. On referme la porte, on retire les poignards et la dame a retrouvé sa tête.

L'électricité fait mouvoir certains robots ; elle est mise également à contribution dans l'expérience du poids qui augmente et devient insoulevable sous l'effet, semble-t-il, de la suggestion ; dans l'expérience de la « Main d'Ibycus », où une main de plâtre frappe mystérieusement sur une plaque de verre et annonce, à l'avance, les points que fourniront des dés projetés sur un plateau.

Des principes de mécanique sont aussi utilisés dans maintes expériences : le « Coffret insoulevable », qui, non seulement, devient insoulevable selon la volonté de l'opérateur, mais qui entraîne le spectateur lorsque celui-ci tente de le soulever ; dans le « Cadenas mystérieux », qui s'ouvre au commandement ; dans la « Lévitation », où une jeune femme s'élève dans l'espace sous l'effet de « passes magnétiques » ; dans le truc de la « Corde hindoue », où l'on voit une corde s'élever apparemment d'elle-même, un enfant monter jusqu'à son sommet puis disparaître ; dans l'expérience de l' « Homme insoulevable », inaugurée pour la première fois par le petit boxeur Coulon, etc.

La chimie est employée dans les expériences de changement de coloration des liquides ; dans celle du « Barman de Satan », où le prestidigitateur distribue aux spectateurs, tirés du même récipient, les liqueurs et les boissons de leur choix ; dans l'expérience de la boule chauffante, où l'élévation de température est produite par l'action de l'eau sur la chaux vive, etc.

Il n'est pas jusqu'aux mathématiques qui ne soient utilisées en illusionnisme, en particulier dans un grand nombre de tours de cartes, dans les extraordinaires exercices de calcul mental des pseudo « calculateurs prodiges », dans l'expérience du Bottin ou du journal du jour connus par cœur et dans le truc des « Animaux calculateurs » [1].

Enfin, la physiologie fait les frais des pseudo-expériences

1. Nous avons décrit ces expériences dans les ouvrages suivants auxquels le lecteur pourra, s'il le désire, se reporter : *Les Dessous de l'Impossible,* Paris, 1972 ; *La Prestidigitation à la portée de tous,* Paris, 1977 ; *Action et pouvoir de la Mémoire,* Paris, 1978.

d'hypnotisme, de catalepsie et de fakirisme sur lesquels nous revenons dans la dernière partie de l'ouvrage.

Remarquons, pour terminer cet examen des bases techniques de la prestidigitation, que certaines illusions de scène ne produisent pas toujours l'effet escompté parce que les spectateurs, sachant vaguement qu'elles résultent de dispositifs techniques, les suivent avec quelque indifférence en se disant : « Peuh ! C'est un effet de glace. » Souvent d'ailleurs, il n'y a pas de glace du tout, mais leur esprit est tranquille ; ils ne se sont pas laissé berner, car ils pensent avoir expliqué le tour.

Au reste, certains prestidigitateurs, qualifiés de « purs » en illusionnisme, estiment que le vrai prestidigitateur ne doit employer comme instruments que ses deux mains « produit de quarante ans de travail », disait Hermann.

Sans les contredire, il faut toutefois reconnaître qu'un bon opérateur aurait tort de se passer systématiquement d'appareils lui permettant d'obtenir à coup sûr des résultats étonnants.

Les ventriloques

La ventriloquie, qui peut être rattachée à l'illusionnisme et qui suppose certaines dispositions physiologiques naturelles, repose essentiellement sur trois principes : le changement de la voix normale ; l'absence du mouvement des lèvres et des mâchoires dans l'émission des sons ; l'association, chez le spectateur, d'impressions, qui, en réalité, ne sont pas liées entre elles.

Le changement de la voix s'obtient, d'après le ventriloque Bellamy, de deux façons différentes : par la ventriloquie proprement dite et par la laryngiloquie.

« La première, dit-il, sert à produire des voix lointaines, par exemple celle qu'on entend à travers un téléphone, celle du bébé qui pleure dans une chambre voisine, celle du personnage qui est supposé à la cave ou à l'étage supérieur. Elle nécessite une disposition naturelle sans laquelle on n'arrive pas à un résultat satisfaisant malgré des exercices prolongés et répétés ; mais ces exercices sont tout de même nécessaires. Il faut, en effet, après une forte inspiration par le nez, contracter vigoureusement les muscles de l'abdomen, ceux du thorax et du cou en même temps que ceux du voile du palais, du pharynx, du larynx et de la langue qui doit être rétractée en arrière, en ne laissant sortir ensuite des poumons que le moins d'air possible, de telle sorte que les sons retentissent seulement dans la bouche et non dans les fosses nasales.

« Pour cela, continue Bellamy, je me contracte fortement comme si je rentrais le ventre dans l'estomac ; à ce moment, et cela sans expirer, j'ai l'impression de pousser quelque chose comme si j'avais à souffler dans un ballon de rugby ; c'est donc un effort très violent.

« Dès l'arrêt de cet effort, des sons se produisent par l'effet de l'air qui ressort peu à peu. Une fois la phrase terminée, je fais une inspiration par le nez. »

Commentant cet exercice, le Dr Dhotel écrit :

« Cette expérience est difficile et très pénible ; il faut avoir le courage et la patience de s'entraîner et de travailler pendant des mois et même des années pour réaliser un excellent effet, car il ne suffit pas de produire des sons vagues, il faut émettre des mots et des phrases susceptibles d'être entendus distinctement dans une salle parfois relativement grande. »

La laryngiloquie nécessite moins d'efforts. Elle consiste essentiellement à parler en aspirant.

Il est indispensable, quel que soit le procédé employé, que les lèvres et les muscles de la face restent immobiles dans l'émission des sons. Or, s'il est relativement facile de prononcer les voyelles et les consonnes non labiales telles que C, D, G..., la bouche légèrement entrouverte, les mâchoires serrées et en évitant rigoureusement que l'air sorte par les narines, il est difficile de prononcer les consonnes labiales, B, P, F, V, M, sans faire remuer les lèvres. On y parvient néanmoins après de très nombreuses et assez fastidieuses répétitions. A vrai dire, certains ventriloques esquivent la difficulté, ou bien en éliminant du boniment, soigneusement préparé à l'avance, les mots renfermant des labiales, ou encore en détournant légèrement la tête et en n'utilisant que la moitié des lèvres pour prononcer les mots avec labiales. Mais cette dernière astuce est impossible à employer au milieu des spectateurs.

Enfin, lorsque le ventriloque fait « parler » un mannequin, il est nécessaire que les mouvements du corps, des bras, de la tête, des yeux et des lèvres de la poupée correspondent aux paroles qu'elle est censée prononcer.

A l'heure où nous écrivons, l'un des meilleurs ventriloques est Jacques Courtois qui fait « parler » son chien Hercule et entreprend avec cette marionnette de longues conversations pleines d'humour et de fantaisie.

Deux grands illusionnistes : Robert-Houdin et Buatier de Kolta

Parmi les prestidigitateurs d'autrefois, les plus grands de tous sont certainement Robert-Houdin et Buatier de Kolta.

Robert-Houdin, le père de l'illusionnisme moderne, est né à Blois le 6 décembre 1805. Fils d'horloger, Jean-Eugène-Robert fit des études secondaires complètes au collège d'Orléans. Son père, retiré des affaires, le mit en apprentissage chez un horloger de Tours. Un accident, arrivé sur la route au cours d'un voyage de Tours à Blois, le fit recueillir dans la voiture roulotte d'un escamoteur ambulant, Torrini. Là, devait se fixer son destin. Initié à l'art de la prestidigitation, le jeune Robert donne en 1828 sa première représentation à Aubusson. Mais, à vrai dire, l'épisode « Torrini », relaté par Robert-Houdin lui-même, n'est peut-être qu'affabulation. Quoi qu'il en soit, rentré à Blois en 1828, J.-E. Robert reprend son métier d'horloger et épouse la fille de Houdin, horloger blésois fixé à Paris. En 1830, il s'associe avec son beau-père mais suit attentivement les séances des prestidigitateurs de l'époque : Comte, Bosco, Philippe, etc. Tout en exerçant son métier, il se perfectionne dans la pratique de l'illusionnisme, construit d'innombrables automates, invente des instruments d'optique et de chirurgie ainsi que les premières pendules pneumatiques. En 1845, il abandonne l'horlogerie et ouvre, dans les galeries du *Palais-Royal,* le *Théâtre des soirées fantastiques de Robert-Houdin.* C'était là le début d'une carrière artistique éblouissante, presque unique dans le domaine de la prestidigitation. En effet, pendant sept années consécutives, l'enthousiasme suscité par l'artiste incomparable fut tel que le théâtre joua constamment à bureaux fermés, toutes les places étant louées à l'avance.

En 1852, Robert-Houdin transporte son théâtre au numéro 8 du Boulevard des Italiens, et se retire la même année après avoir fait uniquement la soirée d'ouverture de son nouvel établissement.

Robert-Houdin transforma complètement l'illusionnisme. Ce qui n'était, avant lui, que spectacle de rue et de foire devint art de salon pouvant être exercé par des gens de bonne compagnie. Il relégua définitivement les compères, les appareils dont le truquage était évident, débarrassa la scène des décorations macabres et supprima du boniment les digressions inutiles et les plaisanteries un peu grosses fort employées jusque-là. Grâce à lui, la prestidigitation devint un art majeur, « la reine des arts » comme la nomment ses adeptes.

La gloire de Robert-Houdin fut si grande que, lors de la conquête de l'Algérie, il fut envoyé par le gouvernement de l'époque en mission officielle afin de frapper d'étonnement, par ses pseudo-miracles, les Arabes fanatiques et rebelles, et diminuer ainsi le prestige des marabouts. Il y réussit à merveille et donna aux indigènes fascinés une haute idée de la puissance de la France... et de ses sorciers. Il produisait, en particulier, devant les tribus médusées, sa célèbre expérience de « l'Homme invincible ». Un pistolet et une balle sont donnés à examiner ; la balle est marquée par un spectateur qui n'est pas un compère et introduite dans le pistolet préalablement chargé de poudre. Le prestidigitateur se place à quelques mètres, bras étendus, une main largement ouverte ; le spectateur, muni de l'arme, vise la main et tire. Lorsque la fumée est dissipée, on voit la balle entre le pouce et l'index du prestidigitateur comme s'il l'avait saisie au vol. La balle est remise au spectateur qui y retrouve la marque qu'il avait faite ; une variante consiste à recevoir la balle entre les dents, ou, comme le font quelques prestidigitateurs modernes, dans un filet à papillons.

Après son séjour en Algérie, toutes les parties du monde se disputèrent l'étonnant artiste qui dut se produire un peu partout et qui vit sa réputation s'étendre dans tout l'univers. Son nom est encore célèbre de nos jours et cité comme le symbole de l'adresse.

Robert-Houdin quitta la scène en 1852, ainsi que nous l'avons signalé, et se retira à Saint-Gervais-la-Forêt, près de Blois, où il écrivit ses principaux ouvrages de prestidigitation.

Il mourut le 13 juin 1871, mais le théâtre qu'il avait fondé, successivement dirigé par une pléiade d'artistes : Chocat (dit Hamilton), élève et beau-frère de Robert-Houdin, Clevermann, Brunnet, Warner, Linsky, Jean-Jacques Émile Robert-Houdin (fils), Voisin, Dicksonn, Fusier, Méliès, devait lui survivre, sans interruption ni défaillance, pendant de longues années, jusqu'en 1925, date du percement du Boulevard Haussmann qui fit disparaître l'immeuble du Boulevard des Italiens où était installé, depuis 73 ans, le théâtre de l'illustre prestidigitateur.

Buatier de Kolta, plus connu à l'étranger qu'en France, a peut-être été le plus remarquable inventeur qu'ait produit l'illusionnisme, plus original même que Robert-Houdin et plein d'idées absolument neuves et personnelles qui déconcertaient et étonnaient les professionnels les plus avertis. Plusieurs de ses procédés ne sont pas encore sûrement connus aujourd'hui.

Né à Caluire-et-Cuire, près de Lyon, le 18 novembre 1847, et décédé à La Nouvelle-Orléans (U.S.A.), le 7 octobre 1903, il s'appelait en réalité Joseph Buatier et était le fils d'un notable marchand de soieries de Lyon. A l'âge de 16 ans, le jeune Buatier fut mis au collège et c'est là qu'il assista à une scène de prestidigitation qui décida de sa carrière. Mais plusieurs années passèrent avant qu'il pût satisfaire ses ambitions. Ses parents le font entrer au séminaire avec l'espoir d'en faire un prêtre. Mais, à 21 ans, le jeune homme quitte l'établissement religieux. C'est alors qu'il rencontre un certain De Kolta, d'origine hongroise, qui, émerveillé par la dextérité de son nouvel ami, l'engage à embrasser la carrière de prestidigitateur. Un accord est conclu : De Kolta sera l'imprésario et Buatier l'opérateur. Les deux associés se rendent en Italie. A Rome, le succès est immense et Buatier est convié à donner une séance privée devant d'importants dignitaires de l'Église. De l'Italie les deux compagnons passent en Espagne, puis en Hollande et en Russie. Ensuite,

Buatier se sépare de son imprésario et prend le nom de Buatier de Kolta. Il opère alors à Paris, à Londres et en Amérique.

Dans sa longue carrière, Buatier n'acheta jamais aucun truc. Tout ce qu'il produisit fut des tours de son invention et ceux-ci furent innombrables. Citons : « Le voyage des foulards dans les carafes » ; « La cage volante » ; « Le cocon » qui fut présenté avec un énorme succès à l'Egyptian Hall de Londres et fut produit spécialement devant la reine Victoria : « La peinture » ; « La femme éclipsée », l'un de ses plus beaux trucs, où une femme, assise sur une chaise, disparaît instantanément ; « Le cornet aux fleurs » ; « L'échelle », appelée aussi « Le miracle » ; « Le tapis magique » ; « L'aimant » ; « Black-art » ; l'apparition, à vue, d'un gant blanc géant, etc.

La plus belle invention de Buatier, celle qui étonna pendant très longtemps ses confrères, est certainement « Le dé grossissant » dont voici l'effet : un dé à jouer de 20 cm environ de côté est posé sur une table. Au commandement de l'illusionniste, il grossit instantanément, et, quand il a atteint la taille d'une mallette, une femme en sort.

On sait maintenant que la carcasse du dé était faite de tubes télescopiques entourés de ressorts à boudin et était compressible dans tous les sens.

Bien entendu, la femme pénétrait par la face arrière du dé lorsqu'il avait atteint sa taille maximum.

De notre côté, nous avons imaginé un dé truqué formé essentiellement d'un tissu élastique recouvrant une armature de tubes télescopiques s'allongeant progressivement lorsqu'on les met en communication avec un petit réservoir contenant du gaz carbonique liquéfié.

Le saviez-vous ?

— D'après la revue magique *L'escamoteur,* dirigée naguère par notre regretté et éminent ami le prestidigitateur français Robelly, un espoir de la *Faculté de médecine,* mais ventriloque et farceur, assistait un jour dans l'amphithéâtre à une dissection. Au moment où le grand patron abaissait son scalpel sur le cadavre, on entendit ce dernier s'écrier : « Arrête, voyons, tu me chatouilles ! »

— Il existe à Blois le musée Robert-Houdin. C'est également à Blois que se trouve le *Centre International de la Magie* qui édite *Le Cagliostro.* L'association s'intéresse non seulement à la prestidigitation mais aussi à la parapsychologie, au spiritisme et à l'astrologie.

— Les deux frères Isola, Emile (1860-1945) et Vincent (1862-1947) qu'il est difficile de séparer l'un de l'autre, eurent une bien curieuse destinée. Nés à Blida en Algérie, leur père voulait qu'ils devinssent menuisiers. Mais ils font de la prestidigitation et, après bien des avatars, débutent en 1886 aux *Folies-Bergère* dans un numéro de transmission de pensées. Le succès couronne leurs efforts et leur talent, et, dans les premiers mois de 1892, ils se fixent, boulevard des Capucines, dans une salle qui devient le *Théâtre Isola.* Leurs productions sont très applaudies : « Pierrot aux enfers », « La malle moscovite », « Le poids lourd et léger », etc. Puis ils abandonnent la prestidigitation et deviennent successivement directeurs de *Parisiana,* de l'*Olympia,* des *Folies-Bergère,* de la *Gaîté-Lyrique,* de l'*Opéra-Comique* à la tête duquel ils restent pendant douze ans, de *Mogador* et du *Théâtre Sarah-Bernhardt.* Mais la crise économique des années 1935-1936-1937 survient, l'exploitation des salles devient de plus en plus difficile, et, après avoir perdu toute leur fortune, les deux Isola sont obligés de reprendre la baguette magique, ce qu'ils font d'ailleurs très courageusement, dignement et simplement.

Nous avons plusieurs fois assisté à leurs séances dans leur théâtre, rue Louis-le-Grand. Vincent Isola, à la silhouette aristocratique, monocle à l'œil, présentait de grandes illusions : « Rose-Marie », « Le Pilori », « La Malle des Indes », et un remarquable exercice de transmission de pensée (truquée, bien entendu). Émile était spécialisé dans les tours de pure dextérité : tours de cartes, de foulards, etc., et produisait aussi « La Cabine Spirite » avec un spectateur non compère qui, à la fin de l'expérience, se trouvait débarrassé de son paletot sans s'être rendu compte de ce qui lui était arrivé. C'était également Émile qui terminait la représentation par un spectacle d'ombres chinoises qui réjouissait grands et petits. On aurait pu penser que c'étaient des doigts de vingt ans qui silhouettaient sur l'écran troupiers, prédicateurs, animaux, tant les ombres étaient animées et semblaient vivantes.

Généralement, Musty, Robertson et la « voyante » Lucile prêtaient leurs concours aux deux grands artistes.

— Inconnus il y a quelques années, les numéros de pickpocket constituent maintenant un brillant spectacle de prestidigitation. Mais il arrive parfois de singulières aventures aux artistes qui les présentent. L'un d'eux se vit un jour réclamer sa montre par un spectateur anglais. Or, il ne la lui avait pas prise. Fouillé à fond par les policiers, on ne la trouva pas sur l'artiste : l'Anglais l'avait laissée dans sa chambre d'hôtel. Une autre fois, le même artiste oublia de rendre une épingle de cravate d'une grande valeur qu'il avait subtilisée. Il eut beaucoup de mal pour en retrouver le propriétaire qui ne s'était pas aperçu de l'escamotage.

— Nous avons dévoilé, au cours d'une émission de *Radio-Télé-Luxembourg,* le truc du prestidigitateur et pseudo-médium S. qui a prétendu être capable de prédire le nombre de « oui » et de « non » obtenus au référendum du 8 janvier 1961. Le procédé très ingénieux consistait à remplacer, après le vote, un petit tube renfermant un papier sur lequel les résultats étaient censés être inscrits (le tout étant placé dans un coffret capitonné fermé à clef) par un tube identique contenant un papier où les résultats, alors connus, étaient consignés.

A cet effet, au moment de la fermeture du coffret, c'est-à-dire avant le référendum, le tube, contenant le carré de papier vierge, était escamoté par S. et le tube renfermant les résultats du référendum était introduit dans le coffret à l'aide d'une clef servant à l'ouvrir. Celle-ci portait dans son axe le second tube qui était projeté dans le coffret au moment de son ouverture.

— Les véritables prestidigitateurs, qui présentent leurs expériences comme des tours d'illusionnisme et non comme des phénomènes paranormaux, ne nous trompent pas puisqu'ils nous annoncent précisément que leur métier est de nous tromper. Ce qui n'est pas le fait des pseudo-médiums et des faux fakirs qui, sous le couvert du paranormal, emploient les procédés et les « secrets » de ces agréables et fins artistes[1].

1. Signalons ici que nos deux ouvrages : *La Prestidigitation à la portée de tous,* Paris, 1977, et *Les Tours de cartes à la portée de tous,* Paris, 1977, permettent de réaliser d'étonnantes expériences de prestidigitation et d'étonnants tours de cartes sans apprentissage préalable, sans dextérité spéciale et sans employer des appareils compliqués, coûteux ou difficiles à se procurer, les accessoires à utiliser dans les expériences qu'ils décrivent étant en effet le plus souvent des objets usuels tels que couteau, fourchette, verre, pièce de monnaie, cordelette, allumettes, jeu de cartes ordinaires.

LES GENS DU VOYAGE

Ils constituent certainement un monde « en dehors », un milieu « à part » d'ailleurs bien sympathique, et sont, pour beaucoup, de véritables hommes-phénomènes. A vrai dire, une discrimination est à faire, et, si les clowns, les excentriques, les chanteurs, les danseurs, les écuyers n'apparaissent pas comme des êtres extraordinaires, en revanche, les acrobates, les équilibristes, les jongleurs, les dompteurs semblent dépasser, dans leurs exercices, les capacités habituelles de l'homme normal. En tout cas, les uns et les autres doivent faire preuve, pour obtenir une présentation impeccable, d'une persévérance et d'une volonté peu communes.

L'entraînement rigoureux des acrobates et des jongleurs est connu de tous. Effectivement, les sauts « au tapis », les sauts sur les épaules d'un porteur, les jeux icariens, le travail de dislocation, les équilibres et les jongleries sont autant de domaines qui nécessitent un apprentissage fort long et compliqué, et, de ce fait, généralement réservé aux enfants de la balle. Au surplus, le public moderne, étant gâté par l'abondance et la variété des productions, a implicitement obligé les professionnels à se dépasser eux-mêmes pour surpasser leurs rivaux, à créer des présentations nouvelles et des exercices jusqu'alors réputés impossibles, d'où une spécialisation plus intelligente des aptitudes naturelles, un entraînement précoce et une audace et une ingéniosité de plus en plus grandes. Comme les champions, les artistes de cirque font reculer chaque jour davantage les limites de la performance.

Les acrobates

Certaines acrobaties ne nécessitent pas d'apprentissage bien qu'elles soient très spectaculaires. Elles réclament, en revanche, beaucoup de courage et de passivité. Tels sont, par exemple, les sauts « périlleux » ou les loopings exécutés en automobile et les plongeons effectués du haut d'un chapiteau. Dans le premier cas, le dispositif est tel qu'il doit fonctionner à coup sûr, et, dans le second, il est nécessaire que les distances soient calculées avec précision afin que le plongeur, à condition qu'il se laisse tomber passivement, arrive exactement dans l'étroit bassin disposé au milieu de la piste. Mais, hélas ! il suffit qu'un boulon cède pour que l'automobile capote et il suffit que le plongeur effectue un léger mouvement pour qu'il vienne s'écraser sur le sol.

L'exercice de l'homme-obus implique également une certaine passivité et de la hardiesse. Un énorme canon est amené sur la piste du cirque. Un jeune gymnaste se place dans la gueule de l'engin où il disparaît jusqu'à la poitrine. Un bref commandement suivi d'une forte détonation et l'on aperçoit, au milieu de la fumée, le gymnaste, projeté en l'air, décrire une trajectoire puis tomber dans un filet.

En réalité, l'acrobate n'est pas lancé par la force de l'explosion, mais il est propulsé par la détente d'un énorme et puissant ressort à boudin qui se trouve dans l'âme du canon et que l'on tend à l'aide d'un cric. Ce ressort supporte une plate-forme sur laquelle se place l'homme-obus. Une simple pression sur une poignée permet au ressort de se détendre, et l'homme est propulsé. Au bout de sa course, la plate-forme rencontre une pièce d'artifice dont elle provoque l'allumage et l'explosion. Mais il y a une telle coïncidence entre la projection et la détonation que le public est porté à croire que l'explosion est la cause de la projection.

Parfois, l'homme-obus doit atteindre un trapèze suspendu aux combles. En ce cas, il doit posséder des réflexes rapides, de sorte que sa présentation suppose un mélange de passivité, d'adresse et d'audace.

L'évolution de deux ou trois motocyclistes à l'intérieur d'une sphère d'acier à claire-voie est un exercice qui semble s'apparenter aux précédents, mais qui est, en réalité, fort différent. Il exige, en effet, non seulement une folle témérité et du sang-froid, mais aussi énormément de précision dans le maniement et la conduite des engins qui se croisent et se frôlent à tout moment. Il implique par conséquent une longue et minutieuse préparation.

Dans la catégorie des acrobates casse-cou, on peut également citer ceux qui exécutent très haut, au-dessus de la piste, des mouvements en général assez simples et qui ne doivent leur prix qu'à la présence constante du danger : suspension par la nuque ou par un pied à la barre d'un trapèze ; équilibres aléatoires réalisés entre deux partenaires sur une échelle placée en position horizontale sur cette barre ; équilibre sur la tête ou sur une chaise, le trapèze se balançant largement, etc.

La voltige au trapèze volant est en revanche un exercice d'acrobatie pure doublé d'audace. Les acrobates, prenant leur élan sur un trapèze, se lancent tout à coup dans le vide et vont à une distance relativement énorme de leur point de départ saisir, soit un autre appareil, soit les mains d'un camarade suspendu par les pieds ou par les jarrets. Il semble impossible de pousser plus loin la hardiesse des sauts périlleux : l'acrobate arrivera-t-il au bout de sa course aérienne, rattrapera-t-il la mince planche de salut qui se balance dans l'espace et qui, manquée par lui, l'exposerait à une chute grave probablement mortelle ? Tel est le point d'interrogation qui se pose à tous les spectateurs qui suivent anxieusement l'exercice. Celui-ci est d'ailleurs souvent compliqué par la présence simultanée de plusieurs acrobates qui entrecroisent leur voltige aérienne.

Les sauts « au tapis » sont infiniment moins dangereux et moins spectaculaires de sorte qu'ils ne servent souvent que d'intermèdes. Toutefois, avec certains acrobates qui les présentent sous leurs divers aspects (les spécialistes en distinguent jusqu'à vingt variétés) et qui les exécutent avec une extraordinaire virtuosité et une très grande rapidité, ils constituent à eux seuls une attraction complète.

Réalisés à l'aide d'une sorte de filet ou de matelas élastiques, ils prennent une grande ampleur mais sont alors d'exécution plus facile car le corps reçoit un élan vigoureux.

Ils peuvent être aussi provoqués par la chute d'un aide sur une sorte de bascule. L'acrobate, projeté dans les airs, exécute deux ou trois sauts périlleux et se reçoit, en fin de course, dans un fauteuil en osier maintenu au sommet d'une colonne de deux ou trois hommes.

A côté des sauteurs, et à cause de l'extrême souplesse qu'ils possèdent, on peut placer les contortionnistes caractérisés par l'élasticité spéciale de leurs ligaments et cartilages osseux. Ce ne sont pas, selon le langage populaire, des « désossés » de sorte qu'il faut abandonner la légende d'enfants martyrs auxquels on brise les os pour les rendre aussi malléables que du caoutchouc. Dans les premiers stades de la vie, l'enfant est naturellement un disloqué : ses ligaments vertébraux et osseux sont d'une grande élasticité. Il suffit de cultiver cet état par des exercices appropriés très précoces, pour faire, au bout de trois ou quatre ans, un sujet prêt à l'exhibition. Le type même du contortionniste est « l'homme serpent » dont le numéro est rendu plus saisissant par l'emploi d'un maillot vert foncé orné de squames étincelantes.

Une souplesse extrêmement rare permet de ployer complètement en avant la colonne vertébrale. L'homme, plié sur lui-même, peut rentrer dans une boîte genre mallette de très faibles dimensions et c'est un spectacle assez inattendu que d'en voir sortir un grand diable d'homme plus ou moins dégingandé. Si l'acrobate est revêtu d'un costume flottant, il donne l'impression d'une véritable chiffe qui peut être pliée et repliée dans tous les sens.

A l'émission de télévision *La Tête et les Jambes* de mai 1976, un acrobate de ce genre, le Guadeloupéen Ceyro, danseur de limbo, est passé plusieurs fois, au prix d'extraordinaires contorsions, sous une barre horizontale placée de plus en plus près du sol.

Les équilibristes

Parmi les équilibristes, les funambules ont tenu pendant longtemps la première place. Leur numéro tirait en effet un grand intérêt des conditions dangereuses dans lesquelles il était exécuté. Ainsi, Mme Saqui, cette célèbre acrobate à qui Napoléon Ier décerna le titre de « premier acrobate de France », marchait sur une corde tendue entre les tours de Notre-Dame. Le célèbre Blondin traversa plusieurs fois, sur un câble, les chutes du Niagara. Il passa d'abord seul, puis une autre fois avec un Anglais sur les épaules et enfin en poussant devant lui une brouette dans laquelle se trouvait son domestique. Quand il passait seul, il s'arrêtait au milieu de sa course, descendait une corde, et, d'un bateau naviguant au-dessous, remontait une table, une chaise, des comestibles, une bouteille de vin et s'installait pour dîner en équilibre à 60 m de hauteur. Un de ses exercices qui eut le plus de succès consista à monter du bateau un fourneau allumé, une poêle et des œufs, à faire une omelette et à la manger. Ses traversées réunissaient, a-t-on dit, cent mille spectateurs accourus de tous les points des États-Unis.

La corde des anciens funambules est maintenant remplacée par un fil d'acier, ce qui rend les exercices plus élégants et plus délicats. D'autre part, l'importance du péril a disparu, car le fil, qui peut être tendu ou lâche (en dépit des apparences, le travail est plus facile en cette deuxième occurrence), n'est en général élevé qu'à deux ou trois mètres de hauteur.

Du fait de cette circonstance, les exercices ont gagné en qualité et en variété, les artistes ayant cherché à briller par des équilibres hardis et nombreux tels que séries de sauts, danses, rupture puis rétablissement de l'équilibre, oscillations audacieuses. Parfois, la simulation de l'ivresse donne lieu à d'invraisemblables chutes acrobatiques rattrapées au dernier moment.

Ces exercices intéressent en général car les équilibristes sur corde ou sur fil d'acier ne paraissent pas soumis comme tout le monde aux lois de la pesanteur. Ils résolvent, en effet, pratiquement, un curieux problème de mécanique que l'on pourrait appeler le problème de la sustentation sur un fil. L'équilibre sur fil est extrêmement instable, d'une part, parce que la base de sustentation est très étroite, et, d'autre part, parce que le centre de gravité de l'acrobate, situé à peu près au niveau de l'estomac, tend constamment à se déplacer. A la moindre inclinaison, le poids de l'équilibriste se décompose en deux forces faisant entre elles un angle droit dont le sommet est au centre de gravité. L'une suit l'axe du corps, l'autre tend à faire pivoter celui-ci autour de la base de sustentation : cette seconde force est d'autant plus grande que l'axe du corps est plus incliné et c'est elle qui tend à faire tomber l'équilibriste. Le talent de l'acrobate consiste précisément à ne jamais laisser prendre à cette force une valeur supérieure à celle dont il peut disposer pour l'équilibrer. Cette dernière a son origine dans l'inertie obtenue soit à l'aide des bras, soit au moyen d'une ombrelle ou d'un balancier. A ce propos, signalons que les anciens funambules, Blondin, par exemple, utilisaient des balanciers très longs et très lourds, ce qui facilitait l'équilibre.

D'autres acrobates contrebalancent la force, qui tend à les faire tomber, au moyen de la résistance de l'air, en agitant des chapeaux par exemple. Les équilibristes chinois et japonais emploient dans le même but de larges éventails qui leur servent de prétexte à des poses et à des mouvements gracieux.

Le funambulisme chinois ou japonais diffère d'ailleurs assez souvent du nôtre en ce que le câble, au lieu d'être horizontal, peut être incliné à 45° environ. En ce cas, il part du sol et se termine très haut, parfois au sommet du chapiteau. L'acrobate grimpe soit en avant, soit à reculons, en serrant le câble entre le gros orteil et le deuxième doigt du pied. Arrivé en haut, il se laisse glisser tout d'un trait. L'effet est saisissant.

Les Chinois et les Japonais ont introduit également ce que l'on peut appeler l'équilibre compensé dans lequel un porteur tient en équilibre sur l'épaule une perche ou une échelle sur laquelle un autre acrobate se tient lui-même en équilibre. L'exercice exige une compensation perpétuelle des mouvements entre l'acrobate qui porte la perche ou l'échelle et celui qui se trouve à leur sommet.

Les équilibristes sur bicyclette, qui, eux aussi, présentent souvent des équilibres compensés, exécutent avec leur machine les plus invraisemblables numéros et l'on ne sait, en les voyant réaliser leurs extraordinaires exercices, si l'on doit admirer davantage leur imagination fertile, parfois insolite, plutôt que leur intrépidité et leur talent.

La trinka et les jeux icariens participent à la fois de l'acrobatie, de l'équilibrisme et de la jonglerie.

La trinka est une sorte de selle qui, placée à terre, maintient l'équilibriste couché sur le dos. C'est aussi l'exercice lui-même, qui outre la trinka, implique l'utilisation d'une grosse boule, d'un tonneau, d'une croix de Malte, d'une table ou de tout autre meuble volumineux. Ces objets, d'apparence massive, sont en réalité creux et relativement légers. L'équilibriste, placé sur le dos, les actionne avec les pieds et en tire des effets indescriptibles. Il faut avoir vu des jongleurs antipodistes pour se rendre compte de la merveilleuse adresse que l'on peut acquérir avec les pieds : les objets sont manœuvrés rapidement, tournent sur eux-mêmes avec une si grande vitesse qu'on n'aperçoit plus leur forme, sont tenus par leurs extrémités, projetés en l'air et maintenus en équilibre.

Dans les jeux icariens, les objets inanimés sont remplacés par des enfants dont le rôle n'est pas purement passif. Il leur faut, selon le mouvement qui est en cours d'exécution, prendre tantôt la rigidité du bois, tantôt l'élasticité du caoutchouc. Parfois, ils doivent combiner leur propre élan avec l'impulsion qu'ils reçoivent des pieds du porteur pour faire sauts périlleux et pirouettes. Est-il besoin d'ajouter qu'ils doivent être des gymnastes et des équilibristes consommés.

Les jongleurs

C'est par une transition insensible que l'on passe des exercices précédents à la jonglerie proprement dite. C'est une sorte d'équilibre acrobatique dans lequel l'artiste, au lieu de se tenir d'aplomb sur un point d'appui plus ou moins mobile, et dans des positions généralement invraisemblables, tient des objets en équilibre sur lui-même et leur fait accomplir d'extraordinaires évolutions.

De toutes les branches de l'acrobatie la jonglerie est celle qui demande le plus de science et de travail. Nulle part les progrès ne sont plus lents, nulle part l'effort opiniâtre n'est plus mal récompensé. « Il s'agit de développer, écrit le spécialiste bien connu du cirque G. Strehly, une sorte d'instinct indéfiniment perfectible qui rend l'action de la main plus prompte que la pensée et lui donne un caractère de régularité automatique plus semblable à l'effet d'une machine bien agencée qu'à l'effort d'une volonté consciente et réfléchie. »

Le jongleur doit en effet résoudre instantanément et par conséquent automatiquement maints problèmes qui se posent simultanément : donner aux objets des impulsions variant de quantités infinitésimales, apprécier le trajet qu'ils décriront, connaître exactement le temps qu'ils mettront pour l'accomplir, embrasser la position de trois, quatre et jusqu'à huit objets situés à plusieurs mètres les uns des autres.

C'est par le jeu des boules que l'on commence l'apprentissage de la jonglerie. On en prend deux et l'on s'exerce à les faire évoluer de différentes manières (en cascade, en diagonale, en dedans, en dehors, etc.) aussi bien de la main gauche que de la droite. Ensuite, on augmente le nombre des boules. A partir de quatre, l'on commence à être digne du nom de jongleur, à cinq l'on est très adroit, à six on est passé maître, à sept on est hors ligne, et, à huit, on est, comme l'était Enrico Rastelli, un phénomène parmi les jongleurs.

Le deuxième stade de l'apprentissage de jongleur consiste dans le maniement d'objets de forme et de poids différents, ce qui oblige, d'une part, à adapter l'attitude de la main qui s'apprête à recevoir l'objet, et, d'autre part, à modifier à chaque instant la force propulsive.

L'asymétrie de la jonglerie peut aussi résulter de l'exécution simultanée de mouvements antagonistes tels que faire cascader des boules avec la main droite tandis que la gauche fait tourner des assiettes au bout d'une baguette. Cette asymétrie dans les mouvements nécessite la création de réflexes et de circuits cérébraux nouveaux.

Enfin, dernier stade : le jongleur cherche à associer ses talents à ceux d'équilibriste ou d'acrobate.

Notre intention n'étant pas d'entrer dans le détail des exercices qui sont assez nombreux et qui peuvent être réalisés avec les objets les plus variés, disons, pour terminer, qu'avec les maîtres de l'art le spectacle de jonglerie peut être qualifié de merveilleux ou de fantastique : les mouvements les plus simples comme les plus compliqués prennent une étonnante finesse et les objets semblent vivants et apprivoisés.

Les dompteurs

Le commun des mortels éprouve généralement pour les dompteurs un sentiment d'admiration craintive. Il pense, en effet, que les belluaires, qui font plier les bêtes féroces à leur volonté, seraient capables, à l'occasion, de commander aussi durement aux hommes.

Effectivement, le métier suppose une forte volonté, un mépris total du danger, en un mot une âme de chef, mais implique également de la patience et une grande sensibilité, car, pour se faire obéir des bêtes, il faut les comprendre et les aimer.

La présentation des animaux, lions, tigres, panthères, peut se faire « en férocité ». Les bêtes sont dressées à rugir et à marcher sur leur maître pour reculer ensuite, à lancer des coups de patte dont le moindre serait capable de meurtrir profondément.

La présentation « en douceur » consiste à entrer en contact direct avec les bêtes, à les flatter, à monter à califourchon sur leur dos, à se coucher sur elles et même à introduire un bras ou la tête dans leur gueule grande ouverte.

Ces deux catégories d'exhibitions sont également goûtées du public mais la seconde est peut-être plus angoissante que la première. Elle provoque chez le spectateur une oppression assez lourde, parfois pénible, qui, souvent, lui fait désirer la fin du spectacle.

Enfin, les bêtes peuvent être dressées à se jucher sur des tabourets et des portiques afin de présenter des ensembles plus ou moins variés. Cette présentation est généralement accompagnée d'exercices divers tels que sauts et équilibres.

En principe, dès que l'on pénètre dans la cage d'un fauve, on le voit, s'il n'est pas trop belliqueux, se réfugier dans le coin qui vous est opposé. Si l'on avance, le geste menaçant, il cherche à fuir. A condition de lui laisser un passage de côté, il gagnera un autre coin de la cage. On peut ainsi le poursuivre plus ou moins rapidement. L'art du dompteur consiste à dramatiser la poursuite en y apportant des arrêts et des reprises, en faisant rugir l'animal et en lui faisant exécuter des sauts de face ou de côté. Le danger, en dehors des chutes toujours à craindre, peut venir d'une seconde de faiblesse qui paralyse le dompteur. Cela arrive malheureusement parfois. Les bêtes sentent aussitôt que les mouvements de l'homme deviennent incertains et la terreur s'évanouit de leurs cerveaux frustes.

En fait, il semble bien que l'animal, qui a des contacts permanents avec l'homme, considère celui-ci comme un animal de son espèce auquel il accorde une préséance ainsi que cela a lieu parmi les sociétés organisées d'oiseaux ou de mammifères où existent des « meneurs », des « leaders » et des « brimés ». De sorte que le dompteur est, si l'on peut dire, accepté comme « leader » par les animaux sauvages en captivité et il joue pour eux le même rôle qu'un animal « dominant » dans un groupement social spontané. Toutefois, s'il désire conserver son rang privilégié, il ne doit jamais céder devant eux ; il est le despote avec ses droits, ses prérogatives et ses devoirs. En outre, il doit jouer « animal », c'est-à-dire se comporter comme un ours parmi les ours et comme un lion parmi les lions.

Enfin, pour arriver à faire exécuter des actes compliqués à de grands fauves, il faut agir par ruse, par exemple, les endormir à l'aide d'un narcotique, leur placer sur le nez une sorte de muselière, et, à leur réveil, leur inculquer les exercices que l'on désire leur faire accomplir. Avec beaucoup de patience et un grand nombre de répétitions, ces exercices deviennent pour l'animal de véritables « manies », des réflexes conditionnés qu'il exécute automatiquement sans que le belluaire, malgré les apparences, ait besoin d'intervenir directement.

Le saviez-vous ?

— Le cirque n'a jamais été plus florissant que maintenant. Dans les pays de l'Est, en particulier, il bénéficie à la fois de toutes les faveurs du public et de celles des gouvernements. Ainsi, l'Union soviétique possède 72 cirques dont 55 permanents et 17 itinérants avec 8 000 artistes de piste. A Moscou se trouve « le cirque de l'an 2000 » fait de verre et d'acier et pourvu de quatre pistes superposées qui peuvent s'escamoter tour à tour : une piste normale, une piste pour illusions, une piste de glace et une piste nautique.

— Peu après l'invention des ballons et jusqu'à nos jours des acrobates ont remplacé la nacelle par un trapèze pour y exécuter leurs exercices. Actuellement, l'avion et l'hélicoptère sont utilisés de préférence. Le 21 décembre 1958, l'acrobate suisse Roger Froidevaux, recordman du monde de plongeon depuis un trapèze fixé sous hélicoptère, s'est tué dans le bassin du Vieux-port de Marseille au cours d'un spectacle sportif.

— Une des plaisanteries habituelles de Blondin consistait à proposer à ses interlocuteurs de les promener dans sa brouette aérienne. Ayant été un jour présenté au célèbre caricaturiste Cham (comte de Noé), il ne manqua pas de rééditer sa fameuse proposition que le dessinateur s'empressa de refuser. « Vous avez peur, Monsieur Cham ? demanda avec une nuance de dédain le funambule. — Moi, pas du tout, répondit le caricaturiste, et la preuve c'est que je vais vous faire une proposition : vous vous mettrez dans la brouette, et c'est moi qui la pousserai — Ah ! mais non, par exemple — Vous voyez donc bien que c'est vous qui avez peur et non pas moi. »

— La reine du trapèze Eliza Volta Mantovani est morte dans la plus profonde misère le 9 décembre 1958 à l'âge de 86 ans. A sept ans elle était la plus belle attraction que le cirque pouvait offrir au public. Mais sa véritable gloire éclata sous le chapiteau en 1913 lorsqu'elle s'exhiba devant le tzar Nicolas II qui lui offrit, en gage d'admiration, un trapèze d'or. Avec Blondin elle traversa sur un fil les chutes du Niagara, mais elle ne conquit définitivement le public des États-Unis qu'avec son célèbre vol de l'ange qui consistait à se lancer dans le vide d'une grande hauteur et à toucher terre après un double saut périlleux. A Paris, elle reçut l'ultime consécration au *Cirque Napoléon* où elle tint le public en haleine pendant plus de deux années consécutives.

— Les « casse-cou » sont des acrobates qui doublent des artistes de cinéma dans les séquences dangereuses.

— Charles Godefroy, qui est décédé en décembre 1958, avait réussi, le 7 août 1919, à passer avec son avion Nieuport sous l'Arc de Triomphe de l'Étoile. La marge était de 1,80 m au bout de chaque aile. L'exploit était et reste toujours exceptionnel.

— Le funambule Henry's est demeuré six mois consécutifs (262 800 minutes exactement) sur un câble tendu à 30 mètres au-dessus du sol à Terrenoire, faubourg de Saint-Étienne (Loire), et il a ainsi enduré le froid, la pluie, les vents et de grands écarts de température ; en outre, il ne s'accordait que de très brefs instants d'un sommeil semi-conscient. Les seuls liens qui le reliaient à la terre étaient des électrodes permettant à des médecins de surveiller l'expérience. Trois fois par jour, à l'aide d'un cordage et d'une poulie, sa femme lui faisait parvenir de la nourriture et des vêtements de rechange.

— Les avaleurs de sabres introduisent réellement ces objets dans leur œsophage. C'est par suite d'essais répétés que l'accoutumance des organes de l'arrière-bouche est devenue assez grande pour leur permettre d'avaler des corps aussi volumineux et aussi rigides que des épées, des sabres, des cannes, ou même des queues de billard. Un truquage qu'ils utilisent parfois est l'emploi d'un tube conducteur qu'ils ingurgitent préalablement. Les exercices sont alors moins dangereux et peuvent être plus variés. Le tube permet en effet de conserver jusqu'à quatre lames à la fois et d'introduire des sabres et des épées de toutes formes. Un autre truquage consiste à prendre un sérieux repas avant l'introduction du sabre, ce qui provoque l'allongement de l'estomac, et, dans une certaine mesure, la protection des parois de l'organe.

— Dans les temps modernes on a vu apparaître une variante de l'avaleur de sabres : c'est l'avaleur de tubes au néon. Le sujet émet dans l'obscurité une luminosité assez impressionnante. Mais la performance n'est pas sans difficultés et sans danger.

Tout d'abord il faut utiliser des tubes en U avec une connexion à chaque extrémité, et ils sont évidemment plus larges qu'une épée ou un sabre. Ensuite, le tube ne doit pas être trop chaud, sinon il glisse mal. Enfin, le tube, étant relativement fragile, peut casser au cours de l'expérience et l'opérateur risque l'électrocution.

— Les sujets régurgiteurs peuvent avaler et restituer à volonté grenouilles, poissons rouges et différents objets. Le Russe Roginsky, qui se produisit dans un cirque parisien et qui fut étudié par les Drs Paul Farez et Chartier, avalait trois billets de banque différents enfermés chacun dans une pochette de caoutchouc. Ensuite il déglutissait par-dessus les billets une ou deux douzaines de noisettes non débarrassées de leur coque. Cela fait, il ramenait l'un des trois billets qu'on lui désignait, ensuite un second, également désigné, et, enfin, le troisième ; les noisettes revenaient également au gré des spectateurs, soit avant, soit après les billets. Puis Roginsky buvait plusieurs verres de pétrole et projetait le liquide en un jet violent après l'avoir enflammé.

L'examen radioscopique des sujets régurgiteurs a montré que le retour des liquides s'effectue par la simple contraction des muscles abdominaux. En revanche, le renvoi des solides a lieu en deux temps : les contractions abdominales projettent l'objet dans l'œsophage, puis le cardia se ferme et le corps régurgité remonte sous l'influence des mouvements antipéristaltiques œsophagiques. La nature de l'objet renvoyé peut être connue d'après le degré de résistance opposée par le cardia et selon la sensation procurée à la partie inférieure de l'œsophage.

— Pour inviter leurs élèves à leur lécher le crâne, les dompteurs s'imprègnent les cheveux de jus de viande.

— Pour habituer un félin à se dresser sur ses pattes postérieures, le dresseur lui présente un morceau de viande au bout d'une baguette ou d'un fouet. Dès que le réflexe conditionnel est acquit, l'appât n'est plus nécessaire et l'animal se dresse lorsque la baguette ou le fouet lui est présenté.

— Dans la présentation d'un ensemble de félins, de lions par exemple, chaque animal occupe une place bien précise dans la hiérarchie du groupe et elle ne doit, en aucun cas, être modifiée. Le dompteur, qui est admis par le groupe comme un mâle dominant de la même espèce, doit continuellement tenir compte du caractère, des susceptibilités et des manies de chaque individu.

— Le dressage des ours est l'un des plus difficiles qui soient. Leur force physique met le dresseur en danger permanent. « De plus, comme le souligne Michèle Masson, l'ours ne dispose d'aucun langage gestuel (mimiques, hérissement des poils, mouvements) perceptible. Ses attaques sont aussi brusques que dangereuses. »

— « Les dressages les plus contre nature, écrit le même auteur, sont souvent ceux qui paraissent évidents de naturel. Le chimpanzé qui marche debout, salue, applaudit, remonte son jean et ajuste sa perruque a tout appris lentement et péniblement. Pour applaudir, il doit d'abord s'exercer à taper d'une main sur un objet, puis sa seconde main est maintenue sous la première par le dresseur. Les chimpanzés cascadeurs de Luc et Leila Beautour, du *cirque Bouglione,* ont derrière eux autant d'heures d'entraînement qu'un athlète des Jeux Olympiques. »

LES PHÉNOMÈNES INTELLECTUELS

LES ENFANTS PRÉCOCES

La précocité intellectuelle peut se rencontrer en musique, en littérature, en sciences, et, en règle générale, dans toutes les disciplines de la pensée, mais elle est surtout fréquente dans l'ordre musical.

Le cas le plus connu dans ce domaine est celui de Mozart qui, à l'âge de trois ans, commençait à jouer du piano. A quatre ans, il retenait les soli d'un concerto. A cinq ans, il composait déjà des pièces d'un style léger et charmant. A sept ans, il jouait en public à Vienne, Salzbourg, Venise, Londres, Paris et soulevait partout l'enthousiasme. A huit ans, il publiait des sonates pour piano. A dix ans, il écrivait son premier opéra-comique, *La finta semplice,* et un petit opéra bouffe, *Bastien et Bastienne,* que l'on joue encore actuellement. A treize ans, il était nommé chef d'orchestre à la Cour de Salzbourg, et, à seize ans, il donnait une preuve particulière de son extraordinaire talent musical en récrivant entièrement le *Miserere* d'Allegri à plusieurs voix, après l'avoir entendu deux ou trois fois seulement.

De même, Haendel composa sa première œuvre à l'âge de huit ans, Beethoven sa première sonate à dix ans et Chopin sa première messe à douze ans. Liszt, Paganini, Lulli, Cherubini, Rossini, Rubinstein, et combien d'autres musiciens célèbres, furent également des enfants précoces. En revanche, quelques prodiges perdirent par la suite leur renommée : ce fut le cas de

William Crotch qui jouait de l'orgue dès l'âge de trois ans et de Pepito Rodriguez Ariola qui, à trois ans et demi, composait des sonates pour piano.

Moins loin de nous, en 1911, Willy Ferreros dirigea un orchestre alors qu'il était âgé de quatre ans et demi, et, en 1912, Paul Maigre, âgé de sept ans, conduisait l'orchestre « Le Luth » tout en tenant le piano.

Nous avons vu également, en ces dernières années, des chefs d'orchestre en culottes courtes, Pietrino Gamba et Roberto Benzi, diriger de grandes formations telles que l'Orchestre des Concerts Colonne ou l'Orchestre des Concerts du Conservatoire, avec une sûreté, une netteté, une précision incomparables, avec le souci du moindre détail et la connaissance des rythmes exacts ainsi que des nuances les plus délicates.

De son côté, la jeune virtuose Sarah de Malégui donna à sept ans ses premiers galas.

Dans l'ordre littéraire, les exemples d'enfants précoces sont également assez nombreux. C'est ainsi que Jacques Grévin, l'un des plus beaux esprits du XVIe siècle, publia, alors qu'il était âgé de treize ans, une tragédie intitulée *César* et deux comédies, *La Trésorière* et *Les Esbahis,* qui enthousiasmèrent les parisiens. Il produisit ensuite maintes autres œuvres : poésies, pastorales, hymnes, chansons et plusieurs pièces en latin.

François de Beauchâteau, né en 1645 de parents comédiens, versifia tout jeune et fit paraître ses poésies alors qu'il était âgé de quatorze ans. Reçu à la cour, le cardinal Mazarin lui fit une pension de cinq cents livres et lui offrit de riches cadeaux.

« Ses vers étaient si jolis, note l'abbé Sabatier de Castres, qu'on avait peine à se persuader qu'ils fussent de lui ; pour s'en convaincre, Anne d'Autriche, le cardinal Mazarin, le chancelier Séguier le faisaient enfermer dans une chambre et lui prescrivaient des sujets qu'il traitait avec le même agrément que s'ils eussent été de son choix. »

Goethe, qui, on le sait, fut un génie universel, écrivit et fit jouer des pièces de théâtre à six ans.

Les sœurs Brontë, Charlotte, Emily et Anne, écrivirent des romans vers l'âge de treize ans.

Nous verrons d'autre part, dans le chapitre consacré aux

mémoires extraordinaires, que des enfants prodiges, tels que François de Beauchâteau, qui vient d'être cité, Henrich Heineken, Philippe Baratier, Karl Witte, Stuart Mill, M. Trombetti, apprirent très jeunes, parfois dès l'âge de deux ans, plusieurs langues étrangères.

Enfin, nous avons « notre » étonnante Minou Drouet dont l'œuvre poétique donna lieu, on le sait, à d'ardentes polémiques.

Nous ne reviendrons pas sur ces controverses car elles furent viciées à la base par l'ignorance des faits, le « cas » Minou Drouet, bien que remarquable en soi, n'étant pas, ainsi que nous venons de le voir, unique en son genre dans l'histoire littéraire.

« Cet affreux homme [1], écrit Minou, dit que quelqu'un de soixante ans me dicte ce que j'écris. Et, avec terreur, j'ai pensé à cette voix jaillie de la mer ou d'un nuage ou du feu qui souffle à l'oreille de mon cœur les vers que j'écris. »

C'est là la stricte vérité, et, comme l'a justement proclamé le professeur Pasteur Vallery-Radot, cependant peu suspect d'indulgence envers l' « insolite » car nous savons qu'il répudiait le paranormal, « Minou est simplement un être génial. Ses poèmes sont comme une eau fraîche qui coule sur notre esprit usé. Ses illuminations sont comme une clarté soudaine qui nous vient d'un autre univers. Chez elle, aucun apprêt, mais la réponse instantanée à l'impression ressentie ; c'est l'art dans toute sa pureté. On reste ébloui par cette enfant exceptionnelle qui nous semble apporter un message d' « ailleurs » comme elle dit, où elle aurait vécu une vie antérieure. J'éprouve en la lisant la même émotion que j'eus en entendant *Pelléas* pour la première fois. »

Sur le plan philosophique et scientifique on trouve aussi de jeunes phénomènes qui, parfois, devinrent célèbres à l'âge adulte.

Parmi eux, l'extraordinaire Pic de la Mirandole brille d'un éclat particulier. Né en 1453 au château de la Mirandole près de Modène, il se distingua par une étonnante précocité, par l'universalité de ses connaissances et par la hardiesse de ses thèses philosophiques et théologiques. Il avait, dès sa plus tendre enfance, une pénétration d'esprit qui lui faisait saisir toutes les

1. Il s'agit d'un critique littéraire (N.D.A.).

sciences et une mémoire si vaste et si fidèle qu'il retenait tout ce qu'il entendait de vive voix. Il pouvait, après les avoir entendus une ou deux fois, répéter les mots de deux pages entières ou dans leur suite normale ou dans leur ordre rétrograde. Il connaissait vingt-deux langues à l'âge de seize ans.

Daniel Tauvry, né à Laval en 1669, bien que moins connu que Pic de la Mirandole, fut aussi précoce et presque aussi érudit que son illustre devancier. Il apprit le latin et le grec dès le berceau et soutint une thèse de logique à l'âge de neuf ans et demi. Un an après il présenta une thèse de philosophie. A quinze ans, il fut reçu docteur en médecine.

Quoique l'on possède assez peu de détails sur la prime jeunesse de Blaise Pascal, on sait néanmoins, d'après les mémoires de sa sœur Gilberte, qu'à onze ans, l'illustre mathématicien et philosophe français avait retrouvé, sans le secours d'aucun livre, les trente-trois premières propositions de la géométrie d'Euclide. A seize ans, il écrivit un traité des sections coniques qui étonna Descartes, et, à dix-huit ans, il inventa une machine à calculer.

Très connu des scientifiques par ses recherches de mécanique, le célèbre Claude Clairaut (1713-1765) fut aussi un enfant merveilleusement précoce. A l'âge de dix ans, il avait lu et compris *l'Analyse démontrée* de Guinée ainsi que le *Traité des sections coniques,* passablement abstrait, du Marquis de l'Hôpital. Vers le milieu de sa treizième année, il composa un mémoire sur *Les propriétés de quelques courbes nouvelles* qui fut approuvé et imprimé par l'*Académie des Sciences.* A l'âge de dix-huit ans, il fut nommé membre de l'illustre assemblée, soit, par conséquent, à un âge encore plus tendre que d'Alembert (23 ans), Maupertuis (25), Condorcet (26), La Condamine (29), qui ont compté parmi les plus jeunes académiciens.

Louis Lagrange (1736-1813) fut, dès son enfance, un extraordinaire génie mathématique et un esprit encyclopédique. Nommé professeur de mathématiques à l'*École d'Artillerie* alors qu'il n'avait pas seize ans, il employait ses rares loisirs à étudier l'histoire des religions, le métaphysique, la botanique et la musique.

De même, Ampère (1775-1836) connaissait parfaitement le

calcul différentiel * à l'âge de douze ans. De son côté, l'illustre physicien anglais lord Kelvin (1829-1907) remporta, à l'âge de dix ans, un prix scientifique à l'*Université de Glasgow* avec un essai sur la configuration de la Terre.

On peut rapprocher de ce cas celui, beaucoup plus récent, du jeune Bobby Gordon qui, en 1950, présenta à la *Western University* une thèse de chimie qui lui valut le grade de docteur ès sciences. A l'âge de cinq ans, l'enfant connaissait le nom des principales étoiles, et, en latin, celui des 180 constellations. A six ans, c'est-à-dire à l'âge où la plupart des bambins ânonnent leur syllabaire, il écrivit un mémoire sur la constitution de l'atome. A sept ans, il commença ses études systématiques de chimie à la *Western University*, passa ses examens à dix ans, et, comme nous l'avons dit, soutint une thèse de doctorat alors qu'il n'était âgé que de onze ans.

En dehors de ses études, le jeune prodige n'était pas différent des autres enfants. Il jouait dans la rue avec ses camarades de même âge et lisait volontiers les magazines où il est question d'aventures au Far-West.

Son cas, bien qu'exceptionnel, n'est cependant pas unique en notre temps puisqu'en 1956, le jeune Fred Safier fut, à l'âge de douze ans, reconnu apte à suivre les cours de la célèbre *Université Harvard* avant de devenir un savant atomiste. A onze ans, il donnait déjà des cours de chimie dans un collège. Sa distraction favorite était le jeu d'échecs dans lequel il excellait.

Citons enfin le jeune Elmer Eder de Garshing, localité de banlieue située à une dizaine de kilomètres de Munich. En 1962, et alors qu'il était âgé de quatre ans, il comptait jusqu'à 1 500. A sept ans, il connaissait le calcul intégral et différentiel sur lequel butent encore des élèves des classes terminales et « spéciales » des lycées. A neuf ans, il possédait parfaitement la théorie de la relativité restreinte d'Einstein et fit sa première conférence sur ce sujet à l'*Université d'Erlangen*. Il connaissait également à cet âge les séries de Fourier et les éléments du calcul vectoriel *. Mieux encore : il trouva lui-même la manière d'écrire les formules des combinaisons du triangle de Pascal.

Que conclure de ces différents exemples d'enfants prodiges ? D'abord que le phénomène de précocité intellectuelle, loin d'avoir été l'apanage d'une société ou d'une époque, s'est toujours offert à la curiosité des hommes. Ensuite qu'il apparaît spontanément et que nous ne pouvons que le constater. Enfin, qu'il est difficile d'en trouver la clef. Faut-il, avec d'aucuns, et, en particulier, avec le bon poète Théophile Briant, admettre que les enfants prodiges sont des médiums, et, comme tels, soumis à des influences supranormales terrestres ou même à des entités d'un autre monde ? Ou bien, conclure avec les théosophes et avec Mme Georgette Corot-Gélas que le fait « enfant prodige » constitue l'une des meilleures preuves en faveur de la doctrine de la réincarnation ?

« Son érudition stupéfiante, écrit cet auteur à propos de Minou Drouet, va de pair avec les moyens dont elle dispose. Elle serait inexplicable et déconcertante pour celui qui ne saurait ou ne voudrait pas comprendre que son acquis, dans quelque domaine que ce soit, lui vient de ses expériences antérieures. Elles ont été faites dans d'autres vies, de toute évidence nombreuses et fructueuses. »

Ou enfin, plus simplement, et cette interprétation a notre préférence, bien qu'elle explique difficilement le « génie » des enfants prodiges, admettre que sous l'influence d'agents catalytiques ou diastasiques d'origine hormonale, la plupart de leurs cellules cérébrales évoluent vers l'état définitif beaucoup plus rapidement qu'à l'ordinaire ce qui fait que tout se passe comme si ces enfants possédaient un cerveau d'adulte.

Le saviez-vous ?

— En psychologie on désigne sous le nom de « quotient intellectuel », ou Q.I., le chiffre obtenu en divisant l'âge mental par l'âge réel. Ainsi, pour un enfant de 8 ans ayant un âge mental de 10 ans, on obtient 1,25. Mais, pour la comparaison plus facile des résultats, il a été convenu de les multiplier par 100 de sorte que, dans l'exemple précité, le Q.I. de l'enfant est de 125.

L'âge réel, psychologiquement parlant, et l'âge mental d'un enfant ou d'un adulte sont obtenus à partir de tests qui ne donnent pas toujours des résultats concordants. Néanmoins, on peut, d'après leur Q.I., classer comme suit les enfants :

150 à 160 : très brillant
139 à 149 : brillant
128 à 138 : très supérieur
117 à 127 : supérieur
106 à 116 : bon
95 à 105 : moyen

— D'après les travaux des psychologues Terman, Hollingworth, Witty et Hildreth, les enfants bien doués sont « des spécimens physiquement supérieurs, aussi bien que psychologiquement et ils tendent à exprimer une grande énergie dans leurs activités ».

En réalité, cette règle comporte de nombreuses exceptions. C'est ainsi que Voltaire et Newton sont nés avant terme, que Descartes, Pascal, Mozart, Walter Scott, Chopin, Liszt, Hugo et même Churchill étaient, enfants, d'une santé délicate.

Selon ces mêmes auteurs, les enfants très doués proviennent de familles relativement aisées et dont le niveau intellectuel est supérieur à la normale. Mais, ici encore, la règle présente un assez grand nombre d'exceptions. C'est ainsi que Brahms, Copernic, Dickens, Faraday, Franklin, Laplace, Luther, Staline, Stephenson, qui furent des enfants précoces, étaient issus de milieux misérables.

— Les statistiques indiquent que sur 1 000 enfants, 50 ont une intelligence au-dessus de la moyenne, 20 une intelligence brillante, et 1 est susceptible de devenir un enfant prodige. Mais, parmi les enfants supérieurement doués, bien peu deviennent des génies authentiques à l'état adulte. Ce ne sont souvent que des météores intellectuels.

— Les Américains ont créé des écoles spéciales pour enfants bien doués. L'expérience a en effet montré qu'ils font plus de progrès quand ils sont séparés des autres et réunis en groupes de bien doués.

— Dans ces quelques vers, Minou Drouet parle la langue des poètes :

Le cœur des petites filles
est un mille pattes curieux

qui aime fouiller les cervelles
des très graves messieurs.

La mer a regardé mes yeux
et les a vus plus riches qu'elle
car ma tendresse et mon vouloir
sont capables de les peupler
de l'appel fuyant des couchants.

Sol, si tragique paupière
tu refermes sur nos corps
le grand pardon de ton poids
au doux rythme parfumé
de tes longs cils d'ifs raidis.

— Sabine Sicaud, de Villeneuve-sur-Lot, morte à l'âge de quinze ans, commença à composer des vers à sept ans. La comtesse de Noailles, qui la connut, affirma qu'elle deviendrait un grand poète. A douze ans, elle se vit discerner le prix du « Jasmin d'Argent », une société culturelle patronnée par MM. Marcel Prévost et Joseph de Pesquidoux.

Voici quelques strophes des Fontanelles que l'on peut considérer comme son chef-d'œuvre :

Petite fontaine... Sans doute
Il fut là, parmi les reflets
De sources et de ruisselets
Tous ces bruits charmants qu'on se plaît
A rêver le long d'une route
Grelots clairs ; tendres ou follets
De sources et de ruisselets
Mousses fines que juin veloute
Oasis au bord d'une route...
Un coin vert, des arbres en voûte,
Et notre âme s'apaise toute.

— En répondant à 16 questions de la télévision américaine, Robert Strom, âgé de dix ans et demi, a gagné 192 000 dollars. Voici quelques-unes de ces questions :

« Quelle est la chaîne des réactions qui se produisent dans le soleil ? »

« L'astronome français Messier numérota les amas d'étoiles et de nébuleuses. A laquelle a-t-il donné le numéro 13 ? »

« Quelles sont les caractéristiques spectrales des étoiles A, G, M ? »

« Calculez l'impédance pour un courant de 60 périodes-seconde d'un circuit comprenant en série : une résistance de 9 ohms, une résistance de 27 ohms due à un effet d'induction et une résistance de 15 ohms due à un effet de capacité. »

— Albert Einstein (1879-1955), qui, sans conteste, est l'un des plus grands génies de notre époque, ne fut pas, loin de là, un enfant précoce. Tous les membres de sa famille, qui l'ont connu dans sa prime jeunesse, se souviennent d'un enfant timide, presque arriéré, qui se décida si tard à parler qu'il inquiéta ses parents. En classe, il fut un élève paresseux et indiscipliné. A onze ans, il éprouva dc telles difficultés scolaires et ses tests intellectuels étaient si médiocres que ses professeurs répondirent à ses parents qui leur demandaient s'il fallait l'encourager à poursuivre ses études : « Surtout pas ! Orientez-le vers un bon métier manuel. »

LE GÉNIE ET SES FORMES MINEURES

Le génie

Le mot « génie », que nous avons écrit à propos des enfants prodiges, nous conduit tout naturellement à envisager le problème de l'activité productrice dite géniale.

A-t-elle des particularités qui la différencient de l'activité créatrice « normale », est-elle, selon la conception théologique et romantique, un « don de Dieu », quelque chose de mystique, ou bien n'est-elle que l'expression, à un degré élevé, de qualités qui se manifestent chez tous les hommes capables de produire ?

Les recherches effectuées en ces dernières années ont conduit la plupart des psychologues à retenir cette dernière hypothèse : les hommes de génie ne différeraient que quantitativement des hommes ordinaires, et c'est d'une façon graduelle que l'on passerait de ceux-ci aux premiers.

De sorte que le problème du génie serait un pseudo-problème.

En fait, il est très complexe car il peut se révéler non seulement par l'allure psychologique de la personnalité qui crée, mais aussi d'après le caractère du processus créateur et selon l'œuvre.

Le premier aspect ne permet pas, semble-t-il, ainsi que nous venons de le dire, de caractériser le génie. Quant au processus créateur génial, il est à peu près inconnu. Reste l'œuvre.

Or, l'œuvre géniale présente incontestablement un certain

nombre de propriétés spécifiques. Si elle appartient au domaine artistique ou littéraire, elle provoque la surprise et l'admiration, elle suscite des rapprochements et des points de vue nouveaux, elle est parfaite, et immortelle. Dans l'ordre scientifique et technique ces critères valent également, bien que s'appliquant avec plus de difficultés car une découverte « géniale » n'est souvent que le dernier anneau d'une longue chaîne qui représente un énorme travail collectif étendu sur plusieurs générations. Mais si l'œuvre est véritablement géniale, elle se présente comme un point culminant de l'évolution intellectuelle, comme un chapitre original de la science. Telle est, par exemple, la théorie de la relativité d'Einstein.

On peut donc conclure que l'homme de génie entre dans la catégorie des hommes-phénomènes. Il habite une haute sphère de pensée qui lui permet de voir les phénomènes sous leur vrai jour et dans leurs plus subtiles relations et à laquelle d'autres hommes, même intelligents et cultivés, ne s'élèvent qu'avec effort et difficultés.

Les Calculateurs prodiges

Les calculateurs prodiges, les artistes qui peignent, jouent sans avoir jamais appris, les « médiums » écrivains, se rattachent, par leurs facultés, et dans une certaine mesure, aux enfants précoces et aux génies. Toutefois, en règle générale, ils ne créent pas des œuvres susceptibles de figurer en première place dans la galerie des sciences et des arts. En outre, et tout particulièrement en ce qui concerne certains calculateurs, ils peuvent être, en dehors de leurs facultés spéciales, intellectuellement inférieurs au commun des mortels, mais, comme le dit justement le Dr Osty, « ils font comprendre certains génies dont le travail mental ne diffère du leur que par la plus grande valeur de ce qu'il produit ».

Les calculateurs prodiges sont, on le sait, des sujets qui résolvent mentalement, parfois instantanément, et apparemment sans efforts, des problèmes ou plus exactement des exercices arithmétiques souvent très compliqués que la plupart d'entre nous et même des mathématiciens ne pourraient résoudre que la plume à la main et pendant un temps beaucoup plus long, sans être toujours certains de réussir. Quelques-uns même, lorsque le problème est posé, s'entretiennent librement avec l'assistance, parlent de choses quelconques complètement étrangères à la question qui les occupe, puis, brusquement, comme si un mécanisme cérébral avait fonctionné en eux à leur insu, donnent la solution cherchée.

Comme nous l'avons précédemment signalé, quelques calculateurs prodiges sont d'intelligence médiocre en dehors de la faculté qu'ils ont de manier les chiffres avec une extraordinaire virtuosité ; ce sont même quelquefois des arriérés mentaux. Ainsi, Colburn fut toujours le dernier de sa classe, Buxton ne sut même pas écrire son nom et Inaudi ne put apprendre à lire et à écrire que vers l'âge de vingt ans. On connaît cependant des hommes qui s'instruisirent normalement, Diamandi, Dagbert, Lidoreau, Moingeon, par exemple, et même des génies qui furent d'étonnants calculateurs : Ampère, Arago, Georges Bidder, Whateley, Gauss entre autres.

Parmi les calculateurs prodiges d'autrefois on peut citer Jedediah Buxton, Zerah Corburn, Zacharias Dase et Henri Mondeux.

Buxton, qui vécut en Angleterre de 1702 à 1762, était un véritable maniaque des chiffres : il comptait sans relâche tout ce qui tombait dans son champ visuel. Ainsi, lorsqu'il vint à Londres se soumettre à l'examen de la *Société Royale,* on le mena au théâtre de *Drury-Lane* pour lui montrer Richard III joué par Garrick. On lui demanda ensuite si la représentation lui avait fait plaisir. Or, il n'y avait trouvé qu'une occasion de faire des calculs ; pendant les danses, il avait fixé son attention sur le nombre de pas exécutés : il y en avait 5 202 ; il avait également compté le nombre de mots que les acteurs avaient prononcés : 12 445 ; il avait retenu à part le nombre de mots dits par Garrick, et tout cela fut reconnu exact.

Zerah Colburn, né en 1804 dans l'État de Vermont, aux États-Unis, commença à compter avant de savoir lire et écrire. Quand on tentait de lui arracher le secret de sa mystérieuse virtuosité, il répondait invariablement : « C'est Dieu qui a mis ces choses dans ma tête et je ne saurais les mettre dans la vôtre. »

Grâce à l'appui et aux recommandations de Washington Irving, il fut admis comme élève au lycée *Napoléon* à Paris, puis au collège de Westminster, mais on constata qu'en dehors du calcul mental, il avait l'esprit fermé aux différentes disciplines. A vingt ans, il perdit sa faculté de calculer sans qu'on sût pour quelles raisons.

Notons que Colburn présentait une curieuse particularité physique, signe certain de dégénérescence : il possédait un doigt surnuméraire à chaque main et un orteil supplémentaire à chaque pied.

Zacharias Dase, né en Allemagne en 1824, se distingua de la plupart des calculateurs prodiges par ce fait qu'il mit ses aptitudes au service de la science. Il a calculé les logarithmes naturels des nombres de 1 jusqu'à 100 500 et la table des facteurs et des nombres premiers depuis le septième jusqu'au huitième million. Cependant, il ne put jamais apprendre les mathématiques proprement dites, malgré l'effort de maîtres éminents qui s'intéressèrent à lui ; au surplus, il était sans intelligence pour tout ce qui n'était pas chiffres et nombres. Sa faculté de compter et sa mémoire étaient prodigieuses : l'astronome Gauss lui fit multiplier mentalement l'un par l'autre deux nombres composés de 100 chiffres. On est littéralement stupéfié lorsque, plume en main, on réalise l'énorme brassage de chiffres que cette opération représente. D'autre part, Schumacher a rapporté que Dase multipliait deux nombres de 8 chiffres chacun en 54 secondes, et deux nombres de 20 chiffres chacun en 6 minutes. Et, cela, mentalement, bien entendu. Il possédait en outre une grande rapidité de perception et de mémoire visuelle pour donner le nombre des objets formant un ensemble, par exemple le nombre de livres dans une bibliothèque.

Henri Mondeux eut une grande célébrité. Né en 1826 à Neuvy-le-Roi, près de Tours, il était le fils d'un pauvre bûcheron. Tout jeune, à l'âge de sept ans, alors qu'il ne savait ni lire ni écrire, il s'amusait, tout en gardant les moutons, à faire de vertigineux calculs. Ignorant les chiffres, il comptait avec de petits cailloux disposés de différentes façons. On parla de lui à un instituteur de Tours, M. Jacoby, qui essaya de l'instruire, mais sans aucun succès. Finalement, il le conduisit à Paris et le présenta à l'*Académie des Sciences.* Une commission d'examen fut nommée, où l'on trouvait Arago, Serres, Sturm, Liouville et Cauchy. Elle reconnut que l'enfant présentait d'extraordinaires facultés de calculateur mental, une mémoire prodigieuse des nombres, mais une absence quasi totale de mémoire pour les noms de lieux et de personnes, ainsi que pour les noms des objets qui ne retenaient pas son attention. Elle vit également que, tout en résolvant un problème, il pouvait se livrer à d'autres occupations. Enfin, elle mit à jour les méthodes de calcul qu'il avait lui-même inventées.

Nous en venons maintenant aux calculateurs prodiges contemporains et tout d'abord au plus connu, au plus populaire d'entre eux : Jacques Inaudi.

Né d'une famille très pauvre, en 1867, à Onorato, dans le Piémont, il était pâtre lorsque, vers l'âge de six ans, il fut pris par la passion des chiffres. Tout en gardant son troupeau, il combinait des nombres dans son esprit, de sorte qu'à sept ans, il était déjà capable d'exécuter de tête des multiplications de 5 chiffres. Et, cependant, il ne connaissait pas la table de multiplication ! Ayant perdu sa mère, il abandonna le pays et partit à l'aventure avec son frère montreur de marmotte. Le frère jouait de l'orgue, Jacques exhibait la marmotte et tendait la main. De plus, il proposait aux badauds des opérations de calcul mental auxquelles ils ne comprenaient vraisemblablement rien.

Bientôt Inaudi se produisit dans les cafés où il fut remarqué par un voyageur de commerce, qui, devenant son imprésario, l'emmena faire des tournées en province puis à Paris. Là, il attira l'attention de Camille Flammarion et du célèbre anthropologiste Paul Broca. Il était alors âgé de treize ans. En 1892, il revient à Paris ; il a appris à lire et à écrire et son intelligence s'est quelque peu développée. Son imprésario, qui est alors M. Thorcey, le présente à l'*Académie des Sciences,* laquelle nomme une commission chargée d'étudier le calculateur. Elle comprend MM. Darboux, Poincaré, Tisserant et Charcot. Alfred Binet en fait ensuite partie. Après d'innombrables expériences, la commission, par la plume de M. Darboux, donne ses conclusions d'où nous avons extrait les points suivants :

« Signalons d'abord, écrit l'illustre mathématicien, que les résultats dont nous avons été témoins reposent avant tout sur une mémoire prodigieuse. A la fin d'une séance donnée aux élèves de nos lycées, Inaudi a répété une série de nombres comprenant plus de 400 chiffres. Dans une de nos réunions, nous avons donné à Inaudi un nombre de 22 chiffres. Huit jours après, il pouvait nous le répéter, bien que nous ne l'eussions pas prévenu que nous le lui demanderions de nouveau. Un second point, qui me paraît des plus importants, a été laissé de côté par la plupart des personnes qui l'ont examiné. On a analysé avec soin les procédés, à coup sûr très simples, qu'emploie Inaudi pour exécuter les différentes opérations ; mais on n'a pas assez remarqué un fait qui est de toute évidence : c'est que ces procédés ont été imaginés par le calculateur lui-même, qu'ils sont tout à fait originaux. Et, ce qu'il y a d'intéressant, c'est que ces règles diffèrent de celles qui sont enseignées partout en Europe, tandis que quelques-unes se rapprochent, à certains égards, de celles qui sont suivies chez les Hindous. »

Voici, d'autre part, quelques problèmes dont Inaudi a donné par calcul mental, et très rapidement, la solution :

1. Trouver le nombre dont la racine carrée et la racine cubique diffèrent de 18. Réponse : 729, indiquée en 1 minute 57 secondes.

2. Trouver un nombre de deux chiffres tel que la différence entre quatre fois le premier chiffre et trois fois le deuxième égale 7, et que, renversé, le nombre diminue de 18. Solution négative trouvée au bout de 2 minutes.

3. Trouver un nombre de quatre chiffres dont la somme est 25, étant donné que la somme des chiffres des centaines et des mille est égale au chiffre des dizaines, que la somme des chiffres des dizaines et des mille est égale au chiffre des unités, et que, si l'on renverse le nombre, il augmente de 8082. Réponse : 1789, indiquée en 1 minute.

4. La somme de trois nombres est 43 et celle de leurs cubes 17299. Réponse : 25, 11, 7 donnée en 1 minute.

5. Trouver un nombre de quatre chiffres dont la somme des chiffres soit 16, étant donné que le 3e est le double du 1er, que le

4e égale trois fois le 1er plus le 3e. Ce nombre renversé augmente de 3456. Réponse : 1825, donnée en 1 minute 30 secondes.

6. De Paris à Marseille, la distance est de 863 km. Un train part de Paris à 8 h 15 du matin pour Marseille avec une vitesse de 19 km à l'heure. Un autre train part de Marseille pour Paris à 10 h 30 du matin à la vitesse de 46,5 km à l'heure. Trouver à quelle distance des deux villes les deux trains devront se rencontrer. Réponse donnée en 2 minutes : les trains se rencontreront à 7 h 31 mn 13 s 4/6 du soir à 419 km 451 m 80 cm de Marseille et à 443 km 548 m 20 cm de Paris.

7. M. Laurent, examinateur à l'*École Polytechnique,* ayant dit à Alfred Binet que le calculateur Winckler était capable de décomposer un nombre en quatre carrés, l'épreuve est tentée avec Inaudi.

Alfred Binet donne le nombre 13411.

En 3 minutes, Inaudi indique les quatre nombres suivants :

115, dont le carré est 13225 ; 13, dont le carré est 169 ; 4, dont le carré est 16 ; 1, dont le carré est 1. Total des quatre carrés : 13411.

Une minute après, le calculateur trouvait une autre solution :

113, dont le carré est 12769 ; 25, dont le carré est 625 ; 4 dont le carré est 16 ; 1 dont le carré est 1. Total des quatre carrés : 13411.

Enfin, quelque temps après (le temps exact n'a pas été fixé) Inaudi indiquait une troisième solution :

113, dont le carré est 12769 ; 23, dont le carré est 529 ; 8, dont le carré est 64 ; 7, dont le carré est 49. Total des quatre carrés : 13411.

M. Lebesgne, l'auteur de l'*Introduction à la théorie des nombres,* avouait que quinze jours lui auraient été nécessaires pour résoudre ces problèmes.

Si, pendant cinquante ans, Jacques Inaudi a été considéré, à juste titre, comme le « géant » des calculateurs prodiges, il a eu, en ces dernières années, des émules dignes de lui : Louis Fleury, Mlle Osaka, dont nous parlons dans le chapitre suivant, Maurice Dagbert, Paul Lidoreau et Ernest Moingeon.

Louis Fleury, né le 21 avril 1893, près de Belfort, fut atteint, dès sa naissance, d'une double ophtalmie purulente qui le rendit complètement aveugle. Abandonné par ses parents à l'âge d'un an et demi, il fut confié à l'*Assistance publique.* A dix ans, il marchait à peine et ne savait ni se laver, ni s'habiller. A quinze ans, considéré comme inéducable, l'*Assistance publique* le plaça dans un hospice d'incurables.

Il y était depuis deux mois lorsqu'une soudaine et violente frayeur l'ébranla. Et c'est alors qu'il eut l'idée singulière, pour dissiper la crainte obsessionnelle qu'il continuait à éprouver, de faire mentalement des calculs arithmétiques. Miracle ! Tous les calculs essayés se résolvaient avec une aisance, une rapidité, une sûreté merveilleuses. Dès lors, le monde abstrait des chiffres devint sa véritable vie intérieure, son esprit s'exerçant au calcul sans effort et avec joie. En quelques secondes, il parvint à effectuer des multiplications, des divisions, des élévations de puissances et des extractions de racines compliquées.

Louis Fleury, qui fut longuement étudié à l'*Institut métapsychique International* (I.M.I.) par le Dr Osty et ses collaborateurs, était du type « tactile » au reste très rare : il disait qu'il « sentait passer les chiffres sous ses doigts ».

Mlle Osaka, que nous examinons dans le prochain chapitre, Maurice Dagbert, Paul Lidoreau et Ernest Moingeon appartiennent ou appartenaient en revanche, comme d'ailleurs la plupart des grands calculateurs, à la catégorie des « visuels ».

Maurice Dagbert, qui s'est révélé au congrès des illusionnistes tenu à Paris en 1947, puis qui a donné toute sa mesure au congrès de Lausanne de 1948 et que les téléspectateurs de *France Région 3* ont pu voir sur leur écran de télévision le 14 septembre 1976, possède un pouvoir de remémoration exceptionnel et des capacités de calculateur mental qui semblent égaler ou même dépasser Inaudi. Présenté à l'*Académie des Sciences,* il a, entre autres opérations, extrait mentalement une racine cinquième (résultat : 243) en 14 secondes, une racine septième (résultat : 125) en 15 secondes, 827 élevé au cube en 55 secondes.

Dans ses expériences en public, les opérations qu'il effectue mentalement chevauchent, de sorte que les cascades de chiffres qui se déversent presque sans arrêt sur l'assistance forment un bien curieux mélange. Tout d'abord une personne est invitée à donner son âge, puis cinq nombres de 2 chiffres sont proposés par le public. Peu après le calculateur donne la puissance troisième du premier nombre, la puissance quatrième du second nombre et la puissance cinquième du troisième ; il s'arrête alors pour indiquer au spectateur qu'il a vécu tant d'heure, de minutes et de secondes et montre, par un calcul au tableau noir, qu'il a tenu compte des années bissextiles. Il enchaîne aussitôt en fournissant les puissances sixième et septième des derniers nombres, ces deux résultats, remarquons-le, ayant respectivement 11 et 13 chiffres.

Des opérations plus difficiles sont ensuite proposées : élévation au cube de plusieurs nombres de 3 chiffres, puis extraction de racines. On donne, par exemple, simultanément un nombre de 15 chiffres, un autre de 19 chiffres, et, enfin, des dates du calendrier julien ou grégorien. Instantanément, l'artiste précise le jour de la semaine qui leur correspond, puis annonce la racine cubique du premier nombre et la racine cinquième du second. Il répond encore à quelques demandes de dates. Des opérations analogues se poursuivent avec la plus grande célérité, entrecoupées par des réponses concernant les dates de la fête de Pâques, de l'Ascension, de la Pentecôte et des phases de la lune. A cet égard, Maurice Dagbert, alors qu'il n'était âgé que de douze ans, a littéralement stupéfié le professeur Esclangon, mathématicien astronome et membre de l'*Institut de France,* qui lui demanda : « Mon jeune ami, dites-moi donc à quelle date tombera Pâques en l'an 5 702 285 ? » Et l'enfant de répondre aussitôt : « Le 22 mars », ce qui fut reconnu exact par la suite.

Notons que souvent, au cours de ses exhibitions, Maurice Dagbert exécute au violon de brillants morceaux en même temps qu'il résout mentalement des calculs très compliqués. Ainsi, tout en jouant une fantaisie du *Trouvère* d'une manière remarquable, nous l'avons vu effectuer mentalement l'extraction de vingt racines cubiques de 3 chiffres et une multiplication d'un nombre de 5 chiffres par un autre nombre de 5 chiffres. L'opération totale dura 7 minutes. En déposant son instrument, le calculateur donna, d'un trait, les vingt et une réponses, absolument sans erreur. A aucun moment il ne s'était servi, ni d'un crayon, ni d'un papier, pas même pour noter le libellé des problèmes.

Il en a été de même lorsque, au cours d'une conférence dans un centre d'ingénieurs, les problèmes suivants lui furent proposés :

1. On sait que a = 19 x et b = 103 y et que $a^2 + b^2 = c^2$. Trouver les plus petites valeurs pour a, b, et c qui donnent satisfaction.
2. Trouver 11 termes en progression arithmétique de raison 7 dont la somme soit un cube parfait.
3. Une somme de 1 200 F est placée à 5,25 p. 100 pendant 38 ans à intérêts composés. Quel est le capital obtenu ?
4. Trois nombres x, y et z sont en progression géométrique. Si on ajoute 28 à y, elle devient arithmétique et si on ajoute alors 10 à z, elle redevient géométrique. Calculer les raisons et x.
5. Extraire la racine 68ᵉ d'un nombre de 113 chiffres commençant par 644 585 71... Donner une décimale exacte.
6. Quatre nombres a, b, c et d sont tels que leur produit, deux à deux, augmenté de une unité est toujours carré parfait. Un de ces nombre est 112. Quelle est la plus petite solution possible et donner les racines exactes.

Enfin, ayant été opposé à une machine à calculer, Maurice Dagbert battit largement la machine en effectuant les calculs proposés qui furent ceux-ci : élever 87 au cube, 57 à la 4ᵉ puissance, 38 à la 5ᵉ puissance, 71 à la 6ᵉ et 99 à la 7ᵉ puissance ; réaliser les opérations : 1 961 × 1 932 ; 64 632 × 55 823 ; 1 515 divisé par 45 avec 4 décimales exactes ; traduire en jours, heures et secondes, l'âge d'une personne ayant 51 ans à une date déterminée ; trois extractions de racines terminèrent cette série d'exercices.

« Mon rêve, nous confia dernièrement Maurice Dagbert, serait de me mesurer en Amérique à des machines électroniques. Elles sont peut-être moins dangereuses pour moi que les machines à calculer électriques ordinaires. Certes, elles fonctionnent à la vitesse de la lumière, mais elles souffrent d'un handicap : il faut leur poser le problème. Et, le temps qu'on le leur pose, je l'aurais déjà résolu ! C'est pourquoi je leur lance un défi. Je n'ai pas peur d'elles ! »

Paul Lidoreau, né en 1888 et décédé depuis quelques années,

n'était pas, comme Maurice Dagbert, un « professionnel » du calcul mental. C'était un industriel parisien qui dirigeait dans le quartier de la Bastille une importante entreprise artisanale spécialisée dans la fabrication des objets en cuir. Mais, dès sa jeunesse, il s'était passionné pour le calcul mental. Alors qu'il était âgé de 18 ans, il parvenait déjà à extraire instantanément la racine cubique de nombres de 9 chiffres. Au cours d'une séance que nous avions organisée en avril 1956, Paul Lidoreau a, en quelques secondes, extrait mentalement et sans erreur les racines cubiques des nombres suivants :

37 246 609
599 930 290 504
924 579 746 488
13 055 567 849 956 664

C'était aussi un virtuose de l'addition. Le 2 mai 1953, lors d'une démonstration faite au *Palais de la Découverte* devant un aréopage d'hommes de science, une addition de dix nombres, ayant chacun 36 chiffres significatifs, fut effectuée mentalement en 5 minutes 10 secondes. Après avoir exécuté d'autres problèmes, on demanda à Paul Lidoreau de répéter le résultat de 37 chiffres, à l'endroit, à l'envers et par tranches diverses : décallions, nonillions, octillions, etc., jusqu'aux unités, ce qu'il fit aisément.

Comme un certain nombre de calculateurs virtuoses, Paul Lidoreau présentait brillamment l'expérience du calendrier perpétuel et calculait avec une extraordinaire rapidité l'âge d'une personne en jours, heures, minutes et secondes. C'est ainsi qu'en février 1958, à une séance de télévision où, avec M. Claude Darget, nous avons eu l'avantage de le présenter aux téléspectateurs, il indiqua instantanément qu'une personne âgée de 48 ans avait vécu 17 532 jours, 420 768 heures, 25 246 080 minutes, 1 514 764 800 secondes, compte tenu des années bissextiles.

Mais l'exercice qui nous a le plus frappé, et que Paul Lidoreau résolvait au moins une fois par jour pour sa satisfaction personnelle, était celui-ci :

Un nombre de 6 chiffres (allant par conséquent de 100 000 à

999 999) étant proposé au calculateur, celui-ci le décomposait mentalement en cinq cubes parfaits et cinq carrés parfaits qui, additionnés, devaient donner le nombre fourni, à 1 millionième près, les racines des nombres devant comprendre un minimum de deux chiffres.

Exemple. — Nous proposons le nombre 724 832. Au bout de quelques minutes de calcul mental, Paul Lidoreau fournit les résultats suivants :

Racines cubiques trouvées	*Racines carrées trouvées*
48	40
83	16
26	4,358 898 900
28	5,477 225 580
10	4,472 136

Total des cubes et des carrés de ces racines

Cubes :	110 592
	571 787
	17 576
	21 952
	1 000
Carrés :	
	1 600
	256
	18,999 999 620 421 210
	30,000 000 054 206 336 400
	20,000 000 402 496
	724 832,000 000 077 123 546 400

L'addition, nombre par nombre avec leur partie décimale, a été faite mentalement et répétée à haute voix par le calculateur.

Notons que pour Paul Lidoreau un nombre n'était pas une simple abstraction, une banale succession de chiffres. C'était une forme complexe bien définie, un véritable « être » numéral dont il se plaisait à analyser les différents aspects.

Ernest Moingeon, né en 1885 et décédé en 1967, était un exploitant forestier qui, ainsi que Paul Lidoreau, avait fait du calcul mental son violon d'Ingres. En 1958, et alors qu'il était âgé de 73 ans, il réussit à battre de vitesse les plus perfectionnées des machines électroniques de l'époque en extrayant mentalement en 15 secondes une racine 5e d'un nombre de 10 chiffres et deux racines carrées de deux nombres de 20 chiffres. Ce qu'il convient de souligner à son propos, c'est que l'un de ses mérites, et non des moindres, est d'avoir découvert une méthode pratique et rapide d'extraction des racines carrées. Il faut en effet noter que, contrairement à ce que l'on croit habituellement, l'extraction mentale d'une racine carrée est une opération difficile de sorte que la plupart des calculateurs, opérant en public, évitent en général cet exercice. En 1961, nous l'avons opposé, sur la scène de l'*Olympia,* à Maurice Dagbert dans une rencontre amicale où les deux calculateurs se surpassèrent mutuellement.

La psychologie des calculateurs prodiges

Après avoir examiné les principaux calculateurs prodiges, recherchons dans quelles conditions apparaît leur aptitude et par quel mécanisme elle se développe.

Tout d'abord, il semble que le don de calculateur ne soit pas héréditaire. Les deux seules exceptions connues sont celles de Bidder et de Diamandi. Le premier transmit ses dons à ses enfants et petits-enfants ; quant à Diamandi, sur cinq de ses sœurs ou frères vivants, un frère et une sœur présentaient, pour le calcul mental, des aptitudes analogues aux siennes.

Chez tous, le don est apparu spontanément, sans stimulant extérieur. En effet, beaucoup de calculateurs prodiges sont nés de parents pauvres et même misérables qui ne s'occupaient guère de l'instruction et de l'éducation de leurs enfants. Il faut ajouter, ce que nous avons déjà souligné, que plusieurs calculateurs prodiges ont été d'abord considérés comme des enfants arriérés.

Le calculateur prodige Oscar V., né le 16 avril 1926 à Bousval (Belgique) dans une famille de modestes fonctionnaires, s'exprimait à l'âge de 17 ans comme un bébé de 2 ans. Notons au passage que les élévations aux puissances diverses de nombres formés des mêmes chiffres est l'une de ses spécialités. Ainsi 888 888 888 888 888 est élevé au carré en 60 secondes et 9 999 999 est élevé à la 5e puissance en 60 secondes, le résultat comportant 35 chiffres. Oscar V. a été soumis à un certain nombre de tests par divers groupements savants et par l'éminent mathématicien Kraichit, de l'*Université de Bruxelles.*

De plus, nous avons dit que Zerah Colburn présentait un signe de dégénérescence. Un autre calculateur prodige, que nous n'avons pas encore nommé, Prolongeau, était né sans bras ni jambes. Mondeux était hystérique.

En résumé, ni le milieu extérieur où se sont développés les calculateurs prodiges, ni leur intelligence générale, tout au moins pour beaucoup d'entre eux, ne nous donnent l'explication de leurs facultés : ils n'ont subi l'influence d'aucun maître ; ils n'ont pas été entraînés dans leur voie par des conseils ou par une instruction normale et régulière ; le niveau de leur intelligence était souvent très au-dessous de leurs extraordinaires capacités arithmétiques. Ainsi que le dit justement Alfred Binet : « Il y a, dans l'éclosion de leur faculté, quelque chose qui ressemble à une sorte de génération spontanée. »

Un autre fait qui caractérise les calculateurs prodiges est la précocité de leur faculté. Chez Gauss et Whateley elle s'est manifestée à l'âge de trois ans. De même, Ampère menait à bien de longues opérations mentales à l'âge de quatre ans, alors qu'il ne connaissait ni lettres ni chiffres. Il utilisait seulement quelques cailloux ou haricots. Il devint, comme chacun le sait, l'un des plus grands physiciens français, mais, chose curieuse, à mesure que se développèrent ses connaissances mathématiques classiques et ses connaissances scientifiques, il perdit progressivement ses aptitudes au calcul mental.

Il en fut de même pour Whateley, qui note : « Ma faculté de calcul présentait certainement quelque chose de particulier. Elle se manifesta à l'âge de quatre ans et dura trois années. Je faisais mentalement les additions les plus compliquées et cela beaucoup plus rapidement que ceux qui les faisaient sur le papier, et jamais on n'a pu constater dans mes opérations la moindre erreur. A l'âge où j'ai commencé à fréquenter l'école, ma faculté de calcul avait disparu et j'ai été depuis lors très faible en mathématiques. »

Safford pouvait, à cinq ans, selon M. Scripture, exécuter mentalement des multiplications dont le résultat se composait de 36 chiffres. Ayant des aptitudes remarquables pour les mathématiques proprement dites, il devint professeur d'astronomie mais perdit ses facultés de calculateur prodige.

En revanche, le Suisse Leonard Euler, qui commença à calculer à l'âge de cinq ans et qui, selon son biographe Lacroix, « doit occuper dans les mathématiques la place que tient Voltaire dans les belles-lettres », conserva jusqu'à son extrême vieillesse sa prodigieuse faculté de calculateur mental. Esprit encyclopédique, doué d'une colossale mémoire, non seulement il résolvait de tête les problèmes d'analyse ou de géométrie transcendante les plus ardus, mais savait encore par cœur l'*Enéide* de Virgile, son auteur favori, et possédait parfaitement la physique, la chimie, la zoologie, la botanique, la géologie et la médecine. Il connaissait également l'histoire et les littératures grecque et latine.

Le professeur A.C. Aitken de l'*Université d'Edimbourg* présente le même cas. Il est, en effet, à la fois, brillant mathématicien, et, depuis son enfance, calculateur prodige. Sa prodigieuse mémoire auditive et visuelle lui a permis de retenir les 2 000 premières décimales du nombre et de citer instantanément l'une de ces décimales d'un rang quelconque. Outre l'extraction de racines carrées ou cubiques, sa virtuosité s'étend aux calculs des périodes de fractions, d'inverses d'entiers et de déterminants *.

On peut également citer dans cette catégorie le Hollandais Willem Klein qui, dès l'âge de cinq ans, possédait une excellente mémoire des chiffres et était capable de résoudre des problèmes très difficiles. Il reçut une bonne culture mathématique, et, non seulement conserva ses facultés de calculateur prodige, mais les perfectionna graduellement. Elles furent utilisées à l'*Institut Mathématique d'Amsterdam* pour des calculs où les machines courantes n'apportent qu'une aide très réduite.

Mais ce qu'il convient particulièrement de relever à propos de la précocité des calculateurs prodiges, c'est que nombre d'entre eux ont commencé à calculer avant de savoir écrire des chiffres. Ils faisaient donc des numérations dans leur tête sans comprendre le sens d'un chiffre écrit. Il y a là une particularité assez mystérieuse, difficile à concevoir pour un adulte habitué à calculer avec ces signes précis et commodes que sont les chiffres.

Une mémoire exceptionnelle des nombres, la possibilité de les faire revenir à la conscience d'une manière en quelque sorte hallucinatoire caractérisent également les calculateurs prodiges. C'est essentiellement par l'un et l'autre de ces traits qu'ils dépassent le commun des mortels, et par le second qu'ils se rapprochent des sujets hypnotiques ou parapsychologiques chez qui la sensation peut prendre la forme d'une hallucination.

Ainsi que nous l'avons signalé déjà, la mémoire des calculateurs prodiges est généralement visuelle, mais elle peut être aussi auditive, tactile, motrice.

Mondeux et Colburn voyaient les chiffres se former devant eux, comme tracés par une plume invisible. Diamandi les apercevait au-dessus de ses lobes frontaux. Mlle Osaka les voyait, lorsqu'on les lui dictait, s'inscrire « en blanc sur tableau noir ». Il en est de même pour Dagbert. Dismer, berger des environs de Stuttgart, et Pierre Annich, pâtre du Tyrol, qui furent aussi des calculateurs prodiges, étaient également des « visuels ».

Inaudi, au contraire, était surtout un « auditif ».

« J'entends une voix qui calcule », répétait-il souvent.

Cette voix ne l'empêchait pas d'ailleurs de poursuivre une conversation, d'exécuter des calculs plus faciles que le problème principal qui lui était proposé ou encore de jouer de la flûte. La voix mystérieuse continuait son soliloque et, au bout d'un certain temps, fournissait à Inaudi le résultat d'un calcul extraordinairement compliqué.

Fleury, comme nous l'avons précédemment signalé, était du type « tactile ».

Enfin, il semble que la plupart des calculateurs prodiges mettent également en jeu la mémoire motrice, soit en exécutant involontairement certains mouvements avec leurs doigts, soit en articulant silencieusement les chiffres. C'est ainsi que Jean

Hutzinger, calculateur prodige qui eut son heure de renommée, remuait les lèvres en calculant. Au surplus, il est très vraisemblable qu'une forme particulière de mémoire prédomine chez tel ou tel sujet, mais que toutes les formes jouent plus ou moins leur rôle.

Reste à expliquer leur don. A cet effet, les psychologues classiques font intervenir certaines qualités ordinaires du psychisme poussées à un haut degré.

Mais, en réalité, cette interprétation est nettement insuffisante. Elle n'explique ni la précocité et l'innéité du don, ni le fait qu'il peut apparaître chez des arriérés mentaux, ni le caractère souvent prodigieux de la mémoire arithmétique de beaucoup de calculateurs. D'autre part, elle ne souligne pas suffisamment la part de l'automatisme dans les opérations qu'ils effectuent.

Lorsque Inaudi entend une voix qui calcule en lui cependant qu'il continue à converser ou qu'il fait consciemment d'autres calculs, lorsque Dagbert joue un morceau de violon et, pendant ce temps, résout mentalement vingt et un problèmes compliqués, ne voyons-nous pas apparaître ici cet « hôte inconnu » de Maeterlinck qui, émergeant de la personnalité normale, se superpose à elle et vient affirmer son existence ? Certains calculateurs l'ont d'ailleurs vraiment senti vivre en eux et l'ont nettement reconnu :

« Dès mon enfance, écrit Ferréol, je calculais d'une manière absolument intuitive, à tel point que j'avais souvent l'idée d'avoir déjà vécu une autre fois. Si l'on me proposait un problème difficile, le résultat jaillissait directement de mon esprit, sans que je susse, au premier moment, comment je l'avais obtenu ; je cherchais alors la voie en partant du résultat.

« Cette manière intuitive de saisir, qui ne s'est jamais démentie, n'a fait que se développer avec l'âge et j'ai souvent l'impression que quelqu'un est à côté de moi qui me souffle le résultat désiré, la voie cherchée, et il s'agit, d'habitude, de voies que presque personne ou personne n'a parcourues avant moi, et que je n'aurais pas encore trouvées, si je ne m'étais mis à les chercher. » (Rapporté par Mœbius, *Uber die Anlage zur Mathematik*).

Chez ce calculateur, la séparation entre la pensée consciente et les facultés subconscientes semble avoir été complète, le contrôle conscient n'étant qu'une condition tout à fait accessoire.

Il en était de même pour Bidder. « Il possédait, écrit M.V. Pole, une faculté presque miraculeuse de trouver, pour ainsi dire intuitivement, les facteurs dont la multiplication donnait tel grand nombre. C'est ainsi que, étant donné le nombre 17 861, il trouvait instantanément qu'il résultait de la multiplication de 337 par 53... Il n'aurait su, disait-il, expliquer comment il le faisait ; c'était chez lui presque un instinct naturel. »

Une remarque analogue peut être faite à propos de Oscar V. qui est dans l'incapacité absolue d'expliquer le mécanisme des opérations arithmétiques compliquées qu'il effectue avec une extraordinaire rapidité et sans erreur. Lorsqu'on lui demande comment il procède, il répond :

« Je ne sais pas ». — « Cela me vient comme cela. »

Ailleurs, comme chez Buxton, Inaudi, Dagbert, il existait ou il existe une collaboration de tous les instants entre le conscient et l'inconscient, une communication entre les deux couches de l'esprit, et il est certain que les artifices de calcul qui permettent de simplifier les opérations et qui sont apparemment découverts par le conscient se trouvent, chez ces calculateurs, automatiquement employés par l'inconscient.

C'est ce qui apparaît nettement dans cette déclaration qui nous a été faite spontanément par M. Paul Lidoreau.

« Je fais, dit-il, mes calculs entièrement de tête, sans aucune fatigue cérébrale. Aidé en cela par mon subconscient d'une manière incompréhensible, c'est lui qui fait, je le suppose, le travail le plus important. Ainsi, pour extraire la racine cubique d'un nombre de 15 chiffres, il me faut effectuer une moyenne de 12 à 15 opérations en 20 secondes. Or, plusieurs de ces calculs s'exécutent en même temps dans mon esprit sans que je sache exactement de quelle manière. »

Enfin, de son côté, Maurice Dagbert nous a écrit ce qui suit : « Vous dire ce qui se passe en moi lorsque je calcule ? Impossible ! C'est vraiment incommunicable. Mais sachez que mon corps tout entier participe aux opérations. Il y a des calculs que j'exécute en quelque sorte avec les doigts, les mains, les poings, les pieds. Je sens les chiffres sur ma peau. C'est pourquoi je gesticule parfois ou que je contracte violemment les muscles. »

Les Artistes et les Écrivains prodiges

Les régions cryptiques de l'esprit se révèlent aussi chez quelques artistes et écrivains, dont la production spontanée apparaît comme étant l'émergence, dans le domaine des idées conscientes, d'une élaboration psychique essentiellement accomplie dans les profondeurs de l'être et à laquelle la conscience claire ne prend parfois qu'une faible part.

Dans le domaine musical, l'un des cas les plus étonnants de création subconsciente a été fourni par Georges Aubert. Bien que médiocre pianiste et ignorant l'harmonie, la composition, la fugue et le contrepoint, il improvisait au piano, en état de transe, de remarquables compositions musicales qui, selon lui, lui étaient inspirées par Mehul, Beethoven, Mendelssohn, Mozart, Wagner, Bach, Schubert, etc.

Une série d'expériences réalisées à l'*Institut Général Psychologique* démontrèrent parfaitement que les créations de Georges Aubert dépendaient entièrement de son activité subconsciente. Quatre moyens furent employés pour lutter contre la participation du conscient : 1° la lecture, 2° le calcul, 3° la conversation, 4° l'audition.

La lecture : Pendant l'exécution du morceau, il fut placé sur le pupitre un article de journal traitant de tuberculose. Georges Aubert fut invité à le lire à haute et intelligible voix. Ce qu'il fit, et, cependant, la pièce musicale commencée continua imperturbablement, sans interruption, dans la justesse, la mesure, le style et les nuances. L'expérience fut plusieurs fois renouvelée.

Le calcul : Dans les mêmes conditions, Georges Aubert dut résoudre mentalement des additions, des soustractions, des multiplications et des divisions. Néanmoins, l'improvisation musicale se déroula sans faille d'aucune sorte.

La conversation : Ici, ce furent des conversations suivies portant sur des sujets que Georges Aubert dut soutenir. Elles n'eurent aucune influence défavorable sur l'inspiration musicale.

L'audition : Cette expérience, très bien conçue, aurait infailliblement réussi à déjouer tout subterfuge si Georges Aubert avait été de mauvaise foi. Deux phonographes furent placés derrière lui avec chacun un tube auditif en caoutchouc. Alors qu'il commençait à jouer une barcarolle, qui, d'après lui, lui était inspirée par l' « esprit » de Mendelssohn, le tube du phonographe droit donnant la Marche des trompettes d'Aïda fut introduit dans l'oreille droite et le tube du phonographe gauche faisant entendre la Marche indienne de Sellénik fut placé dans l'oreille gauche. Malgré l'effarante cacophonie qui retentit à partir de ce moment dans le cerveau de Georges Aubert, la barcarolle ne subit aucune altération.

Le cas de l'Anglaise Rosemary Brown est analogue à celui présenté par Georges Aubert, mais il a, sur celui-ci, l'avantage d'être plus récent puisque la médiumnité musicale de Rosemary Brown a commencé en 1964 et se poursuit à l'heure où nous écrivons (1979).

Liszt, Chopin, Schubert, Beethoven, Bach, Brahms, Mozart, Schumann, Debussy, Rachmaninov se manifestent, apparemment tout au moins, par son intermédiaire et les œuvres « dictées » à Rosemary par ses interlocuteurs invisibles présentent un tel caractère de vérité que tous les experts musicaux tels que Humphrey Searle, Ivan Parott, Hanz Gal, Lloyd, Mme Firth et le célèbre compositeur Richard Rodney Bennet, qui les ont examinées, s'accordent à y reconnaître les caractères spécifiques de chacun de ces illustres compositeurs.

« Ce qui arrive quand Rosemary Brown affirme être guidée par les esprits de musiciens décédés, écrit Mme Firth, est quelque chose d'inexplicable. Cette femme musicalement non initiée, non seulement réussit à interpréter des passages extrêmement difficiles, mais à reprendre directement l'œuvre musicale interrompue par l'auteur avant sa mort. Une telle contrefaçon, seul un grand maître de la musique serait éventuellement capable de la tenter. »

« Tout le monde peut imiter Debussy au piano, a déclaré de son côté Richard Rodney Bennet, mais composer un morceau de musique, reproduire exactement un style particulier d'un compositeur, exécuter ce même morceau comme si c'était l'auteur lui-même, c'est autre chose. Et Rosemary Brown, adroitement, manie toutes ces choses avec beaucoup d'habileté et avec des auteurs différents. »

Le point de départ de son extraordinaire aventure remonte à un soir de l'automne 1964. Veuve depuis trois ans d'un mari journaliste, et fatiguée de son travail d'assistante au réfectoire d'une école de son quartier, Rosemary Brown se sentit, ce jour-là, poussée à s'asseoir devant son piano pour y jouer quelques chansonnettes.

« Mais soudain, ainsi qu'elle le raconta plus tard au Dr Tenhaeff, professeur de parapsychologie à la *Faculté des Sciences Sociales* de l'*Université d'Utrecht,* j'ai senti que mes mains couraient sur le clavier avec une assurance surprenante ; en même temps que je sentais naître sous mes doigts une musique merveilleuse. Je jouais alors sans savoir ce que je faisais, comme si j'avais prêté mes mains à un étranger. J'eus peur cependant un moment, j'ai pensé que j'allais mourir d'épouvante, mais la musique était douce, sereine, libératrice, alors subitement je me suis rappelé un épisode de ma prime enfance que j'avais complètement oublié. J'avais sept ans quand, un soir, m'est apparu un vieillard souriant. Il m'a quittée en me promettant que, lorsque je serais grande, il m'apprendrait à jouer beaucoup de belle musique qui me rendrait célèbre. Plus tard, je me suis rendu compte que ce vieillard ressemblait à Franz Liszt, comme il est représenté sur les livres de classe. Et, en ce soir de l'automne 1964, j'ai compris que Liszt avait décidé de maintenir son étrange promesse. »

En février 1971, nous avons eu l'avantage d'entendre au piano et d'interviewer Rosemary Brown et elle nous a dit, entre autres choses, qu'elle avait l'impression, lorsqu'elle jouait du piano, que des doigts invisibles s'appuyaient sur les siens.

Dans le domaine du dessin et de la peinture, les créations subconscientes ne sont pas rares. C'est ainsi que Victorien Sardou, dramaturge français (1831-1908) ayant eu son heure de célébrité, traçait parfois sur le papier, avec une rapidité surprenante, des dessins d'aspect fantastique qu'il attribuait à un « esprit ». « Ma main, disait-il, ne m'appartenait plus, elle obéissait à une influence étrangère. » De même, Fernand Desmoulins (1823-1902), peintre et graveur célèbre, dessinait quelquefois d'une façon impulsive, et souvent à l'envers, des sujets dont il n'avait aucune idée consciente.

Nous retrouvons ce genre d'automatisme dans les dessins de Machner, médium allemand, dont les facultés artistiques inconscientes étaient remarquables. Il n'avait jamais touché un crayon ou un pinceau, lorsque, au cours de réunions spirites, il vit apparaître des formes d' « esprits » qu'il put dessiner dans l'obscurité. Ensuite, il exécuta des peintures et des aquarelles représentant des fleurs aux formes étranges et données comme appartenant aux planètes Mars ou Saturne. Il lui arrivait de tracer simultanément des deux mains de superbes compositions ornementales.

Avec les dessins du comte de Tromelin, nous sommes en présence d'un procédé d'exécution spécial se rapprochant de la voyance par le marc de café ou de la technique picturale, recommandée par Léonard de Vinci, consistant à dessiner ce que l'on voit sur un vieux mur décrépi. M. de Tromelin fixait ses regards sur une feuille de papier noircie au moyen d'un crayon sauce, et, au bout de peu de temps, il y voyait apparaître des détails multiples dont il suivait alors les contours avec un crayon dur. Il n'avait plus ensuite qu'à effacer le fond noir à l'aide de mie de pain pour découvrir sur le papier des scènes extraordinairement complexes, remarquables par la quantité incroyable de figures humaines qui s'y trouvaient.

Catherine-Élise Muller (1861-1929), qui a été rendue mondialement célèbre, sous le nom d'Hélène Smith, par les classiques et admirables travaux du Pr Th. Flournoy de Genève, travaux que celui-ci a rapportés dans son remarquable ouvrage : *Des Indes à la Planète Mars,* s'engagea, vers la fin de sa vie médiumnique, dans la rêverie religieuse et dans son extériorisation artistique.

Elle ne peignit d'abord que des têtes (Christ, Marie), puis vinrent des personnages entiers isolés (Christ à Gethsémani, Le Crucifié) ; des personnages accessoires les accompagnèrent ensuite (Jésus sur le chemin d'Emmaüs) ; enfin, des groupes (Transfiguration, Sainte Famille) constituèrent ses derniers tableaux. Aux petites toiles du début succédèrent des panneaux immenses sur bois, et, en même temps, la facture et le modelé s'améliorèrent progressivement.

Étant donné qu'Hélène était en état de somnambulisme lorsqu'elle peignait et qu'elle ne se souvenait de rien au réveil, on ignore si elle utilisait des pinceaux. D'après ses suppositions elle employait surtout ses doigts, car, à son réveil, ils étaient encore encrassés de couleur. Lorsque le tableau comportait un paysage, c'est celui-ci qui paraissait le premier, détail après détail, selon une marche absolument fantaisiste. Quant aux personnages, ils débutaient toujours par les yeux, yeux énormes et comme hallucinés, autour desquels s'organisaient les autres parties du corps. Sur les tableaux à paysage, ils se détachaient d'abord seuls sur le fond.

On a vanté le réalisme de quelques détails. C'est ainsi que le Christ à Gethsémani a bien des mains de travailleur, de charpentier qu'il fut véritablement dans sa jeunesse, ce qu'Hélène semblait réellement ignorer. Les pieds ne sont pas déformés par des chaussures fermées et les ongles sont ronds et limés, comme ils le sont par la marche.

Ayant eu le privilège d'examiner les tableaux d'Hélène Smith, nous avons l'impression qu'ils rappellent, par certains côtés, l'œuvre des primitifs.

Mme Assman, L. Petitjean et combien d'autres furent également naguère d'étonnants médiums dessinateurs.

Mais, dans cette catégorie, le cas le plus net et le plus démonstratif est certainement celui d'Augustin Lesage qui, en 1927, fut longuement étudié à l'*Institut Métapsychique International* par le Dr Osty et ses collaborateurs.

C'était un mineur. Son père et ses ascendants les plus lointains dont il eut connaissance étaient des mineurs.

Il fréquenta l'école primaire de son village et y fit de rares et rudimentaires dessins. A cet égard, ses dispositions étaient nulles.

Ayant acquis, à l'âge de quatorze ans, le certificat d'études, il prit sans tarder le chemin de la mine et devint un bon et consciencieux mineur, passant ses loisirs dans sa famille ou avec ses amis, sans préoccupations intellectuelles, particulièrement sans souci d'art.

Mais un jour de 1911 (Lesage avait alors 35 ans), tandis qu'il extrayait du charbon au fond de la mine, un fait étrange se passa.

« Je travaillais, relate Lesage, couché dans un petit boyau de 50 cm donnant sur une galerie éloignée du mouvement de la mine. Dans le silence, il n'y avait pour moi que le bruit de ma pioche. Quand, tout à coup, j'entendis une voix, une voix très nette me dire : « Un jour tu seras peintre ! »

« Je regardai de tous côtés pour voir de qui venait cette voix. Personne n'était là. J'étais bien seul. Je fus stupéfait et effrayé.

« Remonté de la mine, je ne dis rien à personne, ni à mes amis, ni à mes enfants, ni à ma femme. Je craignais qu'on me prenne pour un fou.

« Peu de jours après, également dans la mine et travaillant seul, la voix se fit encore entendre. Personne n'était autour de moi, cette fois encore. Je fus épouvanté. Je gardai cet événement secret, et je fus très inquiet, craignant de devenir fou. J'ignorais à cette époque qu'il pouvait y avoir des choses inexplicables.

« Ce fut pendant un certain temps avec terreur que je descendis dans la mine. Je craignais d'entendre les voix. Mais elles ne se firent plus entendre. Depuis je ne les ai plus jamais entendues.

« Huit mois, dix mois peut-être passèrent. Je ne pensais plus aux voix ni à mes peurs, quand, un jour, comme j'étais avec quelques camarades de mine et que nous parlions, l'un d'eux dit : « Savez-vous qu'il paraît qu'il y a des esprits et que l'on peut communiquer avec eux ? J'ai lu cela. Ça s'appelle le spiritisme. »

« Cette révélation me bouleversa. Je me dis : « Est-ce que cela ne serait pas en rapport avec mes voix ? »

« Le camarade venait de lire quelques livres sur le spiritisme. Je les lus à mon tour.

« Avec cet ami, Ambroise Lecomte, mort maintenant, sa femme, ma femme, Raymond Gustin, mineur à Ferfay, et moi, nous décidâmes d'expérimenter le spiritisme. Mais nous étions fort embarrassés, nous ne savions pas comment nous y prendre ; aucun de nous n'avait jamais assisté à une séance.

« Ayant lu que les groupes spirites évoquent les esprits en se tenant par les mains autour d'une table légère, nous nous assîmes autour d'un petit guéridon. Au bout de dix minutes un craquement se fit entendre et la table se souleva. L'un de mes camarades dit alors : « Est-ce Lesage qui est le médium ? » La table frappa un coup, ce qui, selon nos conventions, voulait dire *oui*. C'est tout ce que nous eûmes dans la première séance.

« Le jeudi suivant, nous recommençâmes l'expérience. La table commença de vaciller au bout de dix minutes et vint vers moi. Ma main droite se mit à trembler et je sentis qu'elle voulait écrire. Mon ami Lecomte mit alors sur la table un crayon et du papier. Je pris le crayon et ma main se mit à écrire ce message que je ne puis oublier :

« Aujourd'hui nous sommes heureux de nous communiquer à vous. Les voix que tu as entendues sont une réalité. Un jour tu seras peintre. Écoute bien nos conseils, et tu verras qu'un jour tout se réalisera tel que nous le disons. Prends à la lettre ce que nous dirons et ta mission s'accomplira. »

Ces conseils, essentiellement pratiques (achat de toiles, de pinceaux, de tubes de couleurs, etc.), furent effectivement donnés selon le même procédé, c'est-à-dire par le truchement de l'écriture automatique, et Lesage se mit à peindre après son travail quotidien.

Ses toiles, qui sont généralement de grandes dimensions (3 m × 3 m ; 3 m × 2,50 m ; 2 m × 1,80 m), représentent essentiellement des motifs décoratifs.

Ils sont d'une étrange originalité d'invention et d'une extraordinaire variété. Si nous examinons par exemple la première toile de Lesage, qui exprime au maximum la qualité foncière de son talent, nous remarquons, en haut, à droite, un enchevêtrement de formes d'une très grande diversité et d'une étonnante finesse. A gauche, toujours en haut, nous voyons de plus vastes sujets de couleurs vives rappelant des figures décoratives d'Extrême-Orient. Au-dessous on croirait voir des soies brodées, des tapis, des châles aux tons subtilement nuancés et aux dessins habiles. Ailleurs, c'est une sorte de construction imposante faite d'un nombre considérable de parties enchevêtrées en tous sens, représentant chacune le commencement d'une petite œuvre décorative ayant sa physionomie propre. En d'autres endroits, on est devant une accumulation de motifs architecturaux de styles antiques : galeries, portails, colonnes, panneaux ornés, frises, etc.

Et, comme le remarque le Dr Osty : « On s'étonne qu'un

homme inculte, sans hérédité artistique décelable, sans notions antérieures de dessin et de peinture, et sans attraction pour eux, se soit inspiré uniquement de conceptions décoratives des vieilles civilisations, surtout orientales, n'en faisant pas une « imitation » à la manière de quelqu'un dont la vue s'en serait imprégnée, mais transposant les manières antiques dans une invention personnelle de sujets. »

De son côté, un peintre notoire a écrit à propos de cette œuvre : « Combien il est étrange que ce mineur soit arrivé à cette forme d'art ! C'est bien le dernier des genres auxquels il eût dû penser... Cette toile est une profusion de beautés. Qu'un ouvrier, sans pratique de la peinture, ait été capable de la faire, c'est vraiment extraordinaire. Qu'il ait dédaigné tous les genres de peintures pour prendre celui-là, c'est, pour moi, plus étonnant encore ! »

L'activité subconsciente s'exerce aussi très nettement chez les « médiums » écrivains. Une voix leur dicte des textes qu'ils ne font, disent-ils, que transcrire. Si le médium est spirite, cette voix sera celle d'un « esprit ». S'il est théosophe, elle pourra provenir d'un « maître » ou d'une entité supraterrestre. Mais, en fait, elle a vraisemblablement sa source dans les profondeurs de leur être. L'un des cas les mieux étudiés de médiums écrivains est celui de Mme Juliette Hervy qui, naguère, a bien voulu se mettre à la disposition du Dr Osty, à l'*Institut Métapsychique International,* pour y subir des épreuves utiles.

Voici de quelle façon Mme Hervy devint médium écrivain.

« J'avais assisté, un soir, dit-elle, à une conférence de l'avocat Philippe sur les *Tables tournantes de Jersey* et la médiumnité de Victor Hugo. Dans la nuit, vers 2 h du matin, je me suis éveillée et j'ai été surprise d'entendre une voix sonore, à timbre de contralto, dire une poésie : *La Forêt.* Je l'ai trouvée si belle que j'ai demandé oralement à l'entendre de nouveau. Trois fois de suite, elle m'a été dite comme pour me l'apprendre. Je voulais me lever pour l'écrire mais n'osai le faire par crainte de réveiller mon mari. Ce ne fut que dans l'après-midi qui suivit que je pus m'asseoir à une table et essayer de me souvenir. Il ne m'en vint que des lambeaux. Je suppliai mentalement la voix de me la redire. Bientôt je la réentendis et, sous sa dictée, j'écrivis *La Forêt.* »

Cette œuvre n'est pas sans présenter quelques analogies avec certains poèmes de Lamartine :

Les épreuves auxquelles fut soumise Mme Hervy à l'*Institut Métapsychique International* consistèrent à lui proposer un thème qu'elle devait traiter sur-le-champ. C'était un sujet exprimé tantôt en quelques phrases, tantôt en un mot. En outre, le mode d'expression lui était imposé : prose ou poésie, scènes dialoguées, fables, sonnets, ballades, etc., en tragique ou en comique, en solennel ou en familier. On indiquait quelquefois le nombre de pages désirées.

Dès que le sujet était dicté, Mme Hervy écrivait sans transition visible, sans délai de réflexion. A l'en croire « la voix qui dicte » prenait la suite.

« Et sous les yeux des assistants, note le Dr Osty, elle couvrait d'une écriture égale des pages et des pages qu'on lui enlevait presque toujours au fur et à mesure, à la fois pour les lire et pour s'assurer qu'elle ne reprendrait plus connaissance de ce qu'elle avait écrit. Rien ne l'arrêtait, ni les entrées, ni les sorties, ni les conversations. Si quelque incident déterminait une suspension plus ou moins longue de la séance, sa main se mettait à écrire aussitôt qu'on le demandait. En prose, il n'y avait pas d'arrêt ; la plume allait sur le papier d'un mouvement égal du commencement jusqu'à la fin. Les pages se couvraient ainsi d'une écriture tranquille, uniforme, sans ratures, sans surcharges et aussi presque sans ponctuation. En poésie, un, deux ou trois vers, quelquefois plus, suivaient immédiatement l'énoncé du thème ou du titre, puis il y avait arrêt de quelques secondes, de quelques minutes, puis l'écriture reprenait. La plupart des pages écrites étaient aussi nettes d'aspect que celles de la prose ; sur quelques-unes, il n'y avait que de brèves et rares ratures ou une surcharge d'un mot, d'un ou deux vers oubliés et rajoutés. »

Voici quelques thèmes proposés par le Dr Osty. Ils sont très dissemblables :

— *Ulysse s'ennuie dans l'île de Calypso. Il veut se venger et fuir. A traiter en deux poèmes : le premier d'une façon grandiose, le deuxième d'une façon plaisante.*

Une heure 10 minutes après le sujet fourni, Mme Hervy terminait les deux poèmes, l'un de 34, l'autre de 62 vers.

— *Henri Poincaré dit ce qu'il pense maintenant de l'hypothèse de la quatrième dimension.*

Sans nul arrêt Mme Hervy traite la question pendant 1 heure 45 minutes.

— *L'homme clame la détresse de son ignorance. A traiter en quatrain.*

A 15 h 35, le Dr Osty dicte le sujet. A 17 h, Mme Hervy qui a écrit 12 quatrains est invitée à prendre le thé. Les premières pages sont mises de côté, et, pendant une demi-heure, la conversation porte sur toute autre chose. A 17 h 30, Mme Hervy reprend son travail et le finit à 18 h sans avoir revu ce qu'elle avait écrit. Elle donne encore 4 quatrains.

Les trois quatrains suivants donnent un aperçu de la manière dont Mme Hervy a traité le sujet. Le style est analogue à celui de *La Forêt.*

Mondes qui m'entourez, Univers lointains,
Étoiles qui brillez dans les vastes espaces,
Soleils me direz-vous d'où vous êtes venus ?
Où pourrais-je chercher vos lumineuses traces ?

Êtes-vous des Enfers ou bien des Paradis
Peuplés d'affreux démons ou de brillants archanges ?
Vos purs rayons venant toucher nos yeux ravis,
Hélas ! ne disent rien de vos mondes étranges

Pourquoi partout la vie et pourquoi la douleur ?
Pourquoi tant de beauté, pourquoi tant de souffrances ?
Pourquoi si peu de joie et pourquoi le malheur ?
Pourquoi la triste mort et pourquoi la naissance ?

« De toute évidence, remarque justement le Dr Osty, le cas de Mme Hervy est celui d'un dédoublement du psychisme dû à la pratique initiale du spiritisme, mais capable d'une variété et d'une qualité de production dépassant de beaucoup les banalités et médiocrités que tant de personnes obtiennent par les procédés d'expression dits automatiques (écriture automatique, tables frappantes, oui-ja *, etc.) »

« C'est dans la qualité du rendement subconscient relatif aux possibilités conscientes de Mme Hervy, et surtout dans les conditions de l'impromptu et du définitif de l'exécution, que réside l'intérêt psychologique du cas. »

Au surplus, le travail subconscient créateur ne s'exerce pas seulement chez les sujets dans le genre de ceux que nous venons d'examiner qui calculent, composent de la musique, dessinent, peignent, écrivent automatiquement. De toute évidence, il joue aussi un rôle important chez la plupart des grands artistes, des grands écrivains et des savants que, dans les circonstances précédentes, on n'hésiterait pas à qualifier quelquefois de « sujets métaphysiques » ou de « médiums ».

« Ce n'est pas moi qui pense, confiait Lamartine, ce sont mes idées qui pensent pour moi. » De même Alfred de Musset disait : « On ne travaille pas, on écoute ; c'est comme un inconnu qui vous parle à l'oreille. » Schopenhauer a également précisé le rôle du travail inconscient : « Mes postulats philosophiques, souligne-t-il, se sont produits chez moi sans mon intervention, dans les moments où ma volonté était comme endormie et mon esprit non engagé dans une direction prévue d'avance... Ainsi, ma personne était comme étrangère à l'œuvre. »

L'activité subconsciente s'exerce aussi dans le domaine scientifique. Ainsi, le célèbre bactériologiste Charles Nicole, dont les travaux nous ont permis de lutter contre le typhus, écrit : « Un éclair... Le problème obscur jusque-là et que nulle lampe timide n'aurait révélé, se trouve d'un coup inondé de lumière. On dirait une création. »

Le Dr Félix d'Herelle, à qui l'on doit la découverte du bactériophage, s'exprime à peu près dans les mêmes termes : « En un éclair, dit-il, j'avais compris. »

Théodule Ribot, résumant un certain nombre de cas semblables, dit : « C'est l'inconscient qui produit ce qu'on appelle vulgairement l'inspiration. Cet état est un fait positif, présentant des caractères physiques et psychiques qui lui sont propres. Avant tout, il est impersonnel et involontaire, agit à la façon d'un instinct, quand et comme il veut ; il peut être sollicité, mais ne supporte pas de contrariété. Ni la réflexion, ni la volonté ne peuvent le remplacer dans la création originale. »

Il est donc permis de dire que les résultats obtenus par les sujets dont la production est spontanée sont l'expression de certaines facultés cryptiques de l'esprit plutôt que les effets d'un effort volontaire et conscient, qu'ils sont l'émergence, dans le domaine des idées conscientes, d'une élaboration psychique essentiellement accomplie dans les profondeurs de l'être et à laquelle la conscience claire ne prend parfois qu'une faible part. Presque à l'insu de celle-ci elle rapproche des images ou des idées, en élabore de nouvelles, raisonne, construit.

Et cette région profonde, ce psychisme des « profondeurs », que nous retrouverons avec les phénomènes parapsychologiques, n'est pas autre chose que le *daïmon* de Socrate, le *theos* de Plotin, le *génie planétaire* de Paracelse, le *moi transcendental* de Novalis, le *subliminal self* de Myers, l'*hôte inconnu* de Maeterlinck, le *subconscient* ou l'*inconscient* des psychologues, des parapsychologues et des métapsychistes. Mais inconscient, non pas, semble-t-il, parce qu'il manque en soi de conscience, mais seulement parce que notre conscience normale ne le perçoit ordinairement pas.

En tout cas, il apparaît que ce « moi » cryptique, souvent ignoré de la conscience, est le siège de ces phénomènes plus ou moins mystérieux qui vont du rêve à la précognition en passant par le don de calcul, la création artistique, poétique et littéraire, l'intuition géniale, la télépathie et la métagnomie.

Si bien que les faits que nous venons d'examiner dans ce chapitre s'intègrent naturellement au problème général relatif à l'origine et à la signification des facultés paranormales de l'homme. Mais, à eux seuls, ils permettent d'affirmer, avec le professeur Charles Richet, que « l'intelligence humaine est beaucoup plus vaste et beaucoup plus puissante qu'elle ne le croit et ne le sait ».

Le saviez-vous ?

— Le Dr Moreau de Tours fait du génie un symptôme de la démence et prétend que la névropathie est la condition principale de l'éclosion des facultés exceptionnelles. Il ajoute que les fameuses distractions des génies ne sont fréquemment que de simples absences épileptiques.

En tout cas, il est certain que d'authentiques génies : Jules César, Schiller, Mahomet, Pétrarque, Pierre le Grand, Molière, Flaubert étaient épileptiques, que Socrate, Richelieu, Pascal étaient sujets à des crises d'hallucinations, que Nietzsche, Dostoïevski, Gérard de Nerval, Van Gogh, etc., sombrèrent dans la démence. Mais cela ne diminue en rien leur « génie ».

— Le Greco, Rembrandt, Michel-Ange, Honoré de Balzac, Voltaire ne travaillaient que la nuit. Corneille et Malebranche ne pouvaient écrire que dans la demi-obscurité. Baudelaire et Théophile Gautier n'étaient inspirés que lorsqu'ils étaient imprégnés de parfums. Chateaubriand n'était capable d'écrire que lorsqu'il avait les pieds nus et Schiller ne pouvait composer ses tragédies que lorsqu'il mettait ses pieds sur de la glace. Quant au célèbre astronome Lalande, l'inspiration scientifique ne lui venait que lorsqu'il avait croqué des araignées ou des chenilles. Enfin, Buffon ne pouvait composer un ouvrage que revêtu de ses plus beaux habits, les poignets garnis de manchettes, et l'épée au côté.

— On envisage actuellement la création de banques de cellules reproductrices conservées par congélation qui permettront de garder, à travers les siècles, les gamètes de grands génies qui pourront ainsi se reproduire à titre posthume. Ces banques auront également deux buts : elles donneront aux femmes stériles la possibilité d'obtenir l'enfant désiré par implantation « in utero » de l'œuf fécondé ; elles pourront conserver des gamètes de jeunes mariés ne désirant pas avoir d'enfants immédiatement et d'implanter, quelques années plus tard, l'œuf fécondé dans l'utérus de la vraie mère ; les couples pourront ainsi avoir des enfants à 40 ans et plus tard avec le patrimoine génétique vigoureux de leurs 20 ans ; ainsi devraient disparaître chez les enfants, nés de mères de plus 40 ans, les cas de mongolisme imputables à l'altération des chromosomes avec l'âge.

— Dès 1958, le calculateur hollandais Willem Klein a été

engagé au *CERN* pour y effectuer des calculs numériques. Il en exécute également pour d'autres centres, au Canada, en Autriche et au Luxembourg. Au cours d'une conférence donnée à l'intention des étudiants effectuant en 1974 un stage au *CERN*, il a, entre autres calculs, extrait une racine 37ᵉ d'un nombre de 220 chiffres en 3 minutes 26 secondes. Sa mémoire visuelle est médiocre, mais, en revanche, sa mémoire auditive est prodigieuse.

— Franchissant d'un bond de multiples raisonnements intermédiaires et devançant ainsi des années et même des siècles de recherches, l'inconscient est parfois capable d'apporter au conscient des vérités surprenantes.

C'est ainsi qu'à la mort de Pierre Fermat, l'un des plus grands mathématiciens du XVIIᵉ siècle, on retrouve chez lui un exemplaire des œuvres du mathématicien grec Diophante, portant en marge l'annotation suivante de la main de Fermat : « J'ai démontré... (ici un énoncé qu'il nous semble inutile de rapporter) mais je ne puis écrire la démonstration, la marge ne s'y prêtant pas. »

« Or, constate Jacques Hadamard, cette démonstration pour laquelle la marge lui semblait un peu étroite, on la cherche en vain depuis trois siècles. On a déjà réalisé dans la voie de son théorème des progrès essentiels ; on l'a déjà démontré dans des cas très étendus. Mais il a fallu pour cela faire intervenir tout un arsenal de théories algébriques échafaudées les unes sur les autres et dont aucune n'était connue du temps de Fermat, dont aucune n'était même imaginée à ce moment-là et dont aucune allusion de sa part n'indique qu'il les ait lui-même soupçonnées. »

De même, Riemann, à propos de ses travaux sur la distribution des nombres premiers, énonce une série de propositions et note : « Ces propriétés sont la conséquence d'une formule que je n'ai pas suffisamment simplifiée pour la publier. »

Cette formule, les mathématiciens la recherchent toujours.

— Le cas présenté par M. Pierre Maluc, que nous avons étudié en 1957, est différent des cas examinés dans ce chapitre, car Pierre Maluc réalisait des « gravures » dans l'épaisseur d'une feuille de papier à l'aide d'une lame de rasoir. La perfection des cercles et des ovales s'avère étonnante lorsqu'on considère que P. Maluc n'utilisait aucun instrument pour les tracer.

MÉMOIRES EXTRAORDINAIRES ET VOLONTÉS EXCEPTIONNELLES

Mémoires extraordinaires

Certaines personnes, douées d'une mémoire extraordinaire, peuvent être, à cet égard, considérées comme des hommes-phénomènes.

C'est ainsi que presque tous les grands hommes ont eu une mémoire excellente qui, pour quelques-uns, est devenue légendaire.

Racine, par exemple, était capable de réciter des tragédies entières après les avoir lues une ou deux fois.

Le docteur Fred Braums avait appris 200 000 dates de l'*Histoire Universelle* et pouvait faire ses conférences en 15 langues différentes.

Le cardinal Giuseppa Gasparo Mezzofanti, qui fut l'un des plus grands génies linguistiques de tous les temps, apprit 114 langues et 72 dialectes. Dans 54 langues au moins il pouvait se faire passer pour un autochtone.

Aux Indes, il n'est pas rare qu'un érudit puisse réciter par cœur tout le recueil de chants du *Rig-Véga* qui comprend plus de 1 000 chants représentant environ 10 000 strophes.

Parfois, le pouvoir de mémorisation se révèle dès la plus tendre enfance.

Ainsi François de Beauchâteau, dont nous avons parlé à

propos des enfants prodiges, connaissait, à l'âge de huit ans, le français, le latin, le grec, l'espagnol et l'italien.

Henrich Heineken, qui naquit à Lübeck le 6 février 1721, fut l'un des plus fameux prodiges mnémoniques de tous les temps et de tous les pays, mais il ne vécut que quatre ans quatre mois. Dès l'âge de dix mois, il connaissait par leur nom tous les objets de son entourage et il pouvait réciter des textes en prose et des vers. A quinze mois, cet extraordinaire prodige commença l'étude de l'histoire, et, vers deux ans, celle du latin et du français. Détail assez curieux, il refusa toujours de s'alimenter normalement, et ne prit, jusqu'à sa mort, que le lait de sa nourrice.

Philippe Baratier, né la même année que Henrich Heineken, commença l'étude des langues étrangères dès sa seconde année. A douze ans, il connaissait parfaitement plusieurs langues européennes ainsi que quelques langues orientales. En outre, il était très fort en mathématiques et en philosophie. Son avenir intellectuel apparaissait donc des plus brillants, mais il mourut à dix-neuf ans alors qu'il avait déjà acquis le grade de docteur en philosophie.

Au début du XIXe siècle, nous rencontrons un autre cas : celui de l'Allemand Karl Witte qui, à six ans, entreprit l'étude du français, puis, à la suite, l'italien, le latin, l'anglais et le grec. A sept ans et neuf mois, il montra publiquement, dans une école, sa capacité à lire toutes ces langues. A neuf ans, il avait autant de connaissances qu'en a d'habitude un jeune homme de dix-huit ans et il s'inscrivit à l'*Université de Leipzig*.

A peu près à la même époque, le célèbre mathématicien et astronome irlandais William Rowan Hamilton (1805-1865) fut aussi un extraordinaire génie linguistique. A trois ans, il lisait la Bible après avoir, semble-t-il, appris à lire tout seul. A cinq ans, il connaissait le latin, le grec et l'hébreu, à sept ans, l'italien et le français, à neuf ans le sanscrit et l'arabe, puis le persan, le chaldéen, le syriaque, l'hindoustani, le malais, le mahrate, le bengali, et, enfin, les premiers éléments du chinois. Ce n'est qu'après avoir rencontré le calculateur prodige Zerah Colburn, dont il a été question précédemment, qu'il s'adonna aux mathématiques où il fit des découvertes fondamentales en particulier en ce qui concerne le calcul vectoriel, l'hodographe * et le calcul des quaternions *. A vingt et un ans, il était professeur d'astronomie.

John Stuart Mill (1806-1873), qui devint le célèbre philosophe que l'on sait, fut également favorisé, dès son enfance, par une extraordinaire mémoire. Il commença à apprendre le grec à trois ans. « Je me vois vaguement, a-t-il écrit plus tard, évoluant à travers les fables d'Ésope, le premier livre que je lus. L'*Anabase,* dont je me souviens mieux, fut le second. » De trois à huit ans, il lut beaucoup d'auteurs grecs, tels que Hérodote, Lucien, Platon, et aussi, en anglais, des historiens comme Hume et Gibbons. Toutefois, il est réconfortant d'apprendre qu'à cette époque le jeune Stuart Mill lut également quelque autre littérature moins aride, en particulier *Robinson Crusoé* et *Les Mille et une Nuits.* Entre huit et douze ans, il étudia le latin ainsi que le grec et la liste d'auteurs qu'il absorba alors est invraisemblable. En même temps, il s'initia à la géométrie, à l'algèbre, au calcul différentiel et aux sciences. De douze à treize ans, il étudia la logique et l'économie politique.

Moins loin de nous, M. Trombetti, né de parents pauvres tout à fait illettrés, apprit, presque seul, le français et l'allemand. Il acquit, en quelques semaines, la connaissance du persan. Agé de douze ans, il étudia, sans aucun maître, le latin, le grec et l'hébreu. Adulte, il possédait presque toutes les langues vivantes et mortes et fut nommé professeur à l'*Université de Bologne,* par le roi d'Italie.

Nous avons, de notre côté, étudié un certain nombre de sujets pourvus d'une forte mémoire, et, en particulier, ainsi que nous l'avons signalé dans le chapitre précédent, des calculateurs prodiges pourvus d'une étonnante mémoire des chiffres. Dans ce domaine, le cas le plus étonnant est certainement celui de Mlle Osaka que nous avons connue naguère sous ce nom asiatique d'emprunt, et qui, maintenant, porte le nom de son mari, mais que nous continuerons à désigner sous son pseudonyme initial.

Ayant un jour assisté à une représentation donnée, sinon par un calculateur prodige, du moins par un calculateur virtuose, elle sentit et se dit, sans savoir exactement pourquoi, qu'elle arriverait facilement à réaliser les mêmes prouesses.

Mais, à mesure qu'elle s'entraînait au calcul mental, deux faits d'une grande importance s'imposaient bientôt à son esprit. Elle constata, d'une part, qu'elle calculait avec une extrême rapidité, et, d'autre part, qu'elle conservait en mémoire le souvenir des nombres qu'elle avait manipulés mentalement. Cette seconde remarque l'incita à orienter son entraînement dans un autre sens. Elle cessa de s'initier au calcul proprement dit et chercha à retenir des nombres de plus en plus grands. A partir de ce moment ses progrès furent extrêmement rapides, de sorte qu'elle put, selon son secret désir, s'exhiber en public. Elle perfectionna ses aptitudes, apprit par cœur une masse colossale de nombres qu'elle calculait, plume en main : les puissances des nombres de 1 et 2 chiffres, jusqu'à la 10ᵉ, les puissances des nombres de 3 chiffres jusqu'à la 7ᵉ ou 8ᵉ, le nombre d'heures, de minutes, de secondes suivant les âges, etc.

Dans ces conditions, son bagage numérique mental étant littéralement indestructible, Mˡˡᵉ Osaka put alors répondre immédiatement et sans erreur, dans le cadre de ses connaissances, à toute demande de puissances ou de racines ; il lui fut également possible de donner, avec la même facilité, le nombre de secondes vécues par une personne de tel ou tel âge. Quand elle veut se souvenir des nombres, elle les voit comme s'ils étaient extérieurs à elle. Recouvre-t-on un tableau de nombres et lui demande-t-on quel nombre est, par exemple, inscrit sur la cinquième ligne, Mˡˡᵉ Osaka, qui n'a fait qu'entendre l'énoncé des chiffres, voit instantanément et nettement tous les nombres du tableau. Sa capacité de les retenir est si grande qu'elle peut les donner soit normalement, soit en commençant par leur fin, et cela avec la plus grande aisance. Les expériences suivantes, réalisées à l'*Institut Métapsychique International* par le Dr Osty, et auxquelles nous avons assisté, donnent une idée des extraordinaires possibilités mnémoniques de Mˡˡᵉ Osaka.

Le Dr Osty demande le carré de 97, puis la 10ᵉ puissance de ce nombre, ce que la calculatrice donne instantanément. Ensuite, il demande la racine 6ᵉ de 402 420 747 482 776 576, puis la racine carrée du même nombre, ce qui est énoncé aussitôt et sans erreur. Cela fait, il écrit à sa fantaisie, et à l'abri de tout regard, une succession de cent chiffres et les énonce à la cadence approximative d'un chiffre par seconde. Mˡˡᵉ Osaka les redit dans l'ordre de leur énoncé. Quarante-cinq minutes après et alors que Mlle Osaka a effectué un grand nombre d'exercices arithmétiques, elle redit les cent chifres, à la demande du Dr Osty, en commençant par la fin.

Ces expériences apparaissent véritablement prodigieuses lorsqu'on songe que leur exécution repose sur une colossale mémoire des nombres. Retenir d'une façon hallucinatoire des milliers de nombres formés chacun de 15, 20, 30 et jusqu'à 40 chiffres, les faire surgir instantanément et d'une manière impeccable des cryptes de la subconscience, voilà une opération proprement effarante, a priori invraisemblable.

Remarquons que certains sujets, doués d'un étonnant pouvoir de réintégration, peuvent être dépourvus d'intelligence véritable.

Ainsi, en psychiatrie, on cite le cas de cet idiot lamentable qui pouvait répéter, mot pour mot, des prêches entiers dont il ne comprenait pas le sens. De même, Taine rapporte, dans l'un de ses ouvrages, quelques faits d'hypermnésie, et, en particulier, celui, désormais classique, d'une servante illettrée, qui, parfois, se mettait à réciter des morceaux entiers de latin, de grec et d'hébreu, qu'à l'âge de neuf ans elle avait entendu prononcer sans y prêter attention, par son oncle, pasteur fort érudit. Dans ce cas, un élément psychique tend à reconstituer automatiquement dans la conscience l'état total dont il a fait antérieurement partie.

Volontés exceptionnelles

Si l'on rencontre des hommes pourvus d'une forte volonté dans toutes les branches de l'activité humaine, celle du sport y compris, c'est particulièrement parmi les « meneurs d'hommes » que l'on trouve des volontés exceptionnelles. A cet égard, les pages de l'histoire sont remplies d'exemple de leur influence dominatrice, qu'il s'agisse d'Alexandre qui, parti d'une situation inférieure, s'éleva au sommet de la puissance, de Louis XI, de Sully, de Richelieu, d'Olivier Cromwell, de Colbert, de Washington, de Napoléon Ier, d'Hidalgo de Morelos, de Bismarck, de Clemenceau, de Churchill, de Staline, d'Hitler, de Franco, de

Mussolini, d'Adenauer, du Général de Gaulle, de Tito, de Mao, et de combien d'autres. Tous ces hommes étaient, à des titres divers, et quel que fût leur but, avoué ou secret, légitime ou non, pourvus d'une forte volonté, innée ou acquise, qui leur a permis de dominer les autres hommes, et, par voie de conséquence, d'orienter ou de diriger les événements. De même, mais dans un autre mode d'activité humaine, les Newton, les Laplace, les Boucher de Perthes, les Pasteur, les Charles Richet, les Einstein, qui, par leur travail obstiné, ont mis à jour certains secrets de la nature, et qui, pour imposer leurs conceptions, ont généralement dû combattre les opinions régnantes et adverses du moment, étaient des hommes volontaires et souvent courageux.

Mais ce n'est ni des uns ni des autres que nous parlerons ici car ils appartiennent à l'Histoire de sorte que leur vie est bien connue. En revanche, Helen Keller et Jacques d'Arnoux, souvent ignorés, retiendront notre attention d'autant plus que leur cas est particulièrement poignant et significatif.

Mark Twain a dit d'Helen Keller que sa prodigieuse volonté devrait la faire classer parmi les héros de l'histoire. Elle perdit la vue et l'ouïe dès l'âge de dix-neuf mois et devint ainsi à la fois aveugle, sourde et muette. Néanmoins, elle parvint, à force d'énergie, à s'échapper de sa triple prison sensorielle, à apprendre l'anglais, le latin, le grec, l'allemand, le français, et à couronner ses études par les diplômes de docteur en philosophie, ès lettres et ès sciences.

A vrai dire, elle fut aidée dans cette extraordinaire épopée par une femme courageuse et habile, miss Ann Mansfield Sullivan, jeune institutrice irlandaise de Boston, spécialisée dans l'éducation des aveugles et qui avait été elle-même guérie d'une longue cécité. C'est par le toucher qu'elle ouvrit à Helen les portes du monde.

A sept ans, Helen est d'une ignorance totale, elle ne sait même pas que les objets ont un nom. Elle a cependant découvert que les gens communiquaient entre eux par un moyen qui lui était inconnu : « en remuant les lèvres ». Dès lors, lui vient un sens vague de son dénuement, et elle en souffre cruellement dans sa conscience obscure. Seule, Mme Keller peut se faire comprendre de la pauvre enfant, mais ce n'est que pour les choses élémentaires qui relèvent plus de l'instinct que de la raison.

Enfin, on a trouvé une institutrice pour Helen, et, par un beau matin de printemps, miss Ann Mansfield Sullivan arrive à Tuscambia. Son premier geste, tout de tendresse, marque déjà le don d'elle-même à l'enfant qu'elle a pour mission de faire revivre en quelque sorte. Elle se met à l'œuvre, non pas seulement avec dévouement, mais avec amour. Au début, elle se heurte aux plus grosses difficultés, mais elle possède, comme son élève, cette sorte d'énergie que les obstacles renforcent. En même temps qu'elle s'attache à dégager de sa gangue l'âme fruste de l'enfant, elle lui inculque, comme en un jeu, les premières connaissances.

Et ainsi la belle intelligence qui sommeillait dans l'enfant se développe par degrés. A mesure que son vocabulaire s'enrichit, son esprit s'aiguise, devient plus curieux, plus investigateur.

Dès l'âge de huit ans, elle pose des questions surprenantes : « D'où suis-je venue, où irai-je quand je mourrai ? » et prend l'habitude d'attribuer à la « Mère Nature » tout ce qu'elle sent au-dessus du pouvoir humain. Elle disait volontiers : « Mère Nature envoie le Soleil et la pluie pour faire pousser les arbres, l'herbe et les fleurs », ou encore « Je pense que le Soleil est le chaud sourire de la Nature et que les gouttes de pluie sont ses pleurs. »

Quand Helen Keller est parvenue à s'exprimer par l'écriture et l'alphabet manuel, elle apprend le langage articulé par l'examen, au moyen du toucher, des contractions de la gorge et des positions de la langue.

Elle entre alors au collège et y suit les mêmes cours que les jeunes gens qui voient et entendent. Miss Sullivan l'y accompagne, lui traduit les leçons des maîtres et doit s'assimiler elle-même les connaissances les plus variées afin de les transmettre à son élève.

Ses études terminées, elle emploie la plus grande partie de son activité à écrire des livres et des articles destinés à venir en aide aux aveugles.

« Ce qu'elle a été capable d'accomplir, en surmontant des difficultés inouïes, écrit Paul Sperry, fait naître en nous des dispositions à l'héroïsme. »

Jacques d'Arnoux, héros de la grande guerre de 1914-1918, qui a retracé dans son émouvant ouvrage : *Paroles d'un revenant* les étapes de sa résurrection vitale, doit être, autant que Helen Keller, qualifié de « héros de la volonté ».

Les reins luxés après une terrible chute survenue en combat aérien, la colonne vertébrale brisée, la moelle épinière gravement endommagée, dans l'impossibilité de faire de mouvement qui ne soit une torture, Jacques d'Arnoux prend la résolution de vivre et de guérir.

Il trouve le réconfort dans les *Pensées* de Lacordaire, et les éléments de sa guérison dans sa volonté surhumaine.

« Effort volontaire poussé jusqu'à la rage, écrit-il, voilà le premier, l'indispensable régénérateur du système nerveux. Il consiste à remonter le torrent de nos inclinations. C'est le sacrifice. Sacrifice en tisonnant nos langueurs, sacrifice dans la tentation en luttant sauvagement. La plupart du temps, nous n'agissons qu'avec le quart de notre puissance virtuelle... Mais pourquoi, seul, l'effort moral peut-il nous recréer ? parce que la réalisation spirituelle marque nos tissus d'une empreinte plus vive. Elle les électrise plus violemment et les rend plus aptes à recevoir d'autres courants. L'effort musculaire ou intellectuel a l'inconvénient d'être souvent automatique et de se contenter d'une partie de nos forces tandis que l'effort volontaire soulève les lames de fond et réclame la plénitude de nos énergies. »

Progressivement, Jacques d'Arnoux rééduque ses muscles, bien que chaque contraction, chaque mouvement, même minime, soit l'occasion d'une douleur plus grande. Mais il fait volontairement et patiemment cette contraction et ce mouvement pour ne pas permettre à la paralysie de s'installer définitivement. Parfois, il a des révoltes de volonté, des « furies », selon sa propre expression, qui, semble-t-il, exaltent ses fonctions organiques.

La sensibilité revient, la température normale se rétablit, et, après cinq ans de souffrances et de luttes, il quitte le *Val-de-Grâce* où il était hospitalisé.

On sait, d'autre part, que le champion cycliste Roger Rivière livra contre son corps meurtri un combat de ce genre.

Et il en a été de même pour Niki Lauda, ce champion

autrichien qui, après un terrible accident survenu à Nurburgring, très gravement brûlé au corps et au visage, participa néanmoins le 12 septembre 1976, soit trois semaines seulement après son accident, au Grand Prix d'automobile d'Italie à Monza, et cela à la stupéfaction admirative de ses pairs et de ses rivaux qui le qualifièrent de « revenant » et de « champion de la volonté ».

Le saviez-vous ?

— Démosthène bégayait lorsqu'il était jeune. La volonté de triompher dans un procès lui fit surmonter son défaut. Afin de bien articuler, il remplissait sa bouche de cailloux et cherchait à couvrir de sa voix le bruit de la mer. Il devint le plus grand orateur de l'antiquité grecque.

— Helen Keller, née le 27 juin 1880 en Alabama, est décédée le 1er juin 1968, à près de quatre-vingt-huit ans, en sa résidence d'Easton dans le Connecticut (U.S.A.). Auteur de nombreux ouvrages, son livre le plus connu, l'*Histoire de ma vie,* est la véritable Bible d'une volonté et d'un courage surhumains. Profondément spiritualiste elle a écrit, dans un autre livre, *Ma religion :* « On ne devrait jamais oublier que la mort n'est pas la fin de la vie, mais seulement l'une de ses expériences les plus importantes. Dans le grand silence de mes pensées, tous ceux que j'ai aimés sur la terre, qu'ils soient proches ou éloignés, vivants ou morts, vivent et ont leur individualité et leur charme. »

Helen Keller était l'amie des présidents et des rois. Elle rencontra notamment Winston Churchill, Nehru, le président Kennedy et le président Eisenhower, dont elle toucha le visage de ses doigts sensibles et dont le sourire l'émerveilla.

L'histoire d'Helen Keller a été immortalisée à la scène dans la pièce *The Miracle Worker* qui fut l'un des grands succès de Broadway en 1960 et fut par la suite adaptée à l'écran. Helen Keller avait été honorée au cours de sa vie de nombreuses décorations et avait reçu en 1952 la croix de chevalier de la Légion d'honneur.

— La danseuse Ella Bogval, d'origine polonaise, et alors âgée de vingt ans, a reçu, en 1958, le prix de « Visa pour l'Espoir » dont le but est de récompenser un homme ou une femme de moins de vingt-cinq ans dont la vie a été un exemple de volonté. Orpheline à trois ans dans une Pologne dévastée, toute sa famille exterminée à Auschwitz, Ella Bogval doit lutter seule pour subsister. La guerre est à peine terminée qu'il lui faut passer dix-huit mois dans un sanatorium. Enfin, à dix ans, elle réussit à venir en France où elle apprend la danse.

— Rien n'a arrêté le chef d'État israélien Golda Meir, désignée souvent sous le nom de « Mère Courage ». Ni ses parents, qu'elle quitta à quinze ans parce qu'ils lui interdisaient d'entreprendre des études d'institutrice. Ni les éléments ligués contre elle, lorsque, émigrant en 1921 vers la « terre promise », elle survivra, sur un vieux rafiot, à la tempête, à un incendie, à la pénurie de vivres, à une mutinerie et au suicide du capitaine. Installée dans un kibboutz près de Nazareth, Golda Meir défriche, enlève les cailloux, bine, sarcle, élève des poulets. Ayant déménagé en ville pour faire plaisir à son mari, elle fait des lessives pour vivre tout en passant ses nuits à militer.

Puis, après bien des avatars, c'est son ascension politique : ambassadeur en Union soviétique en 1948, puis ministre du Travail, ministre des Affaires étrangères et enfin Chef du gouvernement en 1969. Alors qu'à plusieurs reprises on l'avait donnée pour mourante, elle fait savoir que « c'était de ne pas être premier ministre qui la rendait malade ».

En fait, depuis 1960, elle se savait atteinte d'une forme chronique de leucémie, mais elle garda le silence sur la gravité de son mal durant les quatre années pendant lesquelles elle dirigea les destinées de son pays.

Hospitalisée le 28 octobre 1978 pour un déplacement de vertèbres, des complications apparurent bientôt sous la forme d'une hépatite virale et elle s'est éteinte le 8 décembre 1978 à l'âge de quatre-vingts ans.

LES PHÉNOMÈNES PARAPSYCHOLOGIQUES

LES MÉDIUMS

Dans la doctrine et le langage spirites, les médiums sont des intermédiaires entre les hommes et le monde des esprits. Du point de vue métapsychique et parapsychologique, ce sont des sujets capables de produire des phénomènes paranormaux ou présumés tels.

On les divise en deux grandes catégories : les médiums à effets intellectuels et les médiums à effets physiques ou matériels.

Les premiers paraissent posséder à un degré élevé le don de voyance, c'est-à-dire la possibilité de prendre connaissance, d'une manière non sensorielle, soit de pensées normalement inaccessibles à l'esprit, soit de choses sensibles, soit d'événements à venir. Ce sont les télépathes, les clairvoyants, les radiesthésistes et les précognitifs.

Les seconds auraient essentiellement la faculté de produire des télékinésies, c'est-à-dire des mouvements d'objets, à distance et sans contact, et des ectoplasmies qui semblent être la formation paranormale, la matérialisation d'objets, de figures, d'organes isolés, d'animaux, d'êtres complets humains ou humanoïdes. D'où ces deux catégories essentielles de médiums à effets physiques : les télékinésistes et les téléplastes.

En outre, en ces dernières années, et avec des sujets tels que Uri Geller et Jean-Pierre Girard, est apparue une médiumnité très particulière permettant de modifier des structures matérielles généralement métalliques.

Les hommes-phénomènes

Notons au passage que la plupart des parapsychologues désignent les phénomènes paranormaux par la lettre grecque *psi,* ceux-ci se subdivisant en faits *psi-gamma* (phénomènes subjectifs) et en faits *psi-kappa* (phénomènes objectifs).

Les télépathes

Sans préjuger la nature exacte et le mécanisme intime de la télépathie (du gr. *têle,* au loin, et *pathos,* affection), il est permis de dire qu'elle est une communication de pensée s'établissant, en dehors de sens habituels, entre deux ou plusieurs individus. Elle peut être spontanée ou provoquée, et, en cette seconde occurrence, il ne faut pas la confondre avec la transmission de pensée truquée qui est présentée dans les salles de spectacle grâce à divers procédés et, en particulier, au moyen de codes, c'est-à-dire à l'aide d'une sorte de sténographie parlée [1].

Les voyantes professionnelles sont souvent des sujets télépathes remarquables ainsi que nous l'avons maintes fois constaté [2].

Ainsi, un matin, ayant examiné une épreuve photographique, malheureusement pas très nette, destinée à illustrer mon ouvrage *Cycles et Rythmes* et représentant la nébuleuse spirale Messier 51 des Chiens de Chasse, je pense à peu près ceci : « C'est ennuyeux, cette épreuve est un peu floue et ressemble à la nébuleuse d'Orion plutôt qu'à une Spirale. » Je fais part de cette réflexion à ma femme.

L'après-midi, un peu obsédé par cette idée, je me rends à l'*Institut Métapsychique International (I.M.I.)* où mes collègues et moi devions étudier quelques voyants. Or, à peine étais-je entré dans le grand salon de l'Institut, où avaient lieu les expériences,

1. Nous avons minutieusement décrit les expériences de télépathie et de connaissance paranormale truquées dans nos ouvrages : *Les Dessous de l'Impossible,* Paris, 1972 ; *La Prestidigitation à la portée de tous,* Paris, 1977.

2. Nous employons le terme « voyante » de préférence à celui de « voyant » parce que la profession d'augure est surtout tenue par les femmes ; il y a, en effet, d'après les statistiques, 29 voyantes contre 1 voyant.

que l'une des voyantes, Mme Mancell, se tourne vers moi et me dit spontanément : « M. Tocquet, vous avez ce matin regardé une photographie de la nébuleuse d'Orion. »

Au cours d'une autre séance, Mme Maire, qui est également une voyante professionnelle, a nommé le signataire d'une lettre que j'avais préalablement prise au hasard dans mon courrier et placée dans mon portefeuille, puis, Mme Mancell a indiqué l'origine de cette lettre : les Éditions Calmann-Lévy.

Si ce genre de télépathie, réalisé avec des sujets professionnels, n'est pas absolument rare, en revanche, les réussites en télépathie expérimentale ou provoquée sont moins fréquentes. Cela tient essentiellement à ce que les personnes spécialement douées sont peu nombreuses et que le phénomène lui-même est sporadique. Néanmoins, si on soumet les résultats positifs au calcul des probabilités, on constate que, dans leur ensemble, ils ne sont pas dus au hasard et que, par conséquent, la télépathie peut être considérée comme un phénomène réel.

Le principe des expériences est le suivant : une personne, que l'on appelle l'agent, s'efforce de transmettre une pensée à une seconde personne qui est le percipient. Parmi les innombrables expériences de transmission de pensée, les plus importantes sont dues en France à René Warcollier, président de l'*Institut Métapsychique International,* à Mme Yvonne Duplessis, à Bertrand de Cressac, à René Hardy, au Dr Barry, et, à l'étranger, au professeur Rhine, au Dr Soal, au professeur L.-L. Vassiliev et au physiologiste Stephane Figar.

Dans les expériences de notre regretté ami René Warcollier (celui-ci est décédé en 1962), l'agent ou les agents s'efforçaient de communiquer leur pensée à un percipient ou à des personnes en attente en quelque point de la France ou de l'étranger. On essaya de transmettre des images visuelles (cartes à jouer, mots imprimés, dessins coloriés ou non, nombres, points de dominos, etc.), des idées exprimées par un texte court, des attitudes. En certaines séances, René Warcollier obtint jusqu'à 20 à 30 p. 100 de réussites, mais, en règle générale, l'image reçue télépathiquement n'était pas la réplique exacte de l'image transmise. Ainsi, l'agent ayant envoyé l'image d'une tête de nègre au bout d'une pique, ce fut l'idée de guerre qui fut captée. De même, à propos de Socrate, ce fut l'idée de la Grèce Antique qui germa dans l'esprit du percipient. Enfin, au cours d'expériences relativement récentes, R. Warcollier ayant examiné la photographie d'un gratte-ciel américain puis percé des trous avec une épingle selon les lignes de démarcation des étages et le long des parois verticales de l'édifice, l'un des percipients, Mme T., placée dans une pièce voisine, écrivit : « échelle de corde ». Effectivement, le pointillé ajouré de R. Warcollier avait l'aspect d'une échelle.

Il se produit aussi très souvent des phénomènes de dissociation suivis d'une synthèse. Ainsi, M. Archat dessine un ballon dirigeable. René Warcollier, situé dans une autre pièce, dessine successivement une sorte de bielle et de vilebrequin, puis une hélice, et, enfin, un ballon dirigeable. Parfois, cette dissociation est accompagnée de la multiplication d'un élément ou de plusieurs éléments du dessin. L'agent essaie, par exemple, de transmettre l'image d'un œil dans un triangle ; le percipient dessine le triangle et l'entoure d'un certain nombre de petits cercles représentant la pupille.

Le plus souvent, les réussites télépathiques sont intimement mêlées d'associations d'idées comme si, écrit R. Warcollier, « le percipient soulevait maille à maille la chaîne associative pour en tirer l'impact télépathique enfoui dans le subconscient ».

C'est ce que l'on peut constater dans l'expérience suivante :

« Le 26 mars 1960, note R. Warcollier, je choisis comme message à Courbevoie, à 10 km de l'*Institut Métapsychique International,* un buste de Beethoven, de 17 h à 17 h 5 mn. »

« Mme T. écrit à Paris : carnet rouge, odeur de cuir, un miroir, la scène des bijoux de Faust, des notes de musique sur une portée, le *buste de Beethoven.* »

Actuellement, ce genre d'expériences est repris à l'*Institut Métapsychique International* par quelques parapsychologues, et, en particulier, par Mme Yvonne Duplessis et Mlle Pellisson, l'une et l'autre professeur de philosophie. De leur côté, Henri Marcotte et Christian H. Godefroy ont, selon des méthodes différentes, proposé des méthodes d'entraînement télépathique.

Le vicomte Bertrand de Cressac, partant d'une idée de René Warcollier, le jeu de la rencontre télépathique, a, selon ses propres termes, « proposé une démonstration expérimentale de la télépathie ». L'agent et le percipient disposaient chacun d'un jeu de quatre séries de couleurs différentes (noir, bleu, jaune, rouge), de 10 cartes comportant des dessins spécialement étudiés pour la rencontre télépathique.

L'agent choisissait une des séries et essayait de la transmettre au percipient qui, en ce qui le concerne, mettait de côté, et à son choix, ou plus exactement selon son inspiration, 10 cartes de son jeu. Mille essais furent ainsi réalisés et B. de Cressac observa, avec 57 sujets, 358 coïncidences parfaites, alors que le calcul en prévoyait 249, et 3 350 rencontres de couleurs au lieu de 2 500 que donnait la loi des grands nombres. Il s'était donc produit des phénomènes de télépathie au cours de l'expérimentation.

Les expériences du professeur Rhine, dites d'E.S.P. (Extra Sensory Perception), réalisées au laboratoire de parapsychologie à l'*Université Duke* à Durham (Caroline du Nord), furent essentiellement quantitatives et basées sur la statistique et le calcul des probabilités. Un jeu de cartes (cartes du Dr Zener) a été utilisé : 5 portent un cercle, 5 un carré, 5 une croix, 5 une étoile et 5 une vague (lignes ondulées). L'agent a en main un tel jeu battu à l'aide d'une boîte spéciale. Il regarde la première carte, puis la seconde et ainsi de suite. De son côté, le percipient cherche à visualiser l'un des cinq schémas qui lui vient à l'esprit. L'expérience terminée, les coïncidences sont soulignées et additionnées au bas d'une feuille sur laquelle on peut enregistrer 10 expériences de 25 cartes. Sur de grandes séries, comprenant par exemple quelque 50 000 essais, la possibilité moyenne de rencontres, dues au hasard, est de 5 pour 25. Or, Rhine et ses collaborateurs ont obtenu 7 et même 10 rencontres. Une jeune fille, étudiée par le professeur B. Riess, du *Hunter College* de New York, parvint à deviner en moyenne 18 cartes du jeu. Au cours d'un essai, elle alla jusqu'à identifier la totalité de 25 cartes, mais ajoutons immédiatement que le résultat est absolument exceptionnel.

Un phénomène très curieux, appelé l'effet de déclin, s'observe dans ces expériences : après un certain nombre de réussites, les résultats deviennent négatifs comme si la faculté télépathique présentait une sorte de fatigue, d'où la nécessité d'opérer sur de courtes séries séparées par des intervalles de repos.

En fait, on observe trois types de déclins : au cours d'une série, au cours d'une suite d'expériences, dans le courant de la carrière d'un sujet. En ce qui concerne cette dernière occurrence, on a souvent noté que la plupart des sujets les plus doués perdent généralement leurs facultés d'E.S.P. après un lent déclin.

Dans une série d'essais il existe d'ailleurs une variante de cette règle appelée salience. Les résultats vont en déclinant puis le score augmente dans les dernières séries. L'ensemble de l'expérience, si on en faisait un graphique, présenterait une courbe en U.

On a avancé deux causes différentes, mais qui se complètent probablement, pour expliquer le phénomène de déclin lequel s'observe non seulement dans les tests de télépathie mais aussi dans ceux de clairvoyance, de prémonition et de psychokinésie : d'une part, l'ennui, le manque d'intérêt provoqué par la monotonie des expériences, et, d'autre part, le fait que, depuis quelques années, la recherche de l'E.S.P. n'est plus aussi chargée d'émotion. Comme le note justement D. Scott Rogo, « les sujets doués éprouvent moins le besoin de manifester leur E.S.P. puisqu'il y a moins de sceptiques à convaincre ».

Les expériences de S.G. Soal, qui lui valurent le titre de docteur ès sciences de l'*Université de Londres,* rappellent celles de Rhine, mais elles sont caractérisées par leur extrême rigueur, par le fait qu'elles furent soumises à de pénétrantes analyses mathématiques et par cette circonstance que certains sujets devinaient de préférence la carte qui suivait ou qui précédait celle sur laquelle l'agent concentrait sa pensée. A vrai dire, les expériences de Soal ont été récemment critiquées, mais nous estimons que les reproches qui ont été formulés n'ont pas de fondement solide.

Avec l'ingénieur René Hardy, également de l'I.M.I. et décédé il y a quelques années, nous abordons une technique différente des procédés que nous venons de décrire.

Pour mettre en évidence le phénomène télépathique, René Hardy a, en effet, utilisé un appareil constitué essentiellement d'un panneau vertical sur lequel est dessinée une couronne divisée en cinq secteurs égaux peints chacun d'une couleur différente : bleu, vert, jaune, mauve et rouge. Derrière le panneau, se trouve un moteur électrique qui entraîne dans un mouvement discontinu une aiguille placée sur la face antérieure, et cette aiguille peut être arrêtée dans son mouvement à l'aide d'un interrupteur.

Voici comment on utilise l'appareil. Le sujet choisit une couleur, la verte par exemple, et s'enferme dans une pièce où est placé l'interrupteur. Dans une autre pièce, est installé le cadran en face duquel se trouvent plusieurs personnes. Elles suivent le mouvement de l'aiguille, et, chaque fois qu'elle passe sur la couleur choisie, le vert en l'occurrence, elles incitent mentalement le sujet à appuyer sur l'interrupteur. En revanche, elles restent passives quand l'aiguille n'est plus sur cette couleur. La position de l'aiguille, arrêtée dans son mouvement à chacun des contacts, est notée par un expérimentateur, ou, mieux, fixée sur un cliché photographique ou sur un film cinématographique.

Les expériences, qui eurent lieu à l'*Institut Métapsychique International*, furent hautement significatives. En effet, dans une première série de 100 expériences, le calcul montra qu'il n'y aurait qu'une chance sur cent millions pour que le résultat global soit dû au hasard, et, dans une seconde série de 200 expériences, cette probabilité fut de une chance sur cinquante millions. Autrement dit, nous avons la certitude mathématique que la télépathie est intervenue dans les expériences effectuées avec l'appareil René Hardy. Voici, par exemple, ce qu'a donné la première série d'expériences :

Couleur choisie	*Nombre d'expériences*	*Moyennes probables*	*Résultats*	*Écarts*
Mauve	17	85	109	+ 24
Rouge	23	115	142	+ 27
Bleu	26	130	146	+ 16
Vert	23	115	148	+ 33
Jaune	11	55	72	+ 17
	100	500	617	+ 117

Notons que, dans ce tableau, la seconde colonne indique le nombre d'expériences effectuées, avec les différentes couleurs, une expérience comportant 25 essais, que la troisième colonne donne les moyennes probables, les nombres qu'elle renferme étant obtenus en multipliant par 5 les nombres correspondants de la deuxième colonne, car il y a 5 couleurs différentes donc 5 éventualités, que la quatrième colonne indique les résultats obtenus, et, enfin, que la cinquième colonne fournit l'écart entre le résultat réel et celui qui aurait été obtenu si le hasard était seul entré en cause. Ainsi, le rouge est sorti 27 fois de plus que sous l'effet du hasard.

Signalons que René Hardy a, quelques années avant sa mort, construit un appareil très perfectionné à cadran électronique. Les secteurs colorés, bleu, rouge, vert, jaune, mauve sont illuminés et changent de place, en position angulaire, après chaque contact sur l'interrupteur, et, par conséquent, après chaque essai du sujet. De la sorte, celui-ci n'est pas tenté, consciemment ou inconsciemment, de suivre un rythme quelconque au cours des expériences.

En outre, la caméra cinématographique est supprimée et remplacée par des compteurs électroniques à chiffres apparents qui indiquent tous les résultats et permettent la notation rapide et l'exploitation correcte des informations obtenues.

Le pléthysmographe et la télépathie

Si nous réservons un paragraphe spécial à la pléthysmographie, c'est parce que l'emploi du pléthysmographe en télépathie s'éloigne considérablement de l'expérimentation dont nous venons de parler, et, d'autre part, parce qu'il a permis de constater ce fait, ignoré jusqu'alors, que, fréquemment, le percipient reçoit l'information télépathique sans en prendre conscience.

On sait que les pléthysmographes (du gr. *plethusmos,* augmentation, et *graphê,* écriture) sont des appareils destinés à mettre en évidence les variations de volume d'un organe sous l'influence de la circulation. De tels appareils sont utilisés pour le rein, la rate, le foie, la glande thyroïde, les membres, etc. L'appareil dont il est question ici est un pléthysmographe digital.

C'est dès 1958 que le physiologiste et parapsychologue tchécoslovaque Figar a employé le pléthysmographe pour détecter les réactions télépathiques entre deux sujets assis à quelques mètres l'un de l'autre et se tournant le dos. Figar proposait à l'un des sujets (l'agent) un calcul mental tel que la multiplication de deux nombres de deux chiffres. Le travail intellectuel effectué provoquait, par suite de la constriction des vaisseaux sanguins, et c'est tout naturel, une chute du tracé pléthysmographique, mais, ce qui est remarquable, c'est que la même chute se produisait, avec un léger retard, sur le pléthysmographe de l'autre sujet (le percipient) qui n'effectuait aucun travail de calcul. Le fait fut observé dans 33 p. 100 des expériences effectuées et il fut beaucoup plus fréquent entre certains couples que d'autres. En outre, la chute simultanée des deux tracés pléthysmographiques fut également constatée sans que l'un des sujets se livre à des calculs. Si l'un d'eux avait une réaction pléthysmographique spontanée provoquée, sans cause psychique apparente, par une constriction des vaisseaux, la même réaction se produisait chez l'autre sujet.

Mais voici qui est plus étonnant encore : le Dr Jean Barry, qui est le créateur et l'animateur du *Laboratoire de Parapsychologie Expérimentale à Bordeaux,* a réalisé avec succès des expériences pléthysmographiques à grande distance.

« L'ensemble de l'expérimentation, écrit-il, a comporté 10 séances de transmission où l'agent était Jean Barry, en son laboratoire de Bordeaux, et le percipient M. Douglas Dean, au *New York engineering College* dans le New Jersey, aux U.S.A. »

L'agent, le Dr Barry, installé dans une pièce calme, assombrie par d'épais rideaux, émettait à des intervalles réguliers des messages télépathiques. Une montre-chronomètre lui permettait de vérifier le temps s'il le désirait.

Le percipient, Douglas Dean, était étendu dans son bureau, le pléthysmographe branché sur son doigt. Il avait, près de lui, une montre-chronomètre et divers appareils destinés à enregistrer ses impressions.

S'il connaissait l'heure du départ de l'expérience, il ignorait totalement le moment exact de la transmission de l'information télépathique.

Néanmoins, presque immédiatement après l'envoi, par le

Dr Barry, de ses messages télépathiques, il se produisait très souvent une chute dans le tracé pléthysmographique de Douglas Dean.

Les expériences, menées avec le plus grand soin, ayant été ainsi couronnées de succès, il s'avère, comme le souligne le Dr Barry, que « les communications télépathiques sont possibles entre deux continents ».

Et cette conclusion est d'une importance capitale car elle permet de poser avec précision le problème, jusqu'alors non résolu, relatif à la nature intime de la transmission télépathique : a-t-elle pour agent et pour support une onde électro-magnétique, ou existe-t-il, derrière le phénomène télépathique, une autre forme d'énergie capable de se propager à de très grandes distances et encore inconnue de la science ? C'est ce qu'un proche avenir nous apprendra peut-être.

En tout cas, si cette seconde hypothèse se révèle exacte, sa mise en évidence sera, à notre avis, et ainsi que le pense le professeur J.-L. Vassiliev, qui a réalisé des expériences analogues aux précédentes, aussi importante que la découverte de l'énergie nucléaire.

Les clairvoyants

La voyance, appelée aussi clairvoyance dans le langage courant, est généralement désignée par les métapsychistes sous le nom de métagnomie (du gr. *meta,* au-delà, et *gnomê,* connaissance).

C'est la connaissance paranormale soit de choses sensibles à l'esprit, soit d'événements à venir. Elle peut donc être à objectif matériel, et, dans ce cas, elle est la détermination paranormale de réalités cachées telles que écrits, dessins, cartes à jouer. Elle peut être rétrospective, et elle s'applique alors au passé d'un individu ou d'une collectivité. Parfois, elle s'apparente à la télépathie. Enfin, elle est prémonitoire lorsqu'elle s'exerce vers le futur.

Examinons ici la voyance à objectif matériel, et, à cet effet, relatons d'abord des expériences effectuées avec le Polonais Stephan Ossowiecki et avec l'Allemand Ludwig Kahn, d'origine israélite.

Moine fantomatique
apparu dans
un ancien prieuré.
Le film
a été développé
par l'auteur
du film.

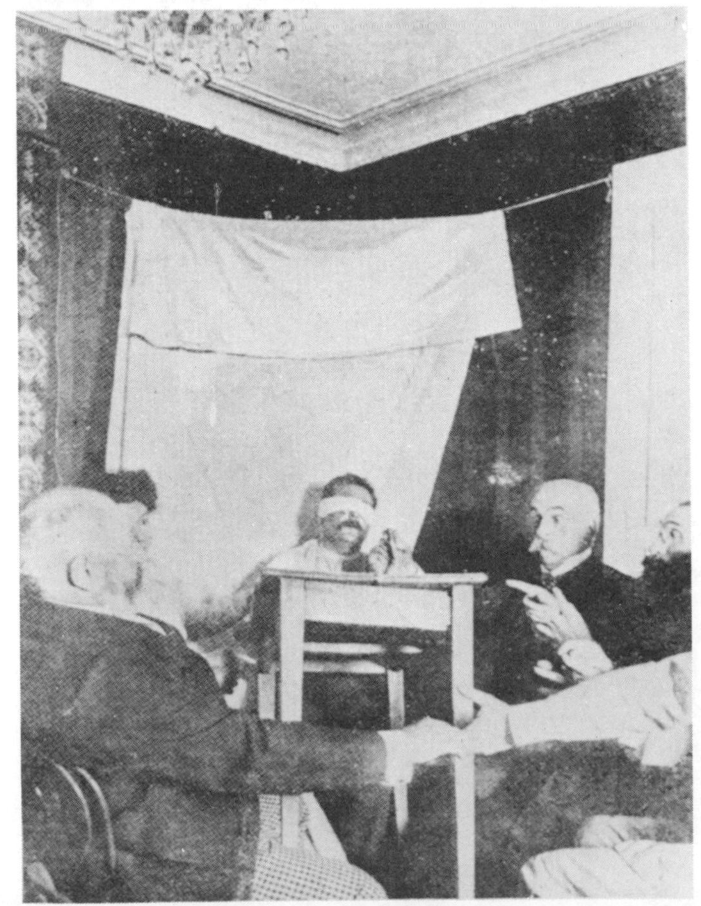

Expériences de l'Institut général psychologique avec Eusapia Paladino. Lévitation complète d'une table. De g. à dr. : MM. Debierne, Branly, Youriévitch, Ochorowicz. Eusapia, située contre les rideaux du cabinet noir, n'est pas visible.

Lévitation très marquée d'une table. Médium Auguste Politi.

Peinture médiumnique réalisée par Augustin Lesage.

Dessin médiumnique de Pierre Maluc.

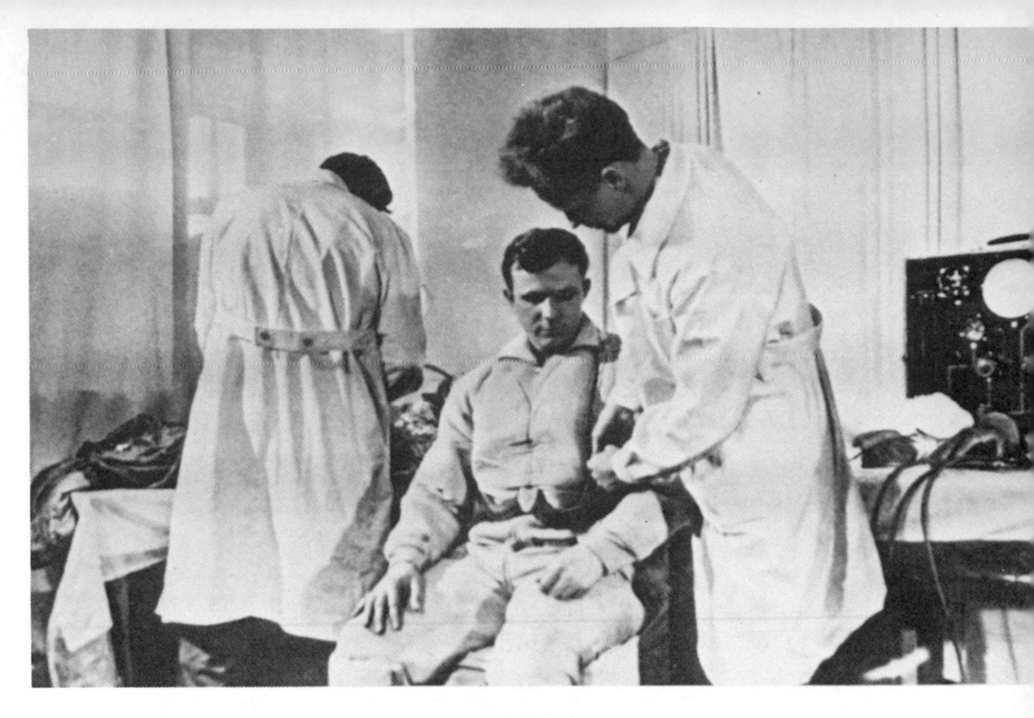

Le premier homme de l'espace. L'astronaute russe Gagarine peu de temps avant son départ dans le Cosmos. *(Ph. A.P.N.)*

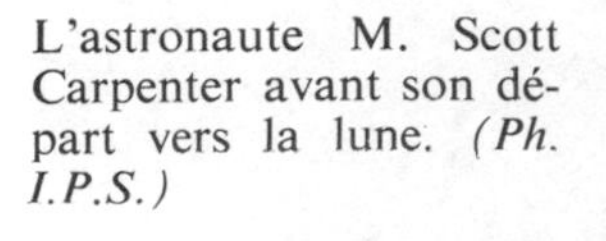

L'astronaute M. Scott Carpenter avant son départ vers la lune. *(Ph. I.P.S.)*

Un nain de vingt-quatre ans
(environ 0,90 m)
à côté du géant australien
Jimmy Duffy
(environ 2,45 m).
(Ph. Boyer-Viollet.)

Couple lilliputien allemand sortant de l'église Empereur-Guillaume à Berlin, après les cérémonies du mariage. *(Ph. Boyer-Viollet.)*

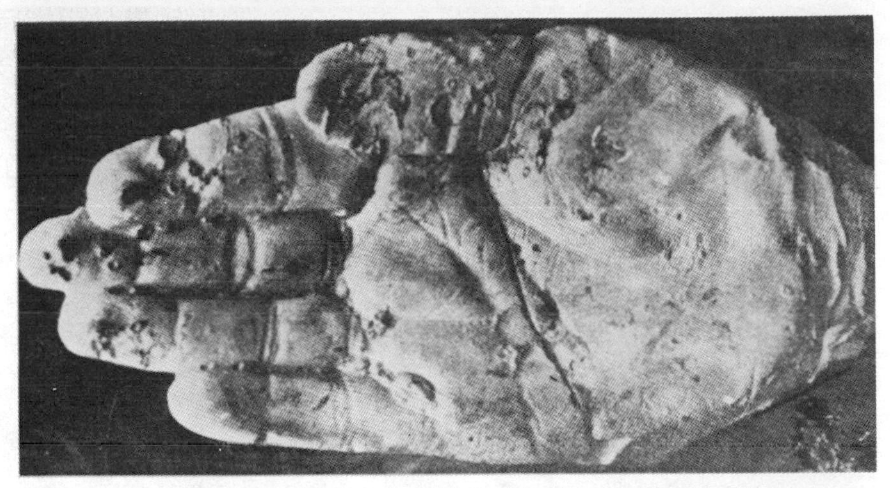

Gant de paraffinc obtenu grâce à la médiumnité de Franck Kluski.

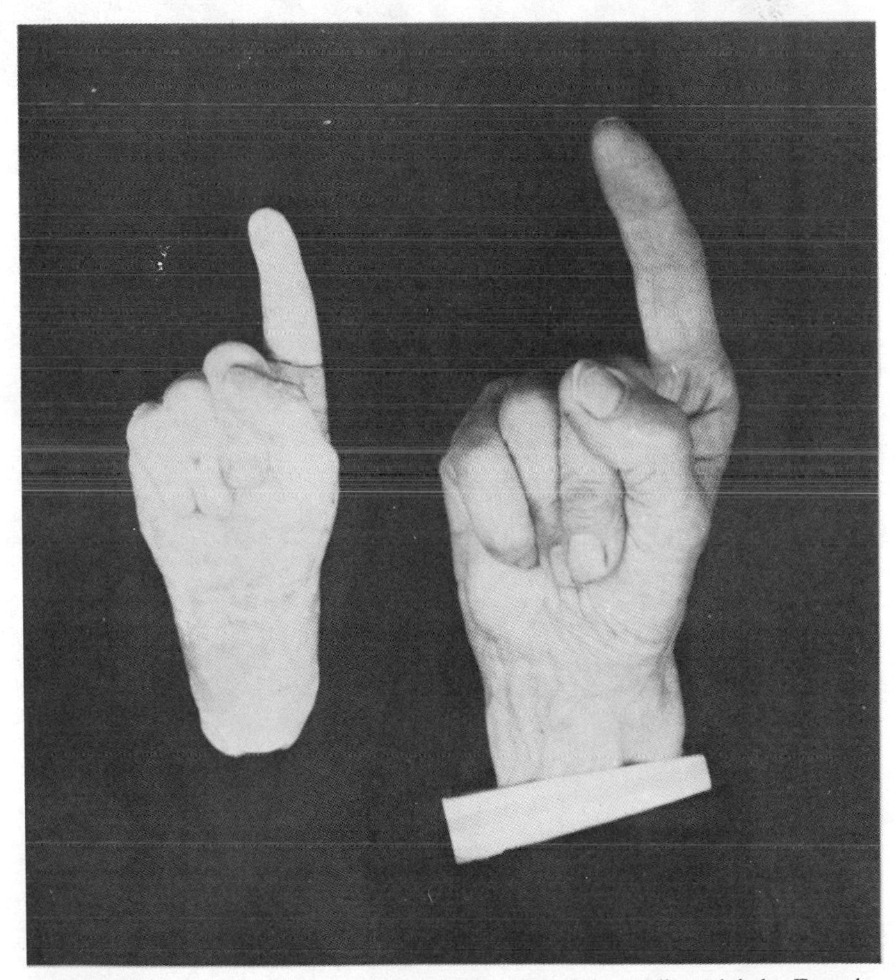

Moulage d'une main fantomatique obtenu grâce à la médiumnité de Franck Kluski. A droite, main de Robert Tocquet; à gauche, le moulage. Celui-ci, qui représente une main de femme, correspond, comme dimension, à la main d'un enfant de dix à douze ans, mais ses détails anatomiques sont ceux d'une main d'adulte. La position du pouce en crochet eût rendu impossible tout retrait d'une main normale du gant de paraffine.

Thérèse Neumann en extase versant des larmes de sang.

Les photos non signées relèvent de la collection de l'auteur.

Ces deux grands clairvoyants ont été étudiés naguère à l'*Institut Métapsychique International,* le premier par le Dr Geley, et le second par le Dr Osty, qui furent successivement directeurs de l'I.M.I.

Le Dr Geley remet une enveloppe cachetée à Stephan Ossowiecki et lui dit simplement qu'elle renferme une lettre de Mme de Noailles. Pendant tout le temps que dure l'expérience, l'enveloppe n'est pas quittée des yeux par les expérimentateurs. Ossowiecki la malaxe assez longuement, puis dit simplement :

« C'est quelque chose d'un grand poète français, c'est quelque chose de la nature. C'est une inspiration d'un grand poète français. J'aurai dit Rostand. Quelque chose de Chantecler. Quand elle parle de Chantecler, elle écrit quelque chose du coq. Il y a une idée de la lumière pendant la nuit. Je vois une grande lumière pendant la nuit... puis Rostand avec la belle poésie de Chantecler. »

Après quelque temps d'arrêt Ossowiecki ajoute :

« Les idées de la nuit et de la lumière ont été les premières avant qu'il y ait le nom de Rostand. J'ai encore quelque chose à dire à ce propos : il y a deux lignes, un mot, avec deux lignes en dessous. »

Or voici le libellé de Mme de Noailles :

C'est la nuit qu'il est beau de croire à la lumière. Edmond Rostand.

Vers qui se trouve dans « Chantecler » et prononcé par le coq.

Si, comme nous l'avons fait, on applique le calcul des probabilités à cette expérience, on trouve une probabilité de l'ordre de $\left(\frac{1}{10}\right)^{11}$, ce qui correspond à une certitude mathématique quant à la mise en jeu d'une faculté paranormale.

Ludwig Kahn possédait comme Ossowiecki la faculté de lire les écrits cachés. Le compte rendu de la séance du 3 mars 1925, séance analogue à beaucoup d'autres faites par Kahn, donnera une idée des extraordinaires pouvoirs du grand clairvoyant allemand.

« Nous sommes, écrit le Dr Osty, chez le professeur Charles Richet. Les expérimentateurs sont M. Daniel Berthelot, le général Ferrié, le professeur Charles Richet, père, le professeur Charles Richet, fils, le Dr Lassablière, chef de laboratoire de physiologie, M. Ripert, Mme Le Ber, le Dr Osty. »

Kahn demande que la séance ait lieu en deux parties avec un temps de repos intermédiaire, ce qui lui est accordé.

Première partie. — Les deux personnes chargées de réaliser l'expérience sont M. Daniel Berthelot et Mme Le Ber.

Kahn leur dit d'écrire un texte quelconque sur des morceaux de papier qu'ils plieront ensuite.

M. Daniel Berthelot et Mme Le Ber restent seuls dans le cabinet de travail du professeur Richet, cependant que tous les autres assistants, ainsi que Kahn, passent dans un salon voisin, séparé du cabinet de travail par deux portes fermées.

Kahn participe activement à la conversation. Il parle presque continuellement.

Pendant ce temps, M. Berthelot écrit sur deux morceaux de papier qu'il a apportés et Mme Le Ber écrit sur deux morceaux de papier pris sur la table de travail du professeur Richet, son père.

Lorsque les papiers sont écrits et pliés, M. Berthelot ouvre la porte du salon et prévient Kahn que tout est prêt.

M. Berthelot et Mme Le Ber ont chacun leurs deux papiers pliés tenus serrés dans leur main.

Kahn reste debout devant eux, à 1,50 m environ.

M. Berthelot réunit tous les papiers dans ses mains, les mélange, puis, au hasard, en donne deux à Mme Le Ber. Il s'ensuit que chaque expérimentateur a deux papiers dont il ignore les textes.

« Par quelle main voulez-vous que je commence ? » dit Kahn.

« Commencez par Mme Le Ber », répond M. Berthelot.

Mme Le Ber montre sa main gauche fermée.

Kahn demande à toucher ce premier papier. Il le fait rapidement du bout de l'index sans que Mme Le Ber lâche le papier, et, tout aussitôt, elle referme sa main.

Aucun des autres papiers n'est touché par Kahn et ne le sera dans la suite.

A peine son doigt est-il au contact du papier que Kahn s'écrie : « C'est fait !... ce papier n'a pas été écrit par vous, mais a été écrit par M. Berthelot... il y a vul... vulnant omnes... ultima necat. »

Le papier ouvert portait, écrit à l'encre par M. Berthelot : *Vulnerant Omnes, ultima necat.*

M. Berthelot n'ayant pas signalé l'erreur partielle à l'égard du mot *vulnerant,* Kahn ne l'a pas rectifiée, alors qu'il rectifie presque toujours les mots déformés quand on lui dit : « il y a erreur ».

« A quelle main maintenant ? » demande Kahn.

M. Berthelot montre sa main droite.

Tout aussitôt, Kahn dit : « il y a... Aris... Aristées panakaion ».

M. Berthelot déplie le papier contenu dans sa main droite et y trouve le texte qu'il avait écrit au crayon : *Aristées panakaion.*

Désignant ensuite la main gauche de M. Berthelot, Kahn dit sans délai et sans effort : « il y a écrit ici, par Madame, Poète prends ton luth ».

Enfin, montrant la main droite de Mme Le Ber, il dit : « Mieux vaut tard que jamais. »

Phrases que M. Berthelot et Mme Le Ber trouvent sur le papier que chacun d'eux déplie.

Deuxième partie. — Les professeurs Charles Richet, père et fils, sont désignés comme scripteurs.

Ils restent seuls dans le cabinet de travail. Kahn est emmené dans le salon et appelé peu de temps après.

Le professeur Richet père a écrit sur deux papiers, son fils sur un seul, sans se communiquer ce qu'ils ont écrit. Avant l'entrée de Kahn, ils ont plié, mêlé et distribué entre eux les papiers.

Le professeur Richet père tient un papier dans chaque main. Son fils en tient un seul dans sa main droite.

Kahn entre dans le cabinet de travail et demande à toucher le papier tenu par M. Richet fils, ce qu'il fait brièvement, sans que M. Richet cesse de tenir le papier.

A peine Kahn touche-t-il le papier qu'il dit : « Ce n'est pas vous qui avez fait cela... c'est votre père... il y a un dessin... c'est un grand S. »

M. Richet fils déploie le papier sur lequel figure effectivement un grand S dessiné par son père.

Kahn passe ensuite devant le professeur Richet père et dit, en montrant la main gauche du professeur : « Là, il y a un carré avec quelque chose au milieu comme un as de trèfle... non, c'est une petite croix. »

Le papier, déplié, présente, dessiné par le professeur Richet fils, un carré avec en son centre une petite croix.

Enfin, désignant la main droite du professeur Richet, Kahn dit : « Dans cette main, il y a aussi un dessin... c'est vous qui l'avez fait, il est trop compliqué pour dire ce que c'est, je vais vous le reproduire.

Prenant alors un morceau de papier sur la table du professeur, il exécute un dessin constitué par un carré surmonté d'un triangle et ayant un rond en son centre.

C'est exactement ce qu'avait dessiné le professeur Richet[1].

Venons-en maintenant aux expériences réalisées avec Mme Maire par le professeur René Dufour de l'*École Supérieure de Physique et Chimie,* par nous-même, et par le Dr Jean Barry. Les résultats obtenus avec ce sujet métagnome ne sont pas loin d'atteindre en qualité ceux que produisait Ossowiecki.

Voici d'abord deux expériences réalisées par René Dufour et auxquelles nous avons collaboré.

Un paquet de trente et un centimètres sur vingt-cinq est remis à Mme Maire. Sur l'une des faces du paquet est disposée une feuille de papier blanc ayant à peu près les mêmes dimensions, et l'on demande au sujet de dessiner sur le papier blanc ce qui se trouve dans le paquet, immédiatement au-dessous.

Seul, René Dufour sait ce qu'il y a dans le paquet. Mais, comme il l'a préparé hâtivement trois semaines auparavant, il n'a, au moment de l'expérience, aucune connaissance de l'orientation du contenu du paquet entre les mains de Mme Maire. Il semble donc que si celle-ci est capable de dessiner en grandeur et en orientation, à la façon d'un calque, ce qui se trouve dans le paquet, on pourra parler de clairvoyance pure.

Mme Maire dessine une série de lignes et de traits, écrit le mot « soufre », puis prononce les paroles suivantes :

---

1. Dans notre ouvrage : *La Prestidigitation à la portée de tous,* Paris, 1977, nous indiquons comment on peut truquer le phénomène.

« Photo, magnésium..., cela fait du bruit... Passage étroit qu'il faudrait élargir... je pense à une soupape... Il me vient un nom : Pierre... Je sens une odeur comme du soufre... Mais ce n'est pas du soufre, c'est une vapeur qui monte, puis disparaît. C'est un phénomène qui se produit. »

On ouvre le paquet : il contient une grande photographie sous verre représentant une éruption de la *Montagne Pelée* en 1929, analogue à celle qui détruisit Saint-Pierre de la Martinique en 1902 ; sous la photographie est placée une notice du minéralogiste H. Arsandaux, relative à cette éruption.

On constate alors que, sans changer l'orientation, le dessin de Mme Maire présente la même forme, la même disposition, la même orientation et presque la même dimension que le triangle curviligne ombré du premier plan de la photographie ; les deux images sont en partie superposables.

Enfin, les paroles prononcées par Mme Maire s'appliquent assez bien à la description de l'éruption. Au reste, le lendemain, en ouvrant la notice pour la première fois, R. Dufour retrouve tous les mots employés par la voyante.

L'expérience suivante est encore plus riche et plus significative.

Quelques jours avant cette expérience, René Dufour a fixé sur le fond d'une boîte à clichés photographiques, et à l'aide de papier collant, un briquet au ferrocérium. La boîte est hermétiquement fermée et une feuille de papier blanc est disposée sur son couvercle.

Cela étant, on demande à Mme Maire de dessiner sur le papier ce qui se trouve dans la boîte.

Ce qu'elle fait, et le dessin terminé représente effectivement le briquet, mais sous une forme en quelque sorte « vivante », car il évoque la tête d'un monstrueux insecte genre lucane.

De plus, Mme Maire inscrit avec décision dans le coin inférieur droit du papier les lettres G.P.

« Au premier moment, écrit René Dufour, les lettres G.P. ne nous suggéraient rien. Pourtant, le lendemain, un examen plus attentif nous fit discerner, sur l'estampille du briquet, les initiales entrelacées des Contributions Indirectes C.I., à gauche, et les mêmes initiales inversées, à droite, et, si on les compare avec les initiales données par Mme Maire, l'analogie est parfaite.

« La réussite est donc ici complète et les conditions de l'expérience nous inclinent à penser, pour cette dernière partie, à envisager un phénomène de clairvoyance pure. »

De notre côté, ayant remis à Mme Maire une boîte parfaitement close contenant un cendrier en terre cuite vernissée constitué par une coupe dans laquelle une oie plonge son bec, la voyante nous dit immédiatement :

« L'objet qui est dans cette boîte est une coupe en faïence surmontée d'une figurine, un canard ou une oie qui plonge son bec dans la coupe. »

Puis elle ajoute :

« Dans la coupe, se trouve un petit carré blanc. »

J'ouvre aussitôt la boîte et je fais constater aux personnes présentes que l'objet qu'elle renferme est très exactement décrit par Mme Maire, mais qu'il n'y a pas de carré blanc dans la coupe.

C'est alors que mon épouse, qui assistait à l'expérience, m'apprend qu'avant de me remettre le cendrier, elle avait retiré un petit carré de verre blanc qui se trouvait dans la coupe ; j'en ignorais personnellement l'existence.

Ainsi, Mme Maire avait « vu » une réalité physique qui n'existait plus au moment de l'expérience.

Et ce fait, en apparence minime en soi, est, en réalité, très important car il pose de nouveau, et comme nous l'avons déjà signalé, le problème de la démarcation entre la télépathie et la métagnomie.

Les expériences effectuées par le Dr Jean Barry avec Mme Maire sont quelque peu différentes des précédentes, car elles sont caractérisées par cette double circonstance qu'elles ont eu lieu à grande distance et que Mme Maire n'a jamais vu le Dr Barry.

Celui-ci demeure à Bordeaux cependant que Mme Maire habite la banlieue parisienne et les expériences furent réalisées entre Bordeaux et Paris, le professeur Dufour, jouant, à Paris, le rôle d'intermédiaire entre l'expérimentateur et la voyante.

Tous les jeudis, une personnalité bordelaise connue, un ami, un collaborateur du Dr Barry, au courant ou non de l'expérience, choisissait, dans l'une quelconque des pièces de la maison du Docteur, un objet qui devait être décrit ou dessiné par Mme Maire alors chez elle, à Maisons-Laffitte. L'objet était photographié et sa photographie était postée à l'adresse du professeur Dufour, qui, d'autre part, recevait par lettre la description ou le dessin de Mme Maire. La lettre arrivait chez René Dufour avant la photographie. Son contenu était photocopié et la photocopie était envoyée au Dr Barry. Photographie et photocopie se croisaient entre Bordeaux et Paris.

L'expérience ainsi conduite selon la méthode dite du « double secret », ou, comme on l'appelle parfois, « en double aveugle », exclut toute espèce de collusion entre le sujet et l'expérimentateur ou toute indication fournie plus ou moins inconsciemment par celui-ci.

Néanmoins, malgré ces conditions sévères et la grande distance séparant le sujet et l'expérimentateur, certains résultats obtenus furent remarquables.

Ainsi, le 2 novembre 1967, l'objet inducteur à détecter étant un panier à bois, Mme Maire dessina effectivement un panier à bois, mais y ajouta une anse supplémentaire.

Le 9 novembre, Mme Camiade, ancienne directrice d'école, est sollicitée pour choisir l'objet. Elle va dans le laboratoire du Dr Barry et rapporte un arrosoir. Mme Maire le dessine dans ses grandes lignes, mais, selon l'expression du Dr Barry, « le fait un peu pichet ». Elle ajoute au dessin : « appareil verseur ». Comme le dit le Dr Barry, « le coup est bon ».

De même que dans les expériences de télépathie, Mme Maire dessine ou décrit parfois l'objet situé juste à côté de l'objet inducteur ; ou, encore, en interprète la forme et quelquefois joue involontairement sur les mots. C'est ainsi que, le 31 août 1967, l'objet inducteur étant un fossile en forme de faucille, Mme Maire dessine une faucille.

Enfin, voici, à notre avis, le fait le plus extraordinaire de cette série d'expériences. Le 17 mars 1967, l'objet inducteur étant une statuette placée à côté d'un autre objet en matière dorée représentant une femme désignée la « femme Héron » par le Dr Barry, Mme Maire dessine une sorte de carcasse ou d'armature en fil de fer.

Le Dr Barry ne vit tout d'abord aucun rapport entre le dessin et l'un ou l'autre des objets précités. Lorsqu'il eut l'idée de radiographier la « femme Héron », il constata alors, avec stupeur, l'étrange ressemblance entre la radio et le dessin de Mme Maire. En l'occurrence, celle-ci avait « vu » l'armature métallique intérieure de la « femme Héron ».

Ce qui signifie, et ceci peut être qualifié de « prodigieux », que la voyance de Mme Maire s'était exercée d'une double façon : d'une part, à distance, et, d'autre part, à travers un corps opaque.

Des expériences de clairvoyance ont été également réalisées avec le jeu E.S.P. du Dr Zener. Celles de Miss Dorothy Martin, psychologue, et de Miss Francis P. Sribie, mathématicienne, poursuivies pendant trois ans à l'*Université du Colorado,* comptent parmi les plus importantes. Elles furent effectuées par 332 étudiants volontaires, puis, finalement, par un seul sujet qui se révéla remarquable. La méthode employée, dite *Down Through* (ou DT en abrégé), consistait à placer sur une table, face en bas, un jeu E.S.P. brassé et coupé, puis à demander au sujet de deviner les cartes en allant du dessus du jeu au dessous.

Les expérimentateurs effectuèrent 12 000 épreuves, et, sur ce nombre, 3 500 furent l'œuvre du sujet exceptionnel. Celui-ci marqua une moyenne de 6,85 succès par épreuve, cependant que la série entière en donna 5,83. Les résultats furent donc hautement significatifs.

« La probabilité pour qu'ils soient dus au hasard, écrit le professeur Rhine, est une fraction dont le dénominateur est un nombre astronomique. En face d'un tel nombre, le hasard est une explication ridicule. »

Pratt, diplômé de psychologie, et Pearce, étudiant en théologie, réalisèrent des expériences dans le but de déterminer si la distance jouait un rôle dans les phénomènes de perception extrasensorielle. Dans une série d'essais, faits au rapproché, la moyenne des succès fut de 8 par épreuve. Ensuite, dans une seconde série d'essais, réalisés à une distance de 100 mètres, il y eut à peu près 9 succès par épreuve. Si la faculté de divination avait dépendu d'une énergie physique on aurait pu s'attendre à une diminution des succès. Or, c'est le contraire qui fut observé.

Ce que l'on sait des lois physiques régissant les transports d'énergie ne semble donc pas applicable dans ce cas.

Les expériences Turner-Ownbey, Warner, Reiss, Carington, celles qui eurent lieu entre le *College Tarkio* au Missouri et l'*Université Duke,* les expériences réalisées par le Dr Carlo Marchesi entre Zagreb en Yougoslavie et l'*Université Duke,* distants de plus de 6500 kilomètres, aboutirent au même résultat : la distance ne semble avoir aucune influence sur les phénomènes de connaissance paranormale.

C'est, ainsi que nous l'avons vu, ce qu'a également constaté le Dr Barry dans ses expériences avec le pléthysmographe.

Les radiesthésistes

Si nous étudions les radiesthésistes après les clairvoyants, c'est parce que nous estimons que la radiesthésie est essentiellement un procédé divinatoire, un aspect particulier de la connaissance paranormale permettant d'obtenir d'incontestables résultats chez les sujets doués et entraînés, mais ne donnant aussi, pour ceux qui ne possèdent pas le « don » et qui n'ont pas été convenablement orientés, que de rares et discutables réussites parmi d'innombrables insuccès.

Cette interprétation parapsychologique de la radiesthésie n'est toutefois pas celle de la plupart des pendulisants qui estiment généralement que leurs facultés perceptives sont suscitées par des radiations émises par les êtres et les choses.

Il est indéniable que l'inerte et le vivant émettent dans leur ambiance plus ou moins immédiate soit des radiations ou des vibrations, soit des particules de nature chimique. Quelques radiations, telles que la chaleur, sont perçues par les sens ; d'autres que l'homme et l'animal ne discernent pas, les rayons cosmiques et la radioactivité par exemple, n'en existent pas moins car elles sont révélées par des appareils de physique appropriés. Enfin, il est possible que certains champs de force, non actuellement détectés, agissent sur l'être humain et l'animal et puissent leur faire connaître indirectement des fragments de la réalité. Ainsi, le professeur J. Walther, de l'Allemagne fédérale, a observé une montée de la tension artérielle des radiesthésistes qui se trouvaient à la verticale de gisements miniers ou de nappes souterraines. De son côté, le Dr S. Stromp, géologue hollandais, chargé par l'UNESCO d'une enquête sur la radiesthésie, a constaté que les réactions physiques, provoquées chez l'homme par la présence d'eau ou de minerais dans le sous-sol, étaient détectables grâce à l'électrocardiographie. De minutieuses expériences, réalisées par des chercheurs soviétiques, ont conduit aux mêmes conclusions.

D'autre part, les exemples sont nombreux dans toute la série animale d'impressions faites à distance : le pigeon voyageur retrouve son pigeonnier et l'hirondelle retourne assez souvent à son nid après avoir émigré dans les pays chauds. Dans un autre ordre de faits, le papillon mâle est attiré de très loin par sa femelle et l'on sait maintenant que cette attraction est due à l'émission de particules chimiques captées par les antennes de l'insecte. Certaines espèces de lépidoptères peuvent sentir leur femelle à des distances de 10 ou 12 km et leur faculté de discrimination est stupéfiante ; les plus violentes odeurs (benzène, naphtalène, formol, etc.) ne les empêchent pas de percevoir l'odeur de la femelle appartenant à leur espèce ou à une espèce très voisine. Le Dr A. Butenaudt, prix Nobel de Chimie, a obtenu la substance responsable de ce phénomène attractif en traitant des abdomens de femelles par l'éther de pétrole et il a vu qu'elle pouvait agir à la dose homéopathique puisque 1 milligramme de cette substance, dilué dans plusieurs centaines de litres de solvant, exerce encore son action : en présentant à un papillon mâle une petite baguette de verre préalablement trempée dans cette solution extrêmement étendue, l'insecte manifeste très nettement des signes d'agitation. Il semble qu'une molécule du corps en question soit susceptible, dans la nature, de déclencher l'attirance du mâle vers sa femelle.

On peut d'ailleurs admettre que la plupart des corps solides ou liquides émettent des particules formées de leur propre matière. Le fait est évident en ce qui concerne les substances odoriférantes. Mais c'est aussi, par exemple, le cas du soufre et du mercure. Ainsi, placé à une certaine distance d'un morceau de soufre, un objet argenté noircit par suite de la formation de sulfure d'argent. A la température ordinaire, le métalloïde produit donc des vapeurs. De même, le mercure émet de la vapeur que l'on peut photographier et qui est capable d'amalgamer à distance une feuille d'or.

En outre, les réactions chimiques les plus banales comme la salification d'un acide fort par une base forte, l'oxydation des sulfites par l'oxygène de l'air, celle des alcools par l'acide chromique, l'oxydation du glucose par le permanganate de potassium, la décomposition de l'eau par les amalgames de sodium ou de potassium produisent des photons de courte longueur d'onde.

Certains phénomènes physiques tels que la déshydratation des sels, les cristallisations, l'application d'un champ électrique aux semi-conducteurs, etc., donnent lieu à un rayonnement semblable. Dans le domaine biologique, beaucoup de phénomènes (multiplication cellulaire, contraction d'un muscle, fonctionnement d'un nerf, etc.) sont aussi accompagnés d'une émission de photons.

Si l'on ajoute — et ces faits sont bien connus — que, selon leur nature, les terrains sont inégalement radioactifs et qu'il existe dans le sol des courants telluriques dont les anomalies sont liées à l'existence de failles, de nappes d'eau ou de pétrole, de gisements de toutes sortes, on comprendra aisément, d'après les quelques exemples que nous venons de donner et qui sont loin d'être uniques en leur genre, qu'aucun objet et qu'aucun phénomène ne sont idéalement isolés. Êtres, choses et phénomènes constituent des points ou des états singuliers de l'Univers, ce qui signifie qu'ils sont reliés à l'ambiance et solidaires de la réalité extérieure par les vibrations, les radiations ou les émanations chimiques qu'ils émettent.

Dans ces conditions, l'action du radiesthésiste consisterait à capter ces « influences », à les sélectionner par son orientation mentale qui fournit des indications relatives à l'objet considéré, à les traduire enfin par un réflexe musculaire (issu vraisemblablement de la région mésodiencéphalique) qui ne ferait qu'exprimer en clair une impression reçue.

Mais, en règle générale, les radiesthésistes physiques ne s'appuient pas, pour étayer leurs théories, sur des faits analogues à ceux que nous venons d'envisager. Ni même sur des expériences comme celles du physicien Yves Rocard qui, à l'aide d'un magnétomètre très sensible, a décelé des champs magnétiques minimes auxquels les radiesthésistes seraient sensibles. Ils parlent d' « ondes » sans préciser la nature de celles-ci tout en ayant la prétention de déceler les lois de leur propagation. Ils créent, à leur usage, une physique spéciale fondée sur une pétition de principe puisque les ondes qui constituent la base de leurs théories sont précisément détectées et mesurées à l'aide de la baguette ou du pendule.

Cette physique varie d'ailleurs étrangement avec les auteurs, et, cependant, les succès expérimentaux sont paraît-il nombreux quelle que soit la théorie adoptée. Nous trouvons là des divergences analogues à celles que l'on peut découvrir chez les magnétiseurs.

De plus, fait curieux, alors que les radiesthésistes physiques révéleraient des « ondes » tout à fait hypothétiques, ils se montrent le plus souvent incapables, ainsi qu'il ressort de nombreuses expériences de contrôle, de déceler des vibrations ou des champs de force dont l'existence est certaine.

Remarquons d'ailleurs que ces « ondes » devraient avoir une puissance considérable pour être perçues à grande distance, puisque des sources ou des objets quelconques sont, d'après les radiesthésistes, découverts sur plan à des centaines ou même à des milliers de kilomètres. Effectivement, le fameux Joseph Treyve a pu, sur un simple croquis que je lui avais adressé, et alors qu'il se trouvait à quelque 450 km de mon domicile, reconstituer le trajet parcouru par mon chat égaré.

Sans doute, on objectera, avec quelque apparence de raison, que le pigeon voyageur ou l'hirondelle retrouvent leur nid cependant que les « vibrations », si vibrations il y a, émises par un nid doivent être, à grande distance, d'une extraordinaire faiblesse. De même, le papillon mâle qui « sent » à 10 ou 12 km l'odeur de sa femelle ne doit, comme nous l'avons signalé, capter que quelques molécules de la substance odoriférante.

Mais, en fait, le pigeon voyageur ou l'hirondelle ne sont pas guidés dans leur voyage de retour par les ondes hypothétiques de leur nid. D'après de nombreuses observations et expériences, ils trouveraient leur route d'après la position du Soleil ou des étoiles, en utilisant le champ magnétique terrestre et en détectant la force de Coriolis* due à la rotation de la Terre. L'oiseau se déplacerait dans le sens où cette force prend les valeurs pour lesquelles il est habitué ou pour lesquelles il a la sensation d'être en état d'équilibre biologique, ce qui, en cette seconde occurrence, expliquerait les migrations des jeunes comme celles des adultes.

En ce qui concerne les papillons, et comme nous l'avons vu, il est effectivement exact qu'à de grandes distances, les mâles ne captent que quelques molécules émanées des femelles, mais ils possèdent des antennes adaptées à une fonction très spéciale et d'une extraordinaire sensibilité. Elles ne leur permettent pas la détection d'autres réalités que les odeurs. Il se peut même qu'elles ne soient sensibles qu'à l'odeur de la femelle puisque les papillons mâles ne semblent pas réagir aux odeurs très fortes du benzène, du formol ou du naphtalène. L'homme, même s'il est radiesthésiste physique, est dépourvu de tels organes.

L'hypothèse des « ondes » en radiesthésie se heurte donc à de grandes difficultés. A la rigueur, on peut admettre que, sur le terrain, le radiesthésiste soit influencé par certaines vibrations ou par des émanations de nature chimique, mais, lorsqu'il pratique la téléradiesthésie sur plan, il est clair qu'invoquer alors l'existence d' « ondes » radiesthésiques est une assertion extraordinairement risquée et très difficilement soutenable.

En revanche, les choses, sans s'éclairer complètement, se comprennent cependant mieux si l'on accepte que tout se passe dans l'esprit du radiesthésiste, autrement dit si l'on admet que le subconscient de l'opérateur prend connaissance du réel grâce à une faculté spéciale non sensorielle, que les métapsychistes appellent, ainsi que nous l'avons vu, métagnomie ou cryptesthésie. Le comportement du radiesthésiste dans la pratique de son art, l'extrême diversité des objets sur lesquels s'exercent ses facultés, la nature même des résultats qu'il obtient justifient, croyons-nous, cette interprétation.

Bien sûr, accoler un nom à un phénomène n'explique pas celui-ci ; mais cela permet l'élimination de théories adventices vaines et a l'avantage de rassembler des faits en apparence dissemblables, de réunir en un groupe homogène des phénomènes qui, depuis fort longtemps, ont été étudiés par les investigateurs des plans cryptiques de l'esprit.

Il en résulte que, du point de vue expérimental, les radiesthésistes auraient intérêt, sauf toutefois s'ils y croient fermement, car cette croyance est un facteur qui peut être favorable, à abandonner une physique équivoque pratiquement inutile et à chercher particulièrement, grâce à des exercices appropriés, à développer en eux leurs facultés intuitives.

C'est effectivement ce que réalisent les « voyants » lorsqu'ils utilisent certains procédés divinatoires, ou « mancies », tels que la cartomancie *, la cristalloscopie *, la psychométrie *, l'oniromancie *, le marc de café *.

Les précognitifs

Avec la prévision de l'avenir, étudiée par les métapsychistes sous le nom de prémonition ou de précognition, nous abordons l'un des plus redoutables problèmes de la métapsychique ou de la parapsychologie.

Si l'on peut, en effet, admettre, a priori, qu'en télépathie un cerveau puisse communiquer avec un autre cerveau par l'intermédiaire d'ondes électromagnétiques ou par le truchement d'autres formes d'énergie, si l'on peut même, à la rigueur, concevoir que, dans les expériences de connaissance paranormale d'une réalité cachée, le cerveau soit capable de percevoir les vibrations incluses dans les choses ou émanées par elles, en revanche, il est difficile et peut-être impossible de comprendre que le cerveau ou que l'esprit soit capable, en certaines circonstances, de franchir les barrières du temps, car, en l'occurrence, la perception, qui est un résultat, devance ce qui doit la produire. Ce qui revient à dire que le phénomène prémonitoire implique la pénétration de la conscience humaine dans l'ordre caché de l'univers.

Et, cependant, il existe, malgré son étrangeté et son invraisemblance, et l'on peut même ajouter qu'il constitue l'un des chapitres les moins discutables de la parapsychologie : certains sujets, hommes-phénomènes dans la plus haute acception du mot, peuvent annoncer des faits à venir et donner de ces faits des détails si précis que nulle sagacité, nulle coïncidence, nul hasard ne pourrait expliquer ces prédictions.

Le phénomène prémonitoire est d'ailleurs souvent plus facile à établir que les autres formes de connaissance paranormale à cause des déclarations ou des écrits faits antérieurement à l'événement. Sous le nom de « prophétie », il s'est exercé dans les diverses civilisations, et, à toutes les époques, les hommes ont été frappés de terreur par le pouvoir qu'avaient les prophètes de plonger dans l'avenir et d'annoncer des événements apparemment imprévisibles. Mais ce sont essentiellement les recherches parapsychologiques modernes, et, en particulier, les travaux du Dr Osty, du professeur Tenhaeff et du professeur Rhine, qui ont montré que la perception des événements futurs était une réalité. Examinons quelques-unes de leurs observations et de leurs expériences.

Voici, entre un grand nombre de faits analogues consignés par le Dr Osty, un premier exemple de prévision d'avenir. Il s'échelonne sur une durée de plus de deux ans et il est remarquable par une certaine progression dans la précision des détails.

Le 18 mars 1922, le Dr Osty consulte Mme Jeanne Peyroutet, voyante professionnelle [1], qui lui dit ceci :

« Vous assistez régulièrement à un dîner où il n'y a que des hommes. L'un d'eux va voyager. Il y aura un accident et mort. »

Ensuite, elle lui fournit successivement les indications suivantes, aux différentes dates indiquées ci-dessous :

— 24 avril 1922 — « Chute et mort de l'un de vos amis, c'est un homme de science. »

— 23 mai 1922 — « Mort d'un ami par accident autour de vous. Cela pourrait occasionner une proposition qu'on vous ferait et qui changerait votre travail. »

---

1. Mme Jeanne Peyroutet, récemment décédée, était un excellent sujet métagnome dont j'ai personnellement apprécié maintes fois les étonnantes facultés : elle a, par exemple, décrit ma résidence d'une façon détaillée, rappelé les circonstances exactes de la mort de mon frère décédé à la suite d'un accident de football, etc.

— 20 janvier 1923 — « Mort soudaine d'un homme de science par accident, double mort. Dans un voyage au loin. »

— 17 février 1923 — « Accident et mort pour un homme que vous connaissez. Accident et chute dans un départ. »

— 17 mars 1923 — « Mort par la tête, par accident. Cette mort vous laissera comme une œuvre, un travail. »

— 21 avril 1923 — « Mort d'homme de science autour de vous. Vous ne voulez pas monter en l'air, Docteur ? »

— 1er décembre 1923 — « Quelle mort vous allez apprendre incessamment ? »

— 22 mars 1924 — « Vous allez apprendre la mort d'un homme de science que vous connaissez bien, chute d'automobile, au loin, dans un voyage. »

— 4 avril 1924 — « Autour de vous une mort par accident à l'étranger, comme un navire qui sombrera. »

— 31 mai 1924 — « Mort par accident pour un homme que vous connaissez. Mort dans un départ à l'étranger. »

— 9 juillet 1924 — « Une mort qui va bien vous surprendre. Un accident, au départ dans un voyage, mort d'un homme de science. Bouleversement de votre vie. »

Or, cinq jours après cette dernière séance, le 14 juillet 1924, le Dr Gustave Geley, directeur de l'*Institut Métapsychique International,* était tué dans la chute d'un avion effectuant le parcours Varsovie-Paris, quelques minutes après le départ de l'appareil de la capitale polonaise.

Commentant cette prédiction, le professeur Charles Richet écrivit : « Comme tout ce qui a été dit est exact ! Un docteur, un ami d'Osty, avec qui il dînait régulièrement, un homme de science, une double mort (le pilote a été tué avec Geley qui était le seul passager de l'avion) à l'étranger, dans un départ, puisque c'est après avoir quitté l'aérodrome de Varsovie que l'avion est tombé. Bouleversement de la vie d'Osty puisque c'est lui qui a remplacé Geley à la direction de l'*Institut Métapsychique International.* »

Ce qu'il faut aussi souligner, c'est, d'une part, la répétition incessante de la prédiction dont la réalisation devait amener un changement radical dans la vie du Dr Osty, et, d'autre part, ainsi qu'il arrive souvent dans les prémonitions, certaines approximations plus ou moins exactes : « Vous ne voulez pas monter en l'air, docteur?... Chute d'automobile... Un navire qui sombrera. »

Dans un autre ordre d'idées, remarquons également ici qu'il est indispensable, dans les observations de ce genre, d'enregistrer soigneusement la prémonition avant l'événement afin d'éliminer le phénomène de paramnésie ou de fausse reconnaissance. Bien des personnes l'ont éprouvé : à l'occasion d'une perception ou d'un ensemble de perceptions, en présence d'un spectacle, elles ont brusquement la certitude de les avoir déjà vus ou vécus. Bergson a justement désigné le phénomène en le qualifiant de « souvenir du présent ». Appliqué à la fausse prémonition, la personne croit qu'elle a reçu d'un métagnome une information précise sur l'événement qu'elle vit, alors, qu'en réalité, cette information ne lui a pas été donnée.

Il convient aussi de rejeter les coïncidences fortuites, les cas où l'on peut prévoir rationnellement par la connaissance des causes et ceux pour lesquels l'autosuggestion a vraisemblablement « aidé » à réaliser la prédiction. Quand une personne connaît tous les détails d'une prédiction, il y a beaucoup de chances, en effet, si la réalisation s'amorce, que ladite personne contribue, consciemment ou non, à son exécution totale. Elle y aidera volontairement si l'événement est heureux, inconsciemment s'il est malheureux. Au surplus, Freud et les psychanalystes ont montré que certaines morts par accident ou par imprudence sont de véritables suicides involontaires, ou, plus exactement, des suicides inconsciemment intentionnels déterminés par des complexes. Si de tels complexes ont été perçus télépathiquement par un sujet ou ont été la cause de rêves caractéristiques, ils auront pu donner aisance à une fausse prémonition.

C'est précisément pour éliminer dans la mesure du possible ces causes d'erreurs que certains parapsychologues se sont efforcés de soumettre la prévision de l'avenir à l'expérimentation. Ils l'ont fait, en particulier, dans les expériences dites de la « chaise vide » qui consistent à décrire à l'avance les traits caractériels ou autres du futur occupant d'une chaise tirée au sort ou choisie parmi les autres chaises d'une salle déterminée. Elles ont été réalisées en 1925, pour la première fois, par le Dr Osty (et dans une séance à laquelle nous avons participé) avec le sujet métapsychique Pascal Fortuny, puis, en ces dernières années et avec un luxe de précautions jusqu'alors inégalé, par le professeur Tenhaeff de l'*Université d'Utrecht*, avec le fameux « voyant » hollandais Gérard Croiset, mondialement connu. Les résultats obtenus furent des plus significatifs. Au cours d'un grand nombre d'expériences, il a été établi que Gérard Croiset pouvait désigner à l'avance la personne qui, à une future séance, occuperait un siège déterminé. Voici, par exemple, le résumé de l'expérience qui a débuté le 6 janvier 1957 dans le laboratoire de l'*Institut de Parapsychologie d'Utrecht.*

Le professeur W.-H.-C. Tenhaeff, titulaire de la chaire de parapsychologie de l'Institut, présente à Gérard Croiset le plan d'une pièce où sont disposées trente chaises numérotées de 1 à 30 et lui indique que, le 1er février suivant, trente personnes seront réunies dans une maison à La Haye, qui n'est pas désignée, et seront assises chacune sur une des chaises figurant sur le plan. L'identité des personnes est, pour le moment, inconnue de tous. Il demande alors à Croiset de décrire la personne qui viendra s'asseoir sur l'une des chaises qu'il peut choisir à son gré. Aussitôt Gérard Croiset désigne la chaise numéro 9 et fait toute une série de déclarations qui sont successivement enregistrées.

1. « Le 1er février, dans la maison en question, sera assise sur la chaise numéro 9 une femme entre deux âges, d'un caractère gai, active, très sensible aux rapports sociaux et montrant un vif attachement aux enfants. »

2. « Cette femme a beaucoup fréquenté, vers les années 1928-1930, les environs du cirque Kurhaus et Strassburger à Scheveningen. »

3. « Étant petite fille, elle a beaucoup fréquenté une région où l'on fabrique du fromage. Je vois un incident où une ferme a pris feu et où les animaux ont péri brûlés. »

4. « Maintenant, je vois trois jeunes hommes. L'un d'eux me ressemble, il exerce une fonction quelque part outre-mer. Il semble que ce soit dans un territoire britannique. »

5. « N'a-t-elle pas regardé le portrait d'un maharadjah ? En ce

moment, je vois quelqu'un en Inde. Ou, tout au moins, qui est vêtu en Hindou, avec un turban portant un gros joyau. »

6. « Je vois un griffonnage avec, en haut, le nombre 6. Il y avait d'abord un 5, puis, un peu après, elle a raturé et mis 6. C'est arrivé récemment, et ce raturage a donné lieu à une vive discussion. »

7. « A-t-elle récemment sali ses mains après une vieille boîte de peinture ? Je veux dire une boîte contenant de petites tablettes de couleurs, ayant un couvercle avec des creux. Ne s'est-elle pas blessée légèrement la main avec cet objet ? Le majeur de la main droite ? »

8. « N'a-t-elle pas reçu récemment la visite d'une dame de ses amies, âgée d'environ 44 ans, pas très grande, bien prise, vigoureuse, avec des cheveux noirs, et portant une robe ayant par-devant deux plissés assez larges ? La dame ne l'a-t-elle pas entretenue de problèmes sexuels ? N'a-t-elle pas conseillé à cette dame d'aller voir un psychiatre ? »

9. « N'a-t-elle pas éprouvé une puissante émotion à l'occasion de l'opéra « Falstaff » ? Lequel opéra pourrait être le premier qu'elle a vu. »

10. « Son père n'a-t-il pas reçu une médaille d'or pour services rendus ? Ce pourrait être quelque autre vieux monsieur, mais il me semble que c'est son père. »

11. « N'a-t-elle pas conduit récemment une petite fille chez le dentiste ? Et cette visite n'a-t-elle pas provoqué une forte émotion ? Je dirai presque que cela se produira le vendredi 1er février prochain. »

Le lendemain de la réalisation de cette première partie de l'expérience, c'est-à-dire le 7 janvier, le professeur Tenhaeff demande à son collègue, le professeur Tuyter d'Utrecht, de bien vouloir solliciter le concours d'une tierce personne pour la suite de l'épreuve. Celui-ci avertit Mme C.V.T., de La Haye, qu'elle aura, dans les jours qui suivent, à lancer trente invitations chez elle pour le vendredi 1er février à 18 h. Bien entendu, ni le professeur Tuyter, ni Mme C.V.T. ne connaissent les déclarations de Gérard Croiset.

Le 31 janvier, le professeur Tenhaeff et ses assistants préparent deux paquets de trente cartons chacun, numérotés de 1 à 30. L'un des paquets est soigneusement battu et les cartons s'y trouvent dans un ordre quelconque. Il est placé dans une enveloppe qui est scellée.

Le 1er février, vers 18 h, les professeur Tenhaeff et Tuyter, Mlle G. Louwerens et sa sœur Mlle N. Louwerens arrivent chez Mme C.V.T. Au premier étage, dans un vaste salon, sont disposées 30 chaises. A l'aide du paquet de cartons non scellé, Mlles Louwerens procèdent au numérotage des chaises, conformément au plan montré à Croiset le 6 janvier.

Pendant ce temps, le professeur Tenhaeff explique le but de l'expérience aux invités restés au rez-de-chaussée et leur distribue une copie polycopiée des déclarations faites par Croiset le 6 janvier. Il leur demande ensuite de noter les points qui, sur la copie, semblent les désigner. Cela fait, l'enveloppe scellée est décachetée, le paquet de cartons numérotés et disposés au hasard en est retiré, et, à mesure que les invités arrivent au bas de l'escalier qui conduit au premier étage, Mlle G. Louwerens remet à chacun d'eux un carton selon l'ordre dans lequel il se trouve dans le paquet. En haut de l'escalier, Mlle G. Louwerens accueille chaque invité et le conduit à la chaise désignée par le carton qu'il a en main.

Lorsque tout le monde est en place, le professeur Tenhaeff demande si quelqu'un a pu s'identifier dans les traits fournis par Croiset. Immédiatement Mme D. M. déclare qu'elle s'y est parfaitement reconnue. Or, elle est assise sur la chaise numéro 9. Aucune autre personne ne fait cette déclaration.

Voici d'ailleurs, d'après le compte rendu de l'expérience, les points qui ont permis à Mme D.M. de se reconnaître :

1. Mme D.M. est âgée de 42 ans. Elle est gaie, vive, active. Elle aime les enfants.

2. Ses parents étaient divorcés. Lorsque, petit fille, son père venait la voir, il l'emmenait souvent au cirque Strassburger à Scheveningen.

3. Étant enfant, Mme D.M. visita souvent des fermes où l'on produisait non du fromage, mais du beurre. Elle n'y éprouva jamais d'émotion particulière. En revanche, son fils aîné, qui

vécut longtemps chez un fermier, fut un jour vivement impressionné par la foudre qui frappa une ferme voisine. Un cheval fut tué.

4. Mme D.M. ne trouva d'abord pas de rapport entre elle-même et les déclarations de G. Croiset. Mais son mari lui fit remarquer qu'il avait deux frères. L'un, qui s'était engagé pour l'Indonésie en 1945, avait suivi son entraînement en Angleterre et était actuellement à Singapour. L'autre, qui ressemblait effectivement à G. Croiset, était mort dans un camp de concentration.

5. Quelques jours avant la séance du 1er février, Mme D.M. avait lu un livre de Paul Brunton renfermant une illustration représentant un yogi. Elle avait eu, en outre, une discussion avec son fils sur le yoga et la magie indienne. Enfin, dans ses rêves, un Hindou lui était fréquemment apparu.

6. A une époque qui se situe après le 6 janvier, Mme D.M. avait refait ses comptes mensuels, qui lui avaient d'abord semblés être en équilibre, et y avait découvert une erreur : un 5 qui avait dû être un 6, d'où raturage de chiffres. Cet incident donna lieu à une assez vive discussion avec M. D.M.

7. En janvier, des enfants se sont amusés chez Mme D.M. avec une boîte de peinture analogue à celle qu'avait décrite G. Croiset. Elle voulut la nettoyer et se salit les mains mais ne se blessa pas. Ce n'est qu'après qu'elle se blessa le majeur de la main droite avec une boîte de conserve.

8. Mme D.M. a eu une discussion sur les problèmes sexuels avec deux de ses amies. L'une d'elles répond exactement à la description (y compris la robe à deux plissés par-devant) faite par Croiset. Mme D.M. conseilla à cette dame d'aller voir un guérisseur.

9. L'opéra « Falstaff » est le premier où Mme D.M. a tenu un rôle. En cette occasion, elle tomba amoureuse du ténor.

10. Au moment de prendre sa retraite, son père avait été fait chevalier d'un ordre hollandais et avait reçu un étui à cigarettes en or.

11. Le matin même du 1er février, Mme et M. D.M. avaient conduit chez le dentiste leur petite-fille qui fut fort effrayée. Mme D.M. était encore tout émue de cette visite.

A la suite de toute une série d'expériences de ce genre, qu'il réalisa avec Gérard Croiset, le professeur Tenhaeff remarqua, comme on a d'ailleurs pu le constater par le rapport qu'on vient de lire, que les futurs détenteurs des sièges sont surtout caractérisés par des traits affectifs, et, accessoirement, par leur aspect extérieur. Il s'agit là de précognition associée à la télépathie et, surtout, à la télépathie rétrospective.

De même que les travaux du professeur Tenhaeff, les expériences de prémonition du professeur Rhine furent conduites avec tout le soin désirable. Elles consistèrent d'abord en une simple modification des expériences de clairvoyance dont nous avons précédemment parlé et dans lequelles le sujet s'efforce de deviner, à la suite, les cartes E.S.P. d'un paquet posé sur la table. En l'occurrence, c'est-à-dire dans les tests de prémonition, le sujet se propose de prédire l'ordre des cartes d'un jeu E.S.P. lorsque celui-ci sera brassé.

Dans ces conditions, les résultats obtenus furent positifs et à peu près les mêmes que pour la clairvoyance ordinaire.

Autrement dit, il n'y avait pas de différence appréciable dans les résultats, que les sujets métagnomes fussent orientés vers le présent ou vers l'avenir. Sur 4 500 épreuves, la probabilité pour qu'ils aient été dus au hasard fut de 1 à 400 000.

Ensuite, Rhine perfectionna sa technique. Afin d'éliminer la clairvoyance qui pourrait inciter inconsciemment l'expérimentateur à battre le paquet de cartes et à le couper à l'endroit coïncidant avec la divination faite par le sujet, différents procédés furent utilisés : emploi d'une machine à mêler les cartes, coupes déterminées d'après les indications fournies par des lancers automatiques de dés ou selon les chiffres que fournit le bulletin météorologique du jour, etc.

Néanmoins les résultats furent hautement significatifs. Des travaux ultérieurs, et en particulier ceux de Soal, vinrent les confirmer.

En définitive, il résulte de ces expériences, comme d'ailleurs d'innombrables observations dans le genre de celle que nous avons rapportée en premier lieu, que l'avenir peut être vu.

Il resterait maintenant à déterminer le mécanisme du phénomène prémonitoire. A cet effet, différentes théories ont été proposées : théorie de l'Éternel Présent, théorie de l'Éternel Retour, théorie de l'Omniscience des Causes, théorie de la Synchronicité, théorie de la Quatrième, de la Cinquième et même de la Sixième dimension de l'Espace, théorie du Temps sériel de John Dunne, interprétations physico-mathématiques de Costa de Beauregard, etc.

Mais toutes ces hypothèses et conceptions, qui relèvent de la spéculation pure, sont aussi fragiles les unes que les autres, et, en général, sont en contradiction flagrante avec les simples règles de la raison, les principes de la Nature et les lois de l'Univers telles que nous les connaissons actuellement. On ne peut donc pas les considérer, tout au moins dans une certaine mesure, comme étant scientifiquement et philosophiquement valables.

Ce qui, bien entendu, ne signifie pas que le problème de la prévision de l'avenir ne puisse être examiné sous un angle scientifique. Au reste, et comme l'a écrit le Dr Osty, « savoir ce qu'on ne sait pas est la meilleure préparation à la recherche ».

C'est précisément en s'attachant à l'étude de la prémonition que l'on achèvera, nous en sommes persuadé, l'une des plus grandes conquêtes scientifiques et philosophiques de notre génération et de la génération qui vient.

Par sa connaissance définitive, nous atteindrons, en effet, les plus vrais, les plus hauts et les plus glorieux enseignements, car la prémonition spiritualise notre déterminisme en nous apprenant que, dans ses plus infimes détails, notre rôle ici-bas peut être connu à l'avance par ce qui est fondamental et probablement immortel en nous.

L'avenir de la divination

Soulignons d'abord, et l'expérience le montre, que la plupart des procédés divinatoires n'ont que peu de valeur en soi. Ce sont, en effet, les facultés parapsychologiques de l'augure qui jouent un rôle essentiel dans la divination.

Il s'ensuit que le problème que les parapsychologues s'efforcent présentement de résoudre est celui-ci : comment peut-on favoriser l'éclosion, le développement et la mise en jeu des facultés parapsychologiques latentes de l'homme, et, en particulier, de ses facultés divinatoires ?

Autrement dit, comment peut-on transformer, temporairement tout au moins, l'homme « ordinaire » en « homme-phénomène » ?

A cet effet, plusieurs méthodes ont été proposées.

Remarquons d'abord que certains états physiologiques, psychologiques ou pathologiques tels que l'hyperexcitabilité, ou, au contraire, l'hypoexcitabilité, les états émotifs, ou, inversement, de dissociation, quelques troubles mineurs, résultant d'un défaut d'oxygénation du sang, des tissus et du cerveau, semblent favoriser l'apparition de certains phénomènes parapsychologiques. Les occultistes du siècle dernier et ceux du début de ce siècle provoquaient ou pensaient provoquer ces états soit à l'aide de plantes toxiques hallucinogènes, soit par des méthodes psychologiques et physiologiques.

Parmi les plantes hallucinogènes, l'une des plus anciennement utilisée est le cannabis, ou chanvre indien (le kif d'Afrique du Nord), employé par les Assyriens dès le VIIIe siècle avant J.-C. et qui, après broiement des feuilles, donne la marijuana (la grass des Américains) tandis que le suc résineux des sommités fleuries des plantes femelles non fertilisées fournit le hachisch (empr. à l'arabe hachîch) ou haschich.

Mais l'emploi de ces substances n'était pas sans danger.

Néanmoins, les parapsychologues modernes reviennent à des techniques de ce genre avec l'utilisation de médicaments psychodyleptiques parmi lesquels on peut citer la psilocybine, qui est l'un des principes actifs de certains champignons du Mexique, la mescaline, synthétisée en 1910, principe actif du peyotl, petit cactus originaire également du Mexique et appelé dans ce pays « la plante qui fait les yeux émerveillés », et, enfin, le L.S.D. 25 qui désigne les initiales de Lysergic Säuer Diäthylamid (diéthylamide de l'acide d-lysergique) découvert en 1943 par Hofmann des *Laboratoires Sandoz.* C'est une substance semi-synthétique dérivée de l'acide lysergique que l'on extrait de l'ergot du seigle lequel est l'organe de fructification d'un champignon parasite de l'épi du seigle. Il provoque, chez ceux qui l'absorbent, d'étranges visions colorées et leur donne l'impression de « voyager dans le temps ». Sous son influence, le monde se remplit en effet de couleurs brillantes et changeantes et prend l'aspect d'un site d'une beauté indescriptible : le sujet est submergé par un kaléidoscope d'images fantastiques. Des scènes de sa vie passée lui apparaissent sous un aspect très réaliste, mais il reste capable à tout moment de retrouver, au moins momentanément, la réalité de son véritable entourage, avant de glisser de nouveau dans un monde de rêve et de fantaisie.

L'euphorie est ainsi une marque distinctive de l'action du L.S.D. : en contemplant ses images oniriques* lumineuses et pleines de beauté, le sujet éprouve une sensation de bien-être et d'élévation. En outre, d'après quelques parapsychologues, et, en particulier, le Dr Duncan B. Blewett, « il peut obtenir des réactions transcendantales ».

Mais, malheureusement, et de même que pour les autres psychodyleptiques, le L.S.D. produit à la longue une dissolution de la conscience et de la personnalité se présentant tantôt sous l'aspect de la confusion mentale, tantôt sous l'aspect d'un onirisme durable, parfois sous la forme de symptômes du type schizophrénique, et c'est pourquoi certains psychiatres l'appellent la « bombe atomique du cerveau ».

Comme on le voit, les psychodyleptiques, et tout particulièrement le L.S.D., doivent être maniés avec la plus grande prudence. Aussi, en dehors d'une surveillance médicale stricte, nous en réprouvons l'emploi car nous estimons qu'il risque de provoquer des troubles physiologiques et surtout psychologiques dont les conséquences lointaines sont imprévisibles.

Parmi les méthodes psychologiques utilisées naguère, la principale est celle qui met en jeu la concentration mentale.

En voici le principe d'après Rudolf Steiner.

« Concentrer toute la vie psychique sur une unique représentation qu'on installe au centre de la conscience, par exemple la couleur rouge d'une rose. Cette représentation, d'ailleurs, n'est pas faite pour refléter un objet extérieur exact. On se servira de pensées symboliques et il importe peu que ces pensées soient ou non fondées scientifiquement. Les pensées que l'on énoncera ont pour but, non d'exprimer des vérités scientifiques, mais de construire un symbole dont l'action ne dépend en rien des objections logiques possibles. »

En définitive, le sujet doit, selon Rudolf Steiner, s'éloigner de la connaissance sensorielle, provoquer une rupture entre le conscient et l'inconscient.

« Alors, écrit l'illustre anthroposophe autrichien, il distinguera la réalité spirituelle de sa représentation personnelle. » Ce qui signifie qu'il pourra accéder à la connaissance paranormale.

En outre, continue R. Steiner, « l'étudiant qui pratique la concentration mentale prendra conscience graduellement d'une certaine activité durant son sommeil. Il sentira qu'il ne dort pas totalement pendant son sommeil. Peu à peu, la conscience progresse et l'étudiant en arrive à se dire au réveil : « J'ai passé tout le temps de mon sommeil dans un autre monde. » Le souvenir s'en précisera sans cesse davantage. Enfin, l'âme écarte, pendant l'état de veille, les influences perturbatrices du monde extérieur et parvient à la perception psycho-spirituelle. Il faut, pour cela, que les sensations aient disparu et que la pensée logique fasse silence... A ce degré d'évolution, la connaissance des réincarnations successives devient une expérience réelle et concrète. »

Mais il est facile de mesurer le danger, pour l'équilibre psychique, d'une telle méthode. Repousser la pensée logique, vivre dans le rêve comme s'il était le réel, n'est-ce pas orienter son esprit vers le délire ?

Actuellement, chez les adeptes du yoga, des méthodes psychologiques de ce genre sont complétées par des exercices physiologiques et physiques. Les principaux sont des exercices respiratoires rythmés et des postures (posture parfaite, posture héroïque, posture du Lotus, etc.) qui sont des positions du corps fort incommodes. Selon le yoga, ces exercices, tant psychologiques que physiologiques et physiques, développent certains organes qui perçoivent les événements de l'au-delà. Ces organes portent le nom de Chakras ou de Lotus et ont un siège bien défini sur lequel doit se concentrer l'attention ; il existe un chakra entre l'anus et l'urètre, un à la naissance de l'urètre, un près du cœur, etc. Chacun porte un nom, a une forme représentative, une couleur. Ainsi, l'Anahata, ou chakra du cœur, est visualisé sous la forme d'une fleur rouge à douze pétales, le Vishouddha, qui se localise à la dépression de la base du cou, apparaît comme une sorte de marguerite à centre jaune et à seize pétales de couleur lavande.

Mais hélas ! ici encore, ces pratiques, qui s'appuient sur des données raciales et religieuses bien définies, ne sont pas sans danger, surtout quand elles sont conduites sans prudence ni méthode ainsi qu'il arrive maintenant depuis qu'elles ont été interprétées, vulgarisées, et, il faut le dire, plus ou moins déformées par les traducteurs occidentaux du véritable yoga hindou. « Elles peuvent, écrit en substance le Dr Henri Désoille, professeur à la *Faculté de Médecine de Paris,* conduire au déséquilibre organisé. Pour ma part, j'ai surtout observé, parmi ceux qui les suivent, une nervosité considérable et l'impossibilité d'écouter la moindre contradiction sans se mettre en fureur. »

D'ailleurs, ce nervosisme est constaté et reconnu par les maîtres du yoga. C'est ainsi que l'on peut lire dans le *Raya-Yoga* du Swâmi Vivekamanda : « Pendant vos premiers essais pour concentrer votre pensée, la chute d'une épingle vous fera l'effet de la foudre traversant votre cerveau. »

Le développement des facultés métapsychiques doit, à notre avis, se faire normalement sans qu'il risque de troubler l'équilibre mental.

La méthode que nous proposons obéit à cet impératif catégorique. Elle ne fait pas violence à la nature humaine, elle est sagement progressive et elle est sans danger. Nous dirons même qu'elle favorise l'équilibre physiologique, psychologique et nerveux.

Le premier point qu'il convient de réaliser est de se rendre maître des formes de notre activité mentale que l'on peut qualifier d'« inférieures » : sensations, émotions et impulsions[1]. Nous estimons, en effet, que chez les personnes non spécialement douées elles masquent, contrarient ou annihilent les facultés intuitives et paranormales qui ne peuvent éclore, se manifester et s'épanouir qu'à la faveur du calme de l'esprit.

1. A ce sujet on pourra consulter utilement notre livre : *Action et Pouvoir de la Volonté,* Paris, 1978.

Or, nous savons qu'il existe une relation étroite entre un état d'âme et son expression extérieure. « Avoir peur, affirme William James, c'est prendre conscience de son tremblement. »

De son côté, Alfred Fouillée écrit : « Non seulement l'état d'âme produit son expression au-dehors, mais l'expression, à son tour, tend à éveiller l'état d'âme. »

Ce qui conduit à cette application : toute réharmonisation de l'attitude physique et des mouvements entraîne avec elle une réharmonisation de l'esprit.

Autrement dit, pour vaincre nos émotions, maîtrisons nos gestes.

En règle générale, les exercices d'éducation physique dérivés de la gymnastique suédoise, effectués lentement, sans raideur et avec attention contribuent à maîtriser les émotions.

Nous les exécuterons chaque matin et chaque soir, au cours de séances d'une dizaine de minutes en leur accordant toute notre attention. Nous les ferons suivre de quelques minutes de détente faciale accompagnée d'un léger effleurage du visage. Pendant deux ou trois minutes on demeurera impassible ; les paupières battront normalement, mais les sourcils, les lèvres et les joues resteront immobiles.

En outre, au cours de la vie quotidienne, on s'efforcera de civiliser ses gestes. On restera immobile en écoutant ou en parlant. On réagira posément à toute incitation extérieure : bruit qui surprend, guêpe qui bourdonne autour de soi, auto qui vous frôle, etc. On éduquera sa démarche en évitant qu'elle soit saccadée, trop rapide ou trop lente.

Mais les exercices les plus propres à procurer le calme de l'esprit, et, par conséquent, selon notre point de vue, à favoriser l'apparition des facultés paranormales, sont la respiration profonde et la relaxation.

Les exercices de respiration profonde sont également préconisés par le yoga. Mais ceux qu'il propose et qui visent essentiellement à absorber et à diriger à travers le corps une hypothétique force cosmique, le « prâna », perturbent fortement le rythme respiratoire normal et sont par conséquent antiphysiologiques. Ils consistent, en effet, en règle générale, à aspirer fortement et longuement puis à conserver les poumons pleins d'air pendant un laps de temps pouvant aller de quelques secondes à une minute ou davantage. « La durée de la rétention du souffle doit être quatre fois celle de l'exhalation », recommande le Hatha-Yoga. La méthode est très dangereuse, car elle dilate outre mesure les alvéoles pulmonaires et détermine des troubles circulatoires capables de provoquer eux-mêmes une diminution de l'oxygénation cérébrale, des étourdissements et la syncope. Elle peut aussi susciter, chez les sujets prédisposés, des crises d'épilepsie ou d'hémoptysie.

En revanche, les exercices que nous recommandons étant physiologiques ne présentent pas ces inconvénients. Ils assurent, bien entendu, une meilleure oxygénation des tissus et développent la capacité thoracique, mais ils apportent aussi, ce à quoi nous visons, le calme de l'esprit.

Ils peuvent être pratiqués à n'importe quel moment de la journée, mais nous recommandons de les exécuter systématiquement, matin et soir, sauf en cas de brouillard, durant trois à huit minutes.

Si on les réalise sur place, en salle ou en chambre, la position de départ est celle du « garde-à-vous », c'est-à-dire : bras tombant naturellement le long du corps, talons joints, tête bien droite, épaules rejetées en arrière. La fenêtre est grande ouverte.

L'inspiration commence par le remplissage de la partie inférieure des poumons. Pour atteindre ce but, on imagine que l'air pénètre dans l'abdomen que l'on pousse en avant. Ensuite, sans marquer de temps d'arrêt, on emplit le haut des poumons en portant la poitrine en avant.

Dès qu'ils sont pleins d'air, on laisse retomber doucement les côtes inférieures et supérieures et rentrer le ventre. Lorsque l'expiration normale est achevée, on continue à rentrer le ventre en contractant volontairement les muscles abdominaux et en abaissant les côtes inférieures.

Après cette expiration forcée on recommence à inspirer et ainsi de suite.

La durée totale de l'exercice sera comprise, avons-nous dit, entre trois et huit minutes. En aucun cas, il ne faut sentir le cœur battre anormalement et avoir la sensation de vertige. S'il en était ainsi, c'est que les exercices sont de trop longue durée, que l'entraînement est insuffisant ou que le rythme respiratoire adopté ne convient pas.

L'exercice de relaxation apporte également le calme de l'esprit. Il est en apparence très simple, mais, en fait, il est assez difficile à réaliser parfaitement. Il comporte deux temps, l'un de décontraction musculaire, souvent seul décrit par les auteurs, l'autre de détente mentale, généralement négligé, et cependant très important.

Pour réaliser une décontraction musculaire aussi complète que possible, il faut s'asseoir confortablement dans un fauteuil ou mieux s'étendre sur un lit, sur une chaise longue ou sur un fauteuil dit de « relaxation ».

Faire d'abord quelques respirations profondes et lentes, puis, sans efforts, abaisser les paupières sur les globes oculaires, fermer la bouche sans que les lèvres soient serrées et fermer les poings à demi.

Ensuite, décontracter le bras droit, puis le bras gauche. On y parviendra aisément en réalisant le relâchement pendant l'expiration. L'un ou l'autre membre, soulevé par une tierce personne puis abandonné à lui-même, doit retomber comme un corps inerte.

Lorsque les bras sont détendus, décontracter les jambes de la même façon, et, enfin, les muscles abdominaux.

Dans tous les cas, se représenter la relaxation des muscles sans faire un véritable effort de volonté.

Cet état de détente musculaire générale entraîne, à lui seul, un certain apaisement de l'esprit car la tension des muscles est le symptôme le plus banal de la crispation mentale et de la nervosité. En faisant cesser l'état physiologique on amende l'état psychique qui lui est intimement associé.

Le deuxième temps de l'exercice donne le calme absolu de l'esprit. Lorsque les muscles sont complètement détendus, répéter doucement, d'une façon machinale : « je suis calme, calme... calme... calme... cal... me... » Repousser toute idée étrangère. Ramener inlassablement sa pensée sur l'idée de sérénité et de détente musculaire. Se représenter ce résultat comme acquis même s'il ne l'est pas immédiatement.

Alors, au bout d'une dizaine de minutes, les bruits du dehors sont faiblement perçus, les membres semblent engourdis, la sensibilité est atténuée. Mais l'on peut, dès qu'on le désire, faire cesser cet état quasi instantanément. L'activité électrique du cerveau est alors dominée par le rythme * « alpha » qui est formé d'oscillations assez régulières, d'aspect pseudo-sinusoïdal et présentant de 8 à 14 cycles par seconde avec une amplitude de l'ordre de 100 microvolts *.

Quelques conditions subsidiaires favorisent l'exercice : chambre préalablement bien aérée, plongée dans la pénombre ou dans la demi-obscurité, aussi silencieuse que possible (si les bruits du dehors parviennent trop intensément, se garnir les conduits auditifs de tampons gras) ; orientation du corps, si l'on est en position allongée, dans la direction des lignes de force du champ magnétique terrestre, c'est-à-dire tête au nord et pieds au sud, ou, à défaut, mais l'orientation est moins favorable, tête à l'est et pieds à l'ouest ; si l'on est assis ou accroupi, le visage sera tourné vers le nord-est.

L'état de détente musculaire et mentale entraîne une sorte de vide cérébral, ou, plus exactement, de somnolence dans laquelle on voit, dans ce que l'on peut appeler un rêve éveillé, défiler des images plus ou moins précises. On les notera soigneusement après l'exercice car certaines d'entre elles peuvent être télépathiques ou prémonitoires si l'on a, au préalable, désiré qu'elles soient ainsi.

Mais il est rare, à moins d'avoir des dispositions particulières, que l'on obtienne de tels phénomènes par le seul effet de la relaxation. Pour favoriser leur apparition, quelques exercices d'entraînement psychique, relativement simples, doivent être exécutés avec méthode et continuité. En voici quelques-uns, mais il est facile d'en imaginer d'autres.

— Prendre un jeu de cartes ordinaires, le battre et l'étaler figures en dessous. Passer la main sur le dos de chaque carte et essayer de déterminer sa couleur rouge, ou noire. La noter, et, à la fin de l'essai, confronter avec la réalité.

— Au reçu d'une lettre, plonger les doigts à l'intérieur de l'enveloppe et chercher à déterminer la nature de son contenu, si la lettre apporte de bonnes ou de mauvaises nouvelles, si elle est favorable ou défavorable, etc.

Lorsqu'on sera habitué à ces exercices et que l'on aura obtenu des résultats satisfaisants, on pourra aborder des expériences plus complexes de « psychométrie ». Elles sont absolument sans danger. Nous n'en dirons pas autant de la vision dans le cristal qui suppose un certain état hypnoïde pouvant nuire à l'équilibre nerveux. D'autre part, les autres procédés divinatoires, tels que la cartomancie, impliquent une technique conventionnelle que nous estimons superfétatoire. Toutefois, si l'on se sent attiré par ces procédés, il peut être utile de les employer. En ce cas, on consultera les ouvrages spéciaux adéquats.

S'asseoir confortablement dans une pièce autant que possible peu éclairée, et, s'il y a lieu, faire placer le consultant à un mètre ou à deux mètres de soi. Lui demander un document quelconque se rapportant à l'expérience (objet lui appartenant ou appartenant à une autre personne, photographic, etc.), le prendre en main et le palper. Se détendre musculairement, ce qui sera facile si on en a pris l'habitude, faire le vide dans son esprit, ou, pour le moins, s'efforcer de conserver une certaine neutralité de pensées. Le plan du psychisme subconscient peut alors entrer en jeu, et, par une succession d'images mentales, informer la conscience, devenue simple spectatrice, de réalités dont elle n'est pas l'auteur. Dès que ces images surgissent, les décrire avec minutie. N'en rejeter aucune, même si elles apparaissent a priori saugrenues. Faire ensuite un compte rendu de l'expérience afin de pouvoir, à l'occasion, confronter la voyance avec la réalité présente, passée ou future. Ainsi, on aura la possibilité de déterminer si l'on est doué pour les voyances relatives au présent, au passé ou à l'avenir ; on verra également si l'on réussit plus ou moins bien dans tel ou tel compartiment de la psychologie ou de l'activité humaine, ce qui permettra, par la suite, une certaine spécialisation. On pourra aussi, grâce à ces comptes rendus, rechercher les causes d'erreurs, préciser les fautes dues à une mauvaise interprétation de l'image mentale tout particulièrement quand elle est plus ou moins symbolique.

En tout cas, on ne fera travailler ses facultés paranormales qu'à l'égard de faits contrôlables. C'est ainsi qu'on ne cherchera pas à explorer des plans spirituels hypothétiques où vivraient des êtres invisibles. La subconscience, en effet, lorsqu'elle est libre de toute contrainte, a une tendance mythique puissante et construit, avec la plus grande facilité, des images qui ne correspondent à aucune réalité.

De même que pour toute faculté intellectuelle, l'exercice fait progresser plus ou moins rapidement le pouvoir de connaissance paranormale. Trois éléments se perfectionnent corrélativement :

1° la dissociation psychique fonctionnelle qui permet la mise en jeu des facultés *psi;* 2° la netteté, la force et la richesse des informations paranormales ; 3° l'interprétation consciente de ces informations.

Les télékinésistes

La médiumnité physique, avons-nous dit précédemment, s'exprime essentiellement par deux catégories de phénomènes : la télékinésie et l'ectoplasmie. On peut aussi y ajouter la psychokinésie, la lévitation et l'action paranormale sur des structures matérielles.

Les mouvements d'objets sans contact, ou télékinésiés, ont été observés bien avant l'apparition du spiritisme puisqu'ils étaient déjà connus du temps de Tertullien. Cependant, ce n'est guère qu'en ces quatre-vingts dernières années qu'ils ont été étudiés avec quelque rigueur par des expérimentateurs généralement qualifiés dont les principaux sont le comte de Gasparin, le professeur Robert Hare de l'*Université Harvard,* l'illustre physicien William Crookes, le colonel de Roches, administrateur de l'*École Polytechnique,* le professeur Charles Richet, les nombreux savants et métapsychistes français ou étrangers qui observèrent Eusapia Paladino, le Dr Osty, et son fils, l'ingénieur Marcel Osty, et, enfin, les savants soviétiques qui ont étudié Nelya Mikhailova.

Nous pourrions rapporter ici les expériences que fit William Crookes avec le médium Daniel-Douglas Home. Elles sont toujours fondamentales, mais, comme elles sont assez anciennes, nous préférons relater, d'une part, les expériences rigoureuses qui ont été réalisées à l'*Institut Général Psychologique* avec Eusapia Paladino, et, d'autre part, les travaux récents des savants soviétiques avec Nelya Mikhailova. De plus, nous signalerons les phénomènes qu'il nous a été donné d'observer. Quant aux expériences réalisées par le Dr Osty et Marcel Osty avec Rudi Schneider, nous les examinons à propos de l'ectoplasmie.

Eusapia Paladino fut un excellent sujet à effets physiques. Les innombrables expérimentateurs qui l'étudièrent : Chiaïa, Lombroso, Morselli, Venzano, Bottazzi, Aksakoff, Schiaparelli, Ochorowiez, Richet, Lodge, Flournoy, Schrenck-Notzing, de Rochas, Max Well, Flammarion, de Vesme, de Grammont, Warcollier, Carrington, Courtier, etc., acquirent immédiatement ou progressivement la conviction qu'elle possédait de réels et puissants pouvoirs télékinétiques.

En 1905, 1906, 1907 et 1908, elle fut rigoureusement examinée à l'*Institut Général Psychologique* par un Comité d'études comprenant des métapsychistes et des savants non métapsychistes. Parmi les premiers, on peut citer Courtier, Youriévitch, A. de Grammont, Richet et, parmi les seconds, d'Arsonval, Branly, M. et Mme Pierre Curie, Bergson. Ces expérimentateurs se proposèrent, sans idée préconçue, de démontrer la réalité ou la vanité du pouvoir télékinétique du médium napolitain.

Afin de supprimer toute possibilité de fraude, deux des pieds de la table qu'il s'agissait de mouvoir étaient entourés d'une gaine en bois solidaire du plancher, au surplus, des contacts électriques placés aux quatre pieds ne fonctionnaient que lorsque ceux-ci quittaient le sol. Grâce à ce dispositif, l'hypothèse d'une pression s'exerçant sous les pieds de la table pendant les soulèvements fut éliminée. On était sûr, en effet, chaque fois que les signaux des quatre pieds fonctionnaient ensemble, que le soulèvement était bien réellement effectué sans aucun contact sous les pieds de la table. Or, malgré ces conditions sévères, la table se souleva plusieurs fois alors que les mains et les pieds d'Eusapia étaient solidement tenus. Au cours d'une expérience elle réussit même à sortir de ses fourreaux et la hauteur atteinte fut de 60 centimètres.

Voici quelques extraits du compte rendu des expériences (les chiffres romains, qui suivent la désignation de l'année, indiquent le numéro de la séance ; les chiffres arabes, qui viennent ensuite, marquent la page du compte rendu).

(1905-III-3). — Les volets des deux fenêtres de la salle d'expérience sont ouverts. Eusapia demande à M. Bergson, qui est en dehors de la chaîne des expérimentateurs, s'il voit ses deux genoux.

M. Bergson : « Très bien. »

La table est soulevée des quatre pieds brusquement.

M. Youriévitch : « Je suis sûr de n'avoir pas lâché sa main. »

M. d'Arsonval : « Moi aussi. »

(1905-X-4-5). — Eusapia tient ses mains à une distance de 25 à 30 cm de la table et celle-ci est soulevée des quatre pieds sans aucun contact apparent. M. Curie avait une main sur les genoux d'Eusapia.

(1905-IV-9). — Eusapia demande qu'on mette sur la table le poids le plus gros. On y met un poids de 10 kg. La table chargée de ce poids est soulevée des quatre pieds. M. Ballet et M. D'Arsonval contrôlaient absolument (outre les mains) les pieds et les genoux d'Eusapia. Il n'y a pas eu de contact avec les pieds de la table.

(1905-VII-22). — Eusapia demande que tout le monde se lève et que M. le Comte de Grammont vienne lui tenir les deux jambes. M. D'Arsonval contrôle la main gauche d'Eusapia et M. Yourievitch la main droite. La table se soulève tellement haut que les pieds un et deux sortent presque des gaines qui les entourent. Quelque temps après, à 10 h 53, le contrôle des mains et des jambes étant le même, la table se soulève de nouveau. On dit : « Plus haut ! Hors des gaines ! » La table monte très haut et retombe en dehors des gaines.

(1906-II-8). — Eusapia demande que personne ne touche à la table. M. Curie lui tient la main gauche et M. Courtier la main droite. M. Yourievitch tient sous la table les deux pieds d'Eusapia. La table est soulevée des quatre pieds dans ces conditions de contrôle. « Il arrive, écrit M. Courtier, qui fut le rapporteur de ces expériences, que la table, complètement soulevée, se balance et oscille d'une manière rythmée lorsqu'on compte à haute voix les secondes. Une fois, elle battit ainsi l'air pendant 25 secondes, et, une autre fois, pendant 52 secondes. »

Eusapia provoqua ainsi plusieurs fois, aux séances de l'*Institut Général Psychologique,* le déplacement latéral d'un guéridon placé généralement à 1 m de l'endroit où elle se trouvait.

(1905-IV-5). — Eusapia ferme les poings en tenant ses mains en l'air et fait des gestes d'appel et de répulsion : le guéridon s'avance et recule synchroniquement.

(1905-IV-14). — Eusapia tenant dans sa main droite la main gauche de M. Ballet l'avance par-dessus la table d'expérience vers le guéridon qui se soulève. M. Ballet retire sa main, le guéridon s'approche. M. d'Arsonval tenait la main gauche d'Eusapia.

Eusapia dit : « Va-t'en ! ». Le guéridon s'éloigne.

M. d'Arsonval : « Cela s'est fait sans aucun contact apparent. »

Eusapia tient la main de M. Ballet et lui fait faire le geste de repousser le guéridon ; le guéridon est repoussé et jeté contre le mur.

Expériences réalisées avec Nelya Mikhailova

Les expériences qui ont été réalisées avec la Soviétique Nelya Mikhailova (alias Nina Kulaguina) sont très importantes, car, outre leur intérêt propre, elles ont permis de donner, dans une certaine mesure, une explication rationnelle de la télékinésie.

Nelya, qui naquit en 1927, était âgée de quatorze ans seulement au moment où les Allemands commencèrent le siège de Leningrad. Comme la plupart des enfants de la ville, elle fut mobilisée, et, avec son frère, sa sœur et son père, elle rejoignit les rangs de l'Armée Rouge en première ligne, « se battit vaillamment », lit-on dans une brochure de l'Armée Rouge, et fut sérieusement blessée par l'éclatement d'un obus. C'est peut-être ce grave incident qui provoqua l'émergence de ses facultés paranormales latentes qui sont essentiellement télékinétiques.

« Je ne savais pas, il y a encore quelques années, dit-elle, que j'étais capable de faire mouvoir un objet à distance. C'était un jour où j'étais bouleversée et très en colère. Je m'avançais vers un buffet qui se trouvait dans mon appartement, lorsque, soudain, une carafe, qui était rangée dans ce meuble, se dirigea vers le bord de l'étagère, tomba et se cassa en mille morceaux.

« Après cela, toutes sortes de changements commencèrent à se produire dans mon appartement. Les objets semblaient en quelque sorte être attirés vers moi comme s'ils étaient devenus des êtres animés. »

Effectivement de nombreux savants soviétiques et tchécoslovaques, tels que Vassiliev, Rejdak avec qui nous sommes en relations amicales, Maumov, Zverev, Sergeyev, etc., constatèrent rapidement que Nelya Mikhailova pouvait faire mouvoir à distance et à volonté des objets divers : morceaux de pain, cigarettes, allumettes, etc. Il suffit, par exemple, qu'elle promène doucement la main au-dessus d'un tas d'allumettes pour qu'elles se rassemblent et glissent le long de la table. Elle a également déplacé de la même façon un saladier placé entre des assiettes sans que celles-ci bougent. Elle est parvenue aussi à faire mouvoir simultanément cinq cigarettes placées verticalement sous un large cube de plexiglas, donc manuellement inaccessibles.

Bien entendu, on chercha des fils invisibles, on radiographia Nelya et on la soumit à des appareils de détection ultra-sensibles pour découvrir s'il existait un « truc » génial qui, habilement dissimulé, lui aurait permis de réaliser ses prouesses, mais ce fut en vain.

Sa plus extraordinaire démonstration confirma ses pouvoirs sans discussion possible. On mit dans un saladier en verre de l'eau salée dans laquelle un œuf fut cassé avec précaution et l'on demanda à Nelya, placée à un mètre quatre-vingts du saladier, de séparer le blanc du jaune sans aucune intervention manuelle. Ce qu'elle fit après des efforts et un épuisement qui se traduisirent par une perturbation de tous ses tracés électriques cérébraux. Après quoi, elle réunit à nouveau le jaune et le blanc.

Un autre test très curieux a été réalisé par les docteurs Rejdak, Zverev, Sergeyev et M. Blazek. Un bol de verre fut rempli de fumée puis retourné et posé sur une table devant Nelya. A distance, et à travers le verre, elle coupa en deux le nuage de fumée comme s'il s'agissait d'une matière solide.

Enfin, Nelya peut faire apparaître sur un papier photographique soit les lettres « A » ou « O », soit, après les avoir vues, une silhouette ou une image, et, dans un ordre de faits très différent, elle est capable de donner la couleur des objets en les touchant à peine. « Par une typique ironie du sort, écrit Sheila Ostrander, le docteur Feinburg, qui se montrait résolument sceptique devant cette vision extra-rétinienne, devint ensuite, après avoir plusieurs fois expérimenté avec Nelya, l'un des plus farouches défenseurs de l'existence de cette faculté. »

La plupart des expériences réalisées avec Nelya Mikhailova ont été filmées et nous avons eu l'avantage de voir le film qui est remarquable.

Ainsi que nous venons de le signaler, Nelya Mikhailova est profondément exténuée au cours et surtout à la fin de ses expériences. Son pouls est imperceptible, son visage est pâle et crispé, son électroencéphalogramme accuse une certaine arythmie. On a également constaté une augmentation de sa glycémie, des perturbations endocriniennes et une perte de poids pouvant atteindre deux kilos. Son organisme tout entier est affaibli comme s'il avait subi un choc considérable.

Après avoir longuement étudié Nelya, le docteur Sergeyev mit au point un dispositif encore secret permettant d'enregistrer ce qu'il appelle les champs biologiques (électrostatiques et magnétiques) à une distance d'environ un mètre du corps humain et sans aucun contact direct. Il constata alors que le champ biologique décelé autour de Nelya est beaucoup plus fort que chez la moyenne des individus. Il vit également que les régions occipitales de son cerveau produisaient un voltage cinquante fois supérieur à celui que l'on peut détecter dans les parties frontales alors que chez la plupart des individus il n'est que trois ou quatre fois plus grand. D'autre part, chaque fois que les objets placés devant Mikhailova commencent à remuer, les puissants champs magnétiques présents autour de son corps manifestent une activité rythmée. « Je crois, écrit Sergeyev, que ces vibrations des champs de force entourant le corps de Mikhailova agissent comme des ondes magnétiques. Au moment où ces vibrations ou ces ondes se manifestent, elles obligent l'objet qui frappe le regard de Mikhailova, même s'il n'est pas magnétique, à se comporter comme s'il était magnétisé. C'est pourquoi l'objet en question est, soit attiré vers elle, soit repoussé. »

Et, de l'ensemble de ses recherches, le docteur Sergeyev a tiré la conclusion suivante :

« C'est à partir de ces travaux que nous appréhenderons une connaissance plus large des forces de vie présentes dans l'univers. »

Expériences personnelles

Après avoir exposé les expériences de l'*Institut Général Psychologique* avec Eusapia et celles qui ont été réalisées avec Nelya Mikhailova, il peut paraître superflu de parler des phénomènes télékinétiques qu'il m'a été donné d'observer. Si, néanmoins, je me permets de les signaler, c'est parce qu'ils ont été obtenus dans d'excellentes conditions de contrôle. Ils furent produits par un jeune médium que j'avais initié très élémentairement aux possibilités métapsychiques.

Sur une vingtaine de séances réalisées avec ce sujet, deux seulement furent négatives. Les autres se sont développées à peu près selon le même schéma et dans les conditions suivantes : deux expérimentateurs, un ami, étudiant en pharmacie, et moi ; salle d'expérience complètement vide et nue ; au milieu, une petite table à trois pieds ; éclairage assuré par une lampe à pétrole et atténué parfois par l'abaissement de la mèche, et, rarement, par un écran placé devant la flamme.

Selon le protocole habituel, les expérimentateurs et le sujet posaient leurs mains sur la table qui, après quelques minutes d'attente, se soulevait et s'abaissait. En résistant à ces mouvements par une légère pression volontaire, nous voyions les mains du sujet glisser légèrement sur le plateau. Par conséquent, les oscillations de la table étaient dues, à ce moment, à des contractions musculaires inconscientes. Ensuite, les oscillations devenaient de plus en plus importantes et la table manifestait des velléités de déplacement latéral. Nous avions alors l'impression qu'une force extérieure se superposait aux efforts musculaires involontaires du médium.

A cette phase de l'expérience, nous nous reculions tous à deux ou trois mètres de la table, tous contacts rompus. Aussitôt, les mouvements cessaient.

Je m'adressais alors à la table et lui demandais de se soulever. Après quelques minutes d'attente, nous la voyions effectuer le mouvement lentement et comme péniblement. Je l'incitais à faire mieux : le soulèvement devenait plus ample et plus rapide. Au cours d'une séance, la table ne fut plus en contact avec le sol que par un pied et resta dans cette position pendant quelques secondes.

Lorsque les mouvements devenaient nets, je m'approchais seul du meuble pour observer de près les circonstances du phénomène ; mon camarade surveillait le médium, qui, parfois, tournait le dos à la table. Jamais nous n'avons découvert de fil ou de « truc » quelconque ni surpris de mouvements suspects de la part du médium, qui, d'ailleurs, plus ou moins somnolent, demeurait complètement immobile au cours des séances. Au surplus, comme il a été dit, celles-ci avaient lieu en pleine lumière, de sorte que le contrôle était très facile.

Cette expérience qui s'est présentée devant mes yeux avec la simplicité, la netteté et la pureté d'une expérience quelconque de physique m'a formellement et définitivement apporté la preuve absolue de la réalité de la télékinésie. Aucune argumentation de théoriciens de « cabinet » n'ayant jamais expérimenté, et, de ce fait, vu ni le faux, ni le vrai, ne pourrait faire varier mon opinion à ce sujet. Opinion qui est celle d'un physicien, d'un métapsychiste et d'un prestidigitateur « amateur » n'ignorant pas les innombrables « trucs » employés par les pseudo-médiums.

En marge de la télékinésie : la psychokinésie

L'action télékinétique, qu'exercent ou que semblent exercer sur le milieu ambiant ces êtres privilégiés que nous appelons médiums à effets physiques, est-elle le fait du commun des mortels ? Le Pr Rhine le prétend avec l'hypothèse de la psychokinésie. Autrement dit, nous serions tous, à cet égard, et dans une certaine mesure, des hommes-phénomènes.

Le point de départ de la théorie et des expériences du célèbre parapsychologue américain, lesquelles commencèrent en 1934 mais qui ne furent publiées qu'à partir de 1943 sous le titre *The Reach of the Mind,* a été l'affirmation par beaucoup de joueurs qu'il leur était parfois possible d'influencer par la volonté certains systèmes matériels dont l'évolution est normalement livrée au hasard. Le type de ces systèmes est le mouvement d'une roulette de casino ou encore la chute de dés à jouer.

On peut donc définir la psychokinésie (ou PK en abrégé) comme étant l'action de l'esprit sur des systèmes physiques en évolution.

L'un des procédés employés pour tenter de mettre en évidence ce rôle insolite de la pensée consiste à lancer à la main, ou mieux à l'aide de dispositifs mécaniques, une paire de dés à jouer, et, en même temps, désirer obtenir soit un test de haute marque, c'est-à-dire faire en sorte que les faces supérieures des deux dés totalisent 8 ou un nombre supérieur à ce chiffre, soit un test de basse marque, c'est-à-dire chercher à influencer les dés pour amener sur le tapis un total inférieur à 8.

On peut également chercher à obtenir la présentation de telle ou telle face, effectuer, par exemple, 24 lancers dans lesquels on désire que le 1 sorte, 24 autres lancers où la présentation du 2 sera le but visé, etc.

Signalons encore le test de 7 où le sujet sollicite mentalement les dés de façon que la somme des deux faces supérieures donne 7 et le test de doubles où le sujet cherche à réaliser la présentation des mêmes faces, 3 et 3, 4 et 4, par exemple.

Les dés utilisés par le professeur Rhine furent d'abord des dés ordinaires, ceux que l'on trouve dans le commerce, car l'expérience montra qu'il était inutile de se préoccuper de leurs imperfections. Il est évident qu'une hétérogénéité de leur structure doit favoriser la présentation de certaines faces, les hautes marques par exemple. Or, dans des essais préliminaires, où seul le hasard intervenait, Rhine constata que les hautes marques étaient légèrement défavorisées. L'expérimentateur pouvait donc, en toute quiétude, solliciter leur obtention. De même, dans d'autres expériences, consistant à amener telle face, puis la face opposée, l'hypothèse des dés imparfaits put être négligée, l'écart ayant été positif dans les deux séries d'essais. Néanmoins, il est évident qu'il est préférable d'utiliser des dés rigoureusement homogènes, et, en particulier, des dés dont les points ne sont pas évidés.

Au début des recherches, les dés étaient projetés à la main, puis l'usage du cornet ne tarda pas à s'établir. Ensuite, les parois internes des cornets furent recouvertes d'un revêtement rugueux et des tables, spécialement adaptées aux expériences, furent employées.

Néanmoins, ces expériences étaient critiquables car le lancer à la main laissait place à l'influence mécanique normale, volontaire ou involontaire, du sujet.

Aussi, Rhine décida d'améliorer le dispositif expérimental de ses recherches, et, afin d'éliminer l'hypothèse de la fraude ou encore celle des influences inconscientes agissant mécaniquement, ce furent des machines entièrement automatiques qui projetèrent les dés tandis que les procédés de contrôle devenaient plus complexes et se perfectionnaient.

Les résultats partiels furent analysés par les méthodes habituelles employées dans le calcul des probabilités.

De son côté, dans son guide des tests parapsychologiques, le Dr D.-J. West, enquêteur de la *Society for Psychical Research* de Londres, donna un certain nombre de règles pour faciliter l'appréciation des résultats et les mettre à l'abri de toute critique.

Deux faits importants sont à noter : d'une part, et ceci est assez inattendu, les tests avec projection mécanique des dés donnent, en règle générale, des performances plus élevées que les tests dans lesquels le lancer se fait à la main. Cette occurrence élimine l'hypothèse d'une manipulation frauduleuse ou inconsciente des dés. D'autre part, après un certain nombre de jeux comprenant 24 coups ou lancers, les performances sont moindres. Un effet de déclin se manifeste, et cela aussi bien dans le lâcher mécanique que dans le lancement à la main. Tout se passe comme si l'action psychokinétique était soumise à une sorte d'inhibition, de rythme, à une fatigue périodique. Ce caractère constitue, croyons-nous, un argument de premier plan en faveur de la réalité du phénomène. De plus, du point de vue pratique, il conduit l'expérimentateur à tenir de courtes séances, de deux ou trois jeux, pas davantage, sinon il risque d'opérer pendant des périodes où le facteur psychokinétique est bloqué. En outre, il semble que les distractions et les narcotiques émoussent l'aptitude à réussir tandis que la concentration mentale ou une excitation anormale conduisent à des résultats positifs.

A la suite des travaux de Rhine, d'autres systèmes matériels en évolution, vraisemblablement influençables, furent imaginés et quelques-uns réalisés : chute de dés dans un liquide de densité un peu inférieure à la densité de la substance constituant les dés (R. Dufour) ; chutes de gouttes d'eau ou d'huile, chutes de billes d'acier (G. Chevalier) ; flux d'électrons (R. Hardy), (Aimé Michel), de photons (Georges Clauzure) ou de particules atomiques (John Belof et Leonard Evans), (B. Onetto), (Rémy Chauvin et E. Montredon) ; dé électronique (Yves Lignon) ; coupes de jeux de cartes (Warcollier) ; mouvements oscillatoires d'un pendule (R. Tocquet) ; tychoscope (P. Janin), etc. De son côté, René Pérot, reprenant les expériences de Rhine, a cherché à en varier les conditions ainsi que les techniques et s'est appliqué à utiliser des dés aussi homogènes que possible.

Enfin, quelques expérimentateurs (Dr Vasse et Mme Christiane Vasse, Dr Barry, Richard de Silva, Nigel Richmond, Rémy Chauvin, M. H. Lignon, etc.) se proposèrent d'agir, non plus sur des systèmes matériels, mais sur des organismes vivants : plantules, champignons inférieurs, bacilles, paramécies, souris, caille japonaise, etc., en cherchant à modifier leur croissance ou leur comportement.

En définitive, qu'il s'agisse des travaux de Rhine et de ses collaborateurs, des expériences analogues sur divers systèmes matériels en évolution ou des essais un peu différents relatifs à l'action éventuelle de la pensée sur des organismes vivants, que faut-il penser de la psychokinésie ? Est-elle une manifestation paranormale authentique, est-elle un effet du hasard ou résulte-t-elle d'un emploi illégitime des méthodes statistiques ?

En ce qui concerne ce dernier point, la réponse a été donnée nettement par l'*American Institut of Mathematical Statisticians* qui, à la suite de critiques formulées par des psychologues orthodoxes contestant la validité de la méthode statistique, déclara : « Des calculs récents ont établi que l'analyse statistique est essentiellement valable, sous réserve de l'intégrité des conditions d'expériences. Pour être loyale, toute critique des travaux du docteur Rhine doit porter sur un autre terrain que celui-ci. »

Reste le fait des expériences négatives, lesquelles, il faut le reconnaître, sont assez nombreuses.

Mais il convient de remarquer, d'une part, que quiconque n'est peut-être pas capable de réaliser à volonté des phénomènes de psychokinésie, et, d'autre part, que les sujets pessimistes, anxieux, ou négateurs, ces derniers étant appelés plaisamment les « chèvres » par Miss Gertrude Schneidler, psychologue au *Collège de la Cité de New York,* peuvent donner des résultats inférieurs à la probabilité, tandis que les sujets optimistes, confiants en eux-mêmes, reconnaissant la possibilité de la psychokinésie, les « moutons » de la psychologie précitée, sont susceptibles de fournir des résultats positifs. D'où un bilan définitif à peu près égal à ce que donne le hasard malgré l'intervention d'un effet psychokinétique. Il conviendrait donc de sérier les sujets.

En tout cas, d'après les résultats expérimentaux, il est assez difficile actuellement de prendre définitivement parti pour ou contre l'hypothèse du Pr Rhine. Toutefois, ainsi que nous l'avons déjà souligné, l'existence du mystérieux phénomène de déclin, observé par la plupart des observateurs, même par ceux qui obtiennent des résultats globaux conformes à ceux que fournit le hasard, semble constituer un très solide argument en faveur de la réalité d'une action psychokinétique.

Si elle existe bien, et beaucoup de parapsychologues l'affirment, elle montrerait d'une part que la télékinésie n'est pas un phénomène rarissime, étant sous-entendu que la psychokinésie en est un aspect mineur, et, d'autre part, que, sous l'action d'une pensée même diffuse et qui ne s'applique guère, la nécessité des choses peut se trouver ébranlée. On pourrait donc concevoir un système isolé dont l'entropie * cesserait de croître et qui aboutirait à d'improbables configurations.

La lévitation

On désigne généralement sous le nom de lévitation le soulèvement (accompagné ou non d'un mouvement de translation) du corps humain dans l'espace. C'est donc une variété de télékinésie dans laquelle les forces télékinétiques s'appliquent, non plus sur des objets inertes, mais sur des personnes.

La lévitation semble avoir été assez fréquemment observée en hagiographie alors qu'elle est plutôt rare en métapsychique. Il est probable que l'ascension du Christ et l'assomption de la Vierge Marie (que ces faits soient, à tort ou à raison, tenus pour réels ou qu'ils soient considérés comme légendaires) suggérèrent à certains mystiques le désir, plus ou moins conscient, de les reproduire. Sans doute, il convient, parmi les récits de lévitation, de faire la part des erreurs d'observation, des exagérations et de la légende, mais, la discrimination faite, il subsiste un certain nombre de cas dont l'authenticité ne paraît guère douteuse parce que appuyée sur des documents contrôlés, sûrs et précis. Il est, par exemple, hautement vraisemblable que Saint Pierre d'Alcantara, Sainte Thérèse d'Avila, Sainte Christine de Liège, Agnès de Bohême, Bernardino Realino, F. Suarez, Joseph de Copertino furent maintes fois lévités. Ajoutons que des phénomènes de lévitation religieuse se produiraient encore à notre époque dans certains couvents. C'est du moins ce que nous ont affirmé des observateurs scientifiques, et, en particulier, un médecin psychiatre, qui en ont été témoins, mais nous n'avons pas été autorisés à les divulguer.

Si les médiums à effets physiques n'ont été, ainsi que nous l'avons dit, qu'assez rarement lévités, cela tient vraisemblablement à ce qu'ils n'avaient pas le désir obsédant ni même l'idée d'imiter le Christ, la Vierge, ou certains saints. Quoi qu'il en soit, étant donné la rareté du phénomène, il est difficile actuellement de présenter la lévitation médiumnique comme un fait absolument démontré. Mais il serait illogique d'admettre, d'une part, la télékinésie, et, d'autre part, de nier a priori la lévitation, étant donné les corrélations probablement étroites existant entre les deux catégories de phénomènes.

Au surplus, il existe des comptes rendus difficiles à récuser, parce que provenant d'observateurs qualifiés, qui montrent que les médiums Daniel-Douglas Home, Stainton Moses, Eusapia Paladino, et quelques autres sujets métapsychiques de moindre renom, eurent des lévitations. Les plus complètes, les mieux observées et les plus étonnantes furent certainement celles de Daniel-Douglas Home dont nous nous occuperons exclusivement ici. Malheureusement, elles sont relativement anciennes.

« Les cas d'enlèvements les plus fréquents dont j'ai été témoin ont eu lieu avec Home, écrit William Crookes, dans son ouvrage *Recherches sur le Spiritualisme.* En trois circonstances différentes, je l'ai vu s'élever complètement au-dessus du plancher de la chambre. La première fois, il était assis sur une chaise longue ; la seconde, il était à genoux sur sa chaise, et, la troisième, il était debout. A chaque occasion, j'eus toute latitude possible d'observer le fait au moment où il se produisait.

« Les meilleurs cas de lévitation de Home eurent lieu chez moi. Une fois, entre autres, il se plaça dans la partie la plus visible de la salle, et, après une minute, il dit qu'il se sentait soulevé. Je le vis s'élever lentement d'un mouvement continu et oblique, et rester pendant quelques secondes, à six pouces environ du sol[1], ensuite, il redescendit lentement. Aucun des assistants n'avait bougé de sa place. Le pouvoir de s'élever ne s'est presque jamais communiqué aux voisins du médium ; cependant, une fois, ma femme fut enlevée avec sa chaise sur laquelle elle était assise.

« Rejeter l'évidence de ces manifestations, conclut l'illustre savant anglais, équivaut à rejeter tout témoignage humain, quel qu'il soit, car il n'est pas de faits, dans l'histoire sacrée, ou dans l'histoire profane, qui s'appuie sur des preuves plus imposantes. »

La plus étonnante lévitation de Home eut lieu à Londres le 16 décembre 1868 en présence de lord Lindsay, de lord Adare et du capitaine Wyrme. Sous un éclairage probablement lunaire, les expérimentateurs virent le médium en lévitation sortir et rentrer par les fenêtres de l'immeuble sis au nº 5 Buckingham Gate Ashley Place.

Home fut également lévité en d'autres circonstances. Ayant

1. Le pouce anglais valant 25,4 mm, six pouces correspondent à environ 15 centimètres.

assisté à une séance du médium, le comte Tolstoï écrit : « Home fut enlevé de sa chaise et je lui pris les pieds pendant qu'il flottait au-dessus de nos têtes. » De même, nous pouvons lire ce qui suit dans le procès-verbal d'une séance tenue à Saint-Pétersbourg chez la baronne Taoubi, en présence du Dr Karpovitch et d'autres personnalités scientifiques : « Puis, M. Home annonce qu'il se sent lui-même soulevé, son corps prend la position horizontale et il est transporté, les bras croisés sur la poitrine, jusqu'au milieu de la salle ; après y être resté 4 ou 5 minutes, il est ramené à sa place, transporté de la même manière. » Citons également l'attestation de lord Crawford : « M. Home s'étant mis au piano commença à jouer ; comme il nous avait engagés à nous approcher, j'allai me placer auprès de lui ; j'avais une de mes mains sur sa chaise et l'autre sur le piano ; pendant qu'il jouait, sa chaise et le piano s'élevèrent à une hauteur de 3 pouces, puis se remirent en place. »

Le célèbre médecin anglais, le Dr Hawksley, qui soigna en 1862 la première femme de Home, rapporte qu'en sa présence le médium fit monter un jour un visiteur sur une forte et lourde table « qui s'éleva immédiatement avec sa charge à 8 pouces au moins de hauteur ». Le Dr Hawksley se baissa et passa la main entre les roulettes et le tapis, puis, dit-il « l'exercice terminé, la table redescendit et le monsieur quitta son poste ».

M. James Watson, sollicitor à Liverpool, fut aussi témoin d'une lévitation de Home.

« Le médium, rapporte-t-il, nous annonça qu'il allait être élevé en l'air. Un instant après, il traversa la table par-dessus la tête des personnes du cercle. Je le priai de faire une marque au plafond avec un crayon. Comme il n'en avait pas, je me levai pour lui prêter le mien, et ce ne fut pas sans user de toute la longueur de mon bras que je pus atteindre sa main qui était bien à 7 pieds du sol[1]. J'y glissai le crayon et sa main tint quelque temps la mienne, me soumettant aux caprices de ses pérégrinations aériennes. »

Voici maintenant comment Douglas Home décrit lui-même ses impressions : « Durant ces élévations ou lévitations, peut-on lire

1. Le pied anglais valant 0,3048 m, 7 pieds correspondent à environ 2,13 mètres.

dans son ouvrage *Révélations sur ma vie surnaturelle,* je n'éprouve rien de particulier en moi, excepté cette sensation ordinaire dont je renvoie la cause à une grande abondance d'électricité dans mes pieds ; je ne sens aucune main me supporter, et, depuis ma première ascension qui eut lieu en Amérique alors que j'étais âgé de 19 ans, je n'ai plus éprouvé de craintes, quoique, si j'eusse tombé de certains plafonds où j'avais été élevé, je n'eusse pu éviter des blessures sérieuses.

« Je suis, en général, soulevé perpendiculairement, mes bras raides et relevés par-dessus ma tête... Quand j'atteins le plafond, mes pieds sont amenés au niveau de ma tête et je me trouve dans une position de repos. Je suis demeuré souvent ainsi suspendu pendant 4 ou 5 minutes... En quelques occasions, la rigidité de mon bras se relâche et j'ai fait, avec un crayon, des lettres et des signes sur le plafond qui existent encore, pour la plupart, à Londres. »

Les téléplastes

Avec les phénomènes ectoplasmiques, qui constituent certainement la partie la plus discutable de la métapsychique physique, nous abordons un domaine incertain. Très rares, abondamment falsifiés, entrant difficilement dans le cadre de nos connaissances psychophysiologiques classiques, absurdes et même « impensables », il est évidemment difficile de les accepter a priori alors qu'il est raisonnablement possible de croire à la télékinésie sans jamais avoir observé soi-même un mouvement sans contact.

Et, cependant, si nous passons la phénoménologie ectoplasmique au crible de la critique la plus sévère et la plus exigeante, sa réalité ne semble pas douteuse.

Cinq médiums au moins furent d'authentiques téléplastes : Daniel-Dunglas Home, Eusapia Paladino, Jean Guzik, Franek Kluski, Rudi Schneider.

Est-ce à dire que ces sujets ne trompèrent jamais ? L'affirmer serait méconnaître le caractère même de la médiumnité, mais, d'autre part, rejeter en bloc l'ensemble de leur production phénoménale serait faire preuve d'une injuste partialité ou d'une ignorance totale des faits.

En quoi consiste l'ectoplasmie ?

Le Dr Geley en donne en quelques mots une définition, et, par surcroît, le processus apparent.

« Du corps du médium, dit-il, s'extériorise une substance d'abord amorphe ou polymorphe. Cette substance se constitue en représentations diverses qui sont généralement des représentations d'organes plus ou moins complexes.

« Nous pouvons donc considérer successivement, continue Gelcy :

« 1° La substance, substratum des matérialisations ;

« 2° Ses représentations organisées.

« La substance s'extériorise soit sous la forme gazeuse ou vaporeuse, soit sous la forme liquide ou solide.

« La forme vaporeuse est la plus fréquente et la plus connue.

« Auprès du médium se dessine ou s'agglomère une sorte de vapeur visible, de brouillard, souvent relié à son organisme par un lien ténu de la même substance. Puis, il se produit comme une condensation en divers points de ce brouillard. Ces points de condensation prennent enfin l'apparence d'organes dont le développement s'achève très rapidement.

« Sous sa forme liquide ou solide, la substance productrice des matérialisations est plus accessible à l'examen. Son organisation est parfois plus lente. Elle reste relativement longtemps à l'état amorphe et permet de se faire une idée de la genèse du phénomène. »

Quant aux représentations elles peuvent être des mains, des visages, des êtres complets humains ou humanoïdes, parfois des animaux.

Examinons ici quelques aspects de la médiumnité téléplasmique de Guzik, de Kluski et de Rudi Schneider que nous avons personnellement connus[1].

Guzik (1876-1928) produisait des formes humaines dont on

---

1. Nous avons étudié les productions ectoplasmiques de Daniel-Douglas Home et d'Eusapia Paladino dans nos deux livres *Médiums et Fantômes*, Paris, 1972, et *Mystères du Paranormal*, Paris, 1979.

voyait surtout le visage lumineux par lui-même. Les visages étaient vivants, et, de la bouche, sortait une voix rauque indéfinissable. Il fut longuement étudié à l'*Institut Métapsychique International* par le Dr Geley d'abord, puis par le Dr Osty.

« A peine Guzik manifesta-t-il sa transe, écrit le Dr Osty, relatant la séance du 5 avril 1926, que je suis touché au bras et à l'épaule droite comme par une main. On entend des bruits de pas derrière moi, et j'ai la forte sensation de deux mains comprimant d'un coup et bien symétriquement mes deux épaules.

« Une belle et large lueur s'allume au-dessus de la tête de Guzik et en apparence assez haut. Elle descend lentement dans ma direction, vient se placer devant moi, à la hauteur de mes yeux. J'aperçois les deux tiers supérieurs d'un visage humain éclairé par une phosphorescence. Deux autres fois le même phénomène se produit, ne différant que dans les traits des visages. Chacun de ces trois visages avait le haut de la tête encadré comme d'un voile dont je voyais l'avancée sur le front. L'éclairage venu d'avant et d'au-dessus le front laissait le menton dans la pénombre. Un des visages semblait être celui d'une femme plutôt petite. Les deux autres étaient d'aspect masculin. Un a été muet et simplement contemplatif. Les deux autres m'ont parlé et m'ont embrassé avant d'éteindre leurs feux. Le dernier est resté devant mes yeux plus longtemps que les deux autres et a prononcé la valeur de quatre ou cinq courtes phrases mais que je n'ai pas comprises, peut-être parce que d'autres assistants annonçaient pendant ce temps d'autres phénomènes. Durant que ce dernier visiteur m'a parlé, j'ai senti sur mon front le contact de deux ou trois doigts. C'est avec une très grande attention que j'ai regardé ce visage moins pressé que les autres à partir, m'efforçant d'y trouver les indices de sa nature. Il donnait une impression de visage humain qu'éclairerait un paquet de vers luisants. Ayant fini de parler, ce visage s'est avancé et m'a embrassé au front me donnant la sensation de contact d'une bouche humaine qui embrasse.

« Quand ce dernier visage m'a quitté, tous les assistants ont vu sa luminescence monter et sembler s'écarter assez loin de Guzik, dans la salle, puis, brusquement, s'éteindre, et, cela dans un mouvement complètement silencieux. »

Mieux encore que Guzik, le Polonais Franek Kluski (1874-1944), qui fut certainement le « géant » des médiums contemporains à matérialisations, donna des formes humaines entières se déplaçant, parlant, ayant tous les caractères de la vie. Elles furent parfaitement observées à l'*Institut Métapsychique International* par le Dr Geley et ses collaborateurs.

Voici, d'après de Dr Geley, comment se déroulaient les phénomènes.

On percevait tout d'abord une forte odeur d'ozone puis on voyait des vapeurs légèrement phosphorescentes, une sorte de brouillard, flotter autour du médium, surtout autour de sa tête. Ce brouillard s'élevait généralement comme une fumée légère. En même temps apparaissaient des lueurs, semblant des foyers de condensation. Ces lueurs étaient généralement nombreuses, ténues et éphémères, mais, parfois, elles étaient plus étendues, plus durables, et, dans ce cas, donnaient l'impression d'être comme des régions lumineuses d'organes, invisibles par ailleurs, spécialement des extrémités de doigts ou des fragments de visages.

Enfin, quand la matérialisation s'achevait, on voyait des mains ou des visages parfaitement formés. Ceux-ci étaient de grandeur naturelle et apparaissaient généralement derrière le médium ou à ses côtés. Ils étaient placés plus haut que la tête de Franek et celle des expérimentateurs assis. Ils semblaient être des visages d'êtres humains debout, mais dont le corps était invisible. Plusieurs fois, cependant, les expérimentateurs ont pu voir également matérialisés le buste et les membres supérieurs de ces fantômes.

Comme la visibilité par la lumière rouge était insuffisante, ces êtres, pour mieux se faire examiner, saisissaient fréquemment l'un des écrans luminescents au sulfure de zinc, disposés dans la salle avant les séances, et l'approchaient jusqu'au contact de leur visage. D'autres fois, les figures matérialisées, au lieu de se servir des écrans, s'éclairaient par une substance autolumineuse. Enfin, très souvent, les visages étaient lumineux par eux-mêmes.

« Les visages étaient vivants, souligne le Dr Geley. Leur regard très vif s'attachait fixement aux expérimentateurs. Leur physionomie grave et calme reflétait une apparence de dignité sévère. Ces êtres semblaient conscients de l'importance de leur rôle. »

L'extrait suivant du compte rendu analytique de la séance du 20 novembre 1920 donnera une idée assez précise de ce qu'était la puissante médiumnité de Kluski.

« Les écrans luminescents, écrit le Dr Geley, sont enlevés très haut et très longuement. Ils arrivent jusqu'au contact de visages qu'ils éclairent bien. Ces visages sont admirablement formés ; je reconnais le visage d'un jeune homme déjà vu : tête dont la chevelure est cachée par un voile, fine moustache, nez busqué, yeux très noirs et très vifs.

« Puis la tête d'une vieille femme édentée, très ridée. Elle a sur la tête un voile formant un double nœud en avant du front. Enfin, une tête dont je ne vois que l'occiput sous un voile. On entend prononcer le mot « Thomasch » (Thomas en polonais) et le même mot est répété d'une voix faible à droite et en arrière du médium, près du comte Jules Potocki, qui assiste à la séance. Enfin, on aperçoit, près de la tête du comte, une forme lumineuse s'éclairant d'elle-même. »

« Une boule lumineuse se forme devant mon visage, écrit le comte Jules Potocki, qui, de son côté, décrit la scène ; cette boule s'éloigne puis se rapproche tout près de mon visage, et je perçois, à mon grand étonnement et aussi à ma grande joie, les traits parfaitement reconnaissables de ma sœur qui me sourit comme de son vivant. Elle me paraît beaucoup plus jeune, telle qu'elle était il y a 25 ans (elle est morte à 54 ans). Le haut de la tête est entouré de voiles nuageux. L'apparition du visage dure seulement quelques secondes. J'ai le temps de crier : « c'est elle ! », puis tout disparaît. Une main trace plusieurs signes de croix sur mon front comme le faisait toujours ma sœur de son vivant lorsqu'elle prenait congé de moi... »

C'est avec Kluski que le Dr Geley obtint des moules de membres matérialisés : sept de mains, un de pied et un de bas de visage.

Il employa pour les obtenir un procédé relativement simple, qui, d'ailleurs, n'était pas nouveau.

Un baquet, rempli d'eau très chaude sur laquelle surnageait une couche de paraffine fondue, était placé au voisinage du médium. Les formations téléplasmiques, les mains par exemple, plongeaient dans le bain et l'on entendait leur barbotement, puis elles déposaient sur les genoux des assistants de minces gants de paraffine. Après quoi, c'est-à-dire après les séances, Geley coulait du plâtre dans les moules, puis, quand celui-ci était solidifié, plongeait le tout dans de l'eau très chaude. La paraffine fondait et il obtenait ainsi des moulages sur lesquels subsistait (et subsiste encore) une mince pellicule transparente de paraffine représentant la partie interne des moules.

Ces moulages reproduisent toutes les caractéristiques de membres d'adultes : rides, plis, sillons, etc., mais, fait remarquable, ils ne sont pas de canon normal : ce sont des réductions de membres d'adultes. Seul, le moulage de bas de visage est de grandeur naturelle.

Nous n'examinerons pas ici tous les arguments présentés par le Dr Geley en faveur de l'authenticité paranormale des moules car cette étude allongerait démesurément notre exposé. Nous dirons seulement qu'après avoir longuement manipulé et étudié moules et moulages, recherché expérimentalement toutes les techniques permettant de les reproduire d'une façon artificielle, nous sommes arrivé à cette conclusion que les moules obtenus par le Dr Geley sont d'origine métapsychique.

1° Les moulages de mains ont les caractères anatomiques de mains d'adultes et la taille de mains d'enfants. Il serait très mal aisé, dans ces conditions, de les fabriquer par des moyens normaux.

2° L'expertise, faite par des mouleurs professionnels (MM. Gabrielli père et fils, Barettini et Marchelli, artistes mouleurs), a montré que les moulages sont des moulages de première opération et non des surmoulages, ce qui exclut les procédés de préparation par l'intermédiaire de substances solubles. « Nous concluons, ont déclaré les mouleurs précités, qu'il nous est impossible de comprendre comment les moules de paraffine du Dr Geley ont été obtenus. *C'est pour nous un pur mystère.* »

3° La position des doigts, dans certains moules, eût rendu à peu près impossible le retrait d'une main vivante quelle que fût l'épaisseur des parois de paraffine et quel que fût l'artifice employé. Or, les moules du Dr Geley étaient extrêmement minces.

4° Enfin, voici un argument décisif en faveur de l'origine métapsychique des moules. Le Dr Geley employa d'abord de la paraffine bleutée et les moules obtenus furent bleutés, ce qui, à son avis, était la preuve qu'ils avaient été fabriqués pendant les séances, mais je lui fis remarquer que cette preuve était insuffisante étant donné que le médium, après la première séance qui avait été négative, connaissait la couleur de la paraffine et qu'il pouvait dès lors, bien que ceci fût tout à fait improbable, préparer à l'avance des moules de paraffine bleutés. Aussi je lui suggérai d'ajouter secrètement du cholestérol, substance incolore, à la paraffine bleutée. Ce qu'il fit. En retrouvant ensuite le cholestérol dans les moules (il suffit de traiter un fragment de paraffine, renfermant du cholestérol, par l'acide sulfurique, qui est un des réactifs de cet alcool polycyclanique, et l'on obtient une coloration rouge) le Dr Geley eut la certitude que les moules étaient bien produits au cours des séances et non apportés, d'où leur origine paranormale.

On peut enfin ajouter que dans les expériences de Varsovie avec Kluski en avril-mai 1922, le Dr Geley et les autres expérimentateurs ont vu les mains paranormales opérer : « Elles étaient, dit Geley, éclairées par des points lumineux placés aux extrémités digitales. Elles se promenaient lentement devant nos yeux, plongeaient dans le baquet de paraffine, barbotaient une fraction de minute, en ressortaient toujours lumineuses, puis, finalement, venaient déposer le moule encore chaud dans l'une de mes mains. »

Devant l'extraordinaire fantasmagorie présentée par Guzik et Kluski, que nous venons d'examiner, les expériences du Dr Osty avec le sujet métapsychique autrichien Rudi Schneider[1] apparaîtront quelque peu ternes mais elles sont néanmoins d'un intérêt

1. Rudi Schneider (1908-1957) était le frère de lait du chancelier Adolf Hitler. C'était un sportif et un garçon sympathique d'un commerce très agréable.

considérable car elles constituent, à notre avis, la pierre angulaire de la métapsychique objective, et, de plus, montrent qu'il existe des relations étroites entre les phénomènes physiologiques et les phénomènes paranormaux de nature physique.

Dans les premières expériences faites « pour voir », c'est-à-dire réalisées pour permettre de connaître la nature des phénomènes, et aussi pour créer le climat psychologique favorable entre le médium et les assistants, Rudi Schneider, revêtu d'un pyjama phosphorescent afin de repérer parfaitement sa position dans la demi-obscurité, entrait dans le laboratoire en même temps que les expérimentateurs. Dès qu'il était assis, ses contrôleurs s'emparaient de lui. Tous les assistants faisaient la chaîne en se tenant la main. Le médium était placé devant une sorte de cabinet noir constitué simplement par l'un des angles du laboratoire fermé en avant par deux rideaux coulissant sur tringle et tombant du plafond jusqu'à 10 cm du parquet. Les bords des rideaux étaient phosphorescents et leur extrémité inférieure portait des grelots.

En avant de ce cabinet médiumnique rudimentaire se trouvait une table de 40 cm de haut sur laquelle on avait disposé des objets simples destinés aux expériences télékinétiques, car le but primitif d'Osty était d'observer des télékinésies : une sonnette, une fleur, un mouchoir plié. Une lampe électrique à verre rouge éclairait le tout.

Le médium tournait le dos à la table située à 1 m de lui. Un des expérimentateurs lui tenait les poignets et emprisonnait ses jambes dans les siennes.

C'est dans ces conditions qu'à la troisième séance du 15 octobre 1930 deux télékinésies se produisent.

A 15 h 25, les expérimentateurs voient s'agiter les bords luminescents des rideaux. Celui de droite se gonfle comme s'il contenait un corps arrondi. Il arrive jusqu'à la table qui se trouve repoussée vers les assistants d'une quinzaine de centimètres.

La table est remise à sa place primitive. Trente secondes plus tard, les deux premiers contrôleurs et le Dr Osty (particulièrement bien placé pour surveiller l'espace situé entre la table et les rideaux) voient sortir de dessous le rideau de droite, donc venant d'une direction contraire au sujet, une sorte de brouillard grisâtre assez épais, d'au moins 30 cm de large. Ils voient ensuite cette nappe s'avancer lentement vers le bord supérieur de la table et l'atteindre. A ce moment, la table, comme poussée par cette substance, glisse de 20 cm environ dans la direction des assistants. Le Dr Osty, penché sur le phénomène, constate que, dès que la table est immobile, la masse grisâtre devient invisible.

La séance était donc extrêmement intéressante, mais elle n'avait encore comme contrôle que le témoignage humain. Le médium devant quitter Paris pour se reposer, le Dr Osty en profita, avec l'aide de son fils l'ingénieur Marcel Osty, pour établir un dispositif expérimental de contrôle et d'enregistrement à rayons infrarouges.

Une table, à pied unique, fut placée devant et contre les rideaux du cabinet médiumnique et fixée au sol par quatre vis.

A gauche de la table et à 1 cm de distance furent disposés un émetteur de radiations infrarouges et un récepteur pourvu d'une cellule photo-conductrice (cellule de Gema-Fournier) particulièrement sensible aux rayons de longueur d'onde de 1 micron. Le faisceau d'infrarouge projeté, qui avait 10 cm^2 de section, était d'abord dirigé sur un miroir situé à droite de la table, puis renvoyé à un miroir placé à gauche de celle-ci. Les rayons retournaient encore à droite sur un troisième miroir qui les dirigeait enfin sur le récepteur à cellule photo-électrique.

On avait ainsi quatre faisceaux de lumière invisible au-dessus de la table. Un objet, placé sur un plateau, se trouvait dès lors littéralement encadré par l'infrarouge. Dans ces conditions, il est évident qu'un déplacement de l'objet, sa télékinésie par exemple, devait nécessairement produire une absorption partielle ou totale des rayons infrarouges.

Comme, d'autre part, la cellule photo-électrique était en relation avec un relais capable de provoquer la déflagration d'une cartouche de magnésium lorsque l'intensité de l'infrarouge diminuait de 30 pour 100 et que quatre appareils photographiques étaient braqués sur l'objet selon des angles différents, on pouvait espérer obtenir la photographie d'une télékinésie débutante.

Le 10 novembre 1930, à 22 h 35, la première séance a lieu avec ce dispositif expérimental. Rudi sait que l'on désire photographier un déplacement d'objet, en l'occurrence un mouchoir placé sur la table, mais il ignore totalement le procédé mis en œuvre pour atteindre ce but.

Par deux fois, l'éclair de magnésium jaillit, mais les photographies ne révèlent aucun déplacement du mouchoir ni ne décèlent aucune substance au voisinage de celui-ci. L'hypothèse de travail qui s'impose est donc celle-ci : le médium émet une substance inactinique, insuffisante pour produire des télékinésies mais capable d'occulter les rayons infrarouges.

Le lendemain, le Dr Osty décide d'en vérifier la justesse ou la fausseté. Il remplace le déflagrateur au magnésium par une sonnerie à trembleur que l'on pourrait entendre pendant toute la durée de l'occultation du faisceau d'infrarouge. D'autre part, le déclenchement des appareils photographiques est commandé par les expérimentateurs eux-mêmes. On constate alors que lorsque le sujet annonce : « la force va sur la table », la sonnette retentit. Quand le médium, et selon sa propre expression, « éloigne la force du meuble », le silence se rétablit. Enfin, l'éclair de magnésium interrompt le phénomène ce qui confirme ce fait bien connu des métapsychistes, à savoir que la lumière blanche est contraire aux manifestations de nature physique.

Le Dr Osty émet dès ce moment les conclusions suivantes qui ont été corroborées par des expériences réalisées en Angleterre par Lord Raylaigh :

1° Lorsque Rudi désire produire le déplacement d'un objet à distance par des moyens paranormaux, il projette vers cet objet une substance invisible qui absorbe de 0 à 75 pour 100 et peut-être 100 pour 100 du rayonnement infrarouge utilisé.

2° Cette substance n'est pas opaque à la lumière blanche puisque la plaque photographique n'en fixe pas l'image.

3° Elle est sous la commande du psychisme du sujet qui en annonce les déplacements.

Poursuivant ses investigations, le Dr Osty constata, au cours de 77 séances consécutives, que la substance médiumnique, ou, plus exactement, la substance-énergie, n'est douée d'aucune conductibilité électrique, que son épaisseur, chez Rudi Schneider, ne doit pas dépasser 6 cm, qu'elle n'influence ni les hygromètres ultra-sensibles, ni les baromètres, ni les thermomètres, qu'elle varie d'intensité selon les jours, et, enfin, fait capital, qui établit le lien étroit unissant un phénomène physiologique à un phénomène métapsychique, qu'elle est en perpétuelle modification et que ses oscillations, dans le faisceau d'infrarouge, présentent une fréquence double du cycle respiratoire, c'est-à-dire une fréquence qui correspond au rythme des deux temps du travail musculaire de la respiration, inspiration et expiration. Il est d'autre part à noter qu'au cours des expériences, la fréquence respiratoire du médium passait de 12 ou 14 respirations à la minute, ce qui est un rythme normal, à une extraordinaire hyperpnée allant de 214 à 350 respirations à la minute. Les halètements du médium ont été enregistrés sur un disque qui est conservé à l'I.M.I.

Le Dr Osty se disposait à étudier l'action des diverses radiations lumineuses sur cette substance-énergie médiumnique, lorsque, malheureusement, la maladie et sa mort prématurée mirent fin à ses travaux.

Néanmoins, répétons-le, tels qu'ils sont, leur importance est capitale car ils ont établi qu'il existe une relation étroite entre la matière, la vie et la pensée.

Les médiums des maisons dites « hantées »

On peut définir les phénomènes de hantise comme étant un ensemble de manifestations mystérieuses dont le trait caractéristique essentiel est de se rattacher d'une façon spéciale à un lieu déterminé, le plus souvent une maison, que l'on qualifie alors de « hantée ».

Comme nous le signalons plus loin, ils sont dus, selon nous, à un médium qui s'ignore, lequel, inconsciemment, c'est-à-dire sans qu'il le veuille expressément, est la cause des phénomènes.

Connus de tout temps, ils peuvent affecter la vue, l'ouïe, le toucher, l'odorat, et ne posent pas, en général, de problèmes différents de ceux que la métapsychique objective ou physique nous propose. Des objets se déplacent ou semblent se déplacer tout seuls, des bruits inexplicables se font entendre ; des fantômes apparaissent, toutes sortes de phénomènes physiques, sans cause apparente, ont lieu.

Les parapsychologues contemporains désignent souvent les phénomènes de hantise sous le nom de « psychokinésie spontanée » ou S.P.K., que l'on peut traduire comme suit : influence mentale exercée sur un système physique sans l'intervention d'aucune forme d'énergie actuellement connue. Mais cette définition ne tient pas compte des apparitions fantomatiques. En revanche, le mot allemand *Poltergeist*, également employé pour désigner ces phénomènes et qui dérive de *poltern*, faire du bruit, et de *Geist*, esprit, spectre, implique l'intervention d'entités extérieures à l'homme.

Les objets déplacés peuvent être des meubles plus ou moins massifs ou des ustensiles de cuisine. Ainsi, dans une étude de Rosenheim, en Bavière, le professeur de physique P. Büchel a vu, en novembre 1967, un classeur de 175 kilos se déplacer d'environ 30 centimètres. La vaisselle est souvent projetée et brisée. Parfois, au contraire, des objets très fragiles ne sont pas brisés, même après un déplacement de plusieurs mètres. Les draps sont violemment arrachés des lits et ceux-ci sont renversés. Des portes, des fenêtres, ainsi que des armoires bien fermées s'ouvrent et se referment d'elles-mêmes. Quelquefois, des sonnettes s'agitent bruyamment, même après suppression des cordons. Des tableaux pivotent sur leur clou ou tombent du mur où ils sont fixés.

Ou bien ce sont des jets de pierres qui parcourent des trajectoires insolites, tombent lentement en dépit de la pesanteur et achèvent leur parcours en un point précis et sans rebondir, comme si elles étaient transportées par une main invisible. Elles sont quelquefois chaudes et même brûlantes. Il arrive aussi qu'une maison soit soumise à une véritable grêle de projectiles vigoureusement projetés : des pierres tombent sur le toit, d'autres brisent les carreaux ou pénètrent par les ouvertures. En ce cas, et comme le remarque le professeur Hans Bender de l'*Université de Fribourg-en-Brisgau* (Allemagne), « il se produit rarement d'autres phénomènes à l'intérieur de la maison, une fois que le bombardement a commencé de l'extérieur ».

Les bruits entendus vont du simple craquement au tapage assourdissant. Ce sont des coups sur les portes, les murs ou les meubles. Ils se produisent parfois aux mêmes endroits ou bien dans toutes les parties de la maison. De même que les raps * des séances médiumniques, ils sont souvent imitatifs et rappellent le bruit provoqué par la chute d'un objet, de vaisselle, par une porte ou une fenêtre que l'on ferme, par des chaînes traînées par terre, par une scie coupant un morceau de bois, etc.

Quelquefois, ce sont des bruits de pas plus ou moins furtifs ou un frou-frou de robe qui se font entendre. En certaines circonstances, les témoins des hantises perçoivent ou croient percevoir des sanglots, des gémissements, des murmures, des voix humaines, des chants, des concerts musicaux.

Ces bruits peuvent être objectifs ou subjectifs. Dans le premier cas, leur production est liée à une cause physique ou mécanique. Dans le second, cette cause n'existe pas. Ainsi, le bruit d'une porte qui s'ouvre peut accompagner l'ouverture réelle de la porte. En revanche, un bruit de vaisselle qui se brise peut se faire entendre bien que celle-ci soit retrouvée intacte.

Les fantômes des maisons hantées revêtent toujours, semble-t-il, une forme humaine. « Loin de se montrer entourés du blanc linceul spectral, écrit le métapsychiste et spirite italien Ernest Bozzano qui a naguère apporté une contribution remarquable à l'étude des maisons dites « hantées » puisqu'il en a sélectionné 532 cas, les fantômes visualisés sont vêtus des costumes de l'époque à laquelle ils vécurent. Généralement, ils se présentent d'une manière si réaliste qu'on pourrait les croire vivants ; quelquefois ils se montrent distinctement, mais transparents ; en d'autres cas, ils ne sont que des ombres à forme humaine.

« Souvent, ils s'évanouissent sur place comme de la vapeur, ou, même, ils s'en vont en passant à travers une muraille ou une porte fermée. Parfois, ils marchent, d'autres fois, ils glissent, suspendus en l'air.

« Dans la plupart des cas, ils se manifestent durant de longues séries d'années, par intermittence, avec de longues périodes de relâche, et, en certaines circonstances, à des dates fixes ; mais il arrive que la durée des hantises n'excède pas quelques mois ou seulement quelques jours. Leur manifestation est presque toujours précédée par un sentiment vague d'une « présence » qui saisit le percipient et l'amène à se retourner du côté où se trouve le fantôme ; si celui-ci s'approche, le percipient ressent comme une sorte de vent glacé.

« L'un des traits caractéristiques les plus fréquents que présentent les fantômes, c'est leur apparente indifférence vis-à-vis des vivants qui les contemplent, ou, plutôt, leur apparente ignorance du milieu dans lequel ils évoluent. Ils montent un escalier, traversent un corridor, pénètrent dans une chambre sans aucun but manifeste et sans se soucier des personnes qu'ils rencontrent ; ou bien, ils vaquent à quelque fonction domestique, font des gestes de désespoir, s'accroupissent à côté du feu, en des conditions évidentes d' « absence psychique », comme si les actions qu'ils accomplissent se déroulaient par automatisme somnambulique.

« Tout cela n'empêche aucunement que cette règle comporte un certain nombre d'exceptions dans lesquelles le fantôme montre qu'il aperçoit les assistants auxquels il s'adresse souvent intentionnellement par des gestes et des paroles. »

Enfin, parmi les autres phénomènes qui auraient été parfois observés dans les hantises, on peut signaler des lueurs plus ou moins diffuses, des sensations de poids ou de pression sur quelques parties du corps, des impressions de froid glacial, des contacts désagréables de mains laissant des empreintes de brûlures, des odeurs puantes, cadavériques, ou, au contraire, suaves, comme le parfum de violette.

Sans doute, dans ces étranges et invraisemblables manifestations, il y a quelquefois une part de supercherie, de plaisanteries d'un goût douteux, de fabulations, de coïncidences fortuites ou de faits naturels interprétés sous l'angle du paranormal.

En tout cas, ces différentes causes d'erreurs étant éliminées, il subsiste un certain nombre de hantises que l'on peut considérer comme authentiquement paranormales. Elles ont été recensées par des auteurs tels que Lombroso, Sir Ernest Bennett, Carrington, Bozzano, Camille Flammarion, Thomas Bret, Émile Tizané, Hans Bender, nous-même ; et quelques-unes d'entre elles ont été soumises à un examen critique rigoureux.

A cet effet, et pour déterminer les différents niveaux d'authenticité des phénomènes observés, Hans Bender a utilisé une méthode d'information essentiellement basée sur les points suivants :

1° L'interrogation des témoins ;
2° Les rapports des témoins ;
3° La reconstitution des phénomènes prétendus paranormaux, à l'aide de photographies, de films, ou des deux à la fois, dans le dessein de contrôler les assertions des témoins ;
4° Les observations personnelles de l'enquêteur ;
5° Des enregistrements sur bandes magnétiques ou sur films des manifestations apparemment paranormales ;
6° Des contrôles expérimentaux, tels que de mettre les scellés sur des boîtes ou des armoires contenant des objets fréquemment déplacés ;
7° L'emploi de techniques criminologiques dans le but de détecter les fraudes éventuelles ;
8° Le psycho-diagnostic des témoins ;
9° L'analyse des motivations.

Du fait que chaque cas est différent des autres, ces investigations doivent être appliquées selon des combinaisons diverses adaptées aux particularités de la situation. Il faut néanmoins qu'il y ait analyse rapide et qu'une décision intervienne sans délai quant à l'intervention directe de l'enquêteur, car les phénomènes risquent de décliner ou même de s'arrêter complètement en très peu de temps.

Reste à examiner leurs causes probables.

Il faut d'abord souligner que l'hypothèse de l'hallucination collective, que l'on a parfois alléguée pour expliquer les phénomènes de hantise, a, en fait, un domaine d'application très limité. Au reste, la plupart des hantises s'exprimant par des faits objectifs ou laissant des traces matérielles indiscutables, la théorie hallucinatoire est le plus souvent inadéquate. De plus, et bien que cet argument en faveur de la réalité des hantises ne soit pas péremptoire, on peut tout de même admettre, avec Jacques Chevalier, ancien doyen de la *Faculté des Lettres* de Grenoble, que « la croyance très générale et persistante aux hantises, aux fantômes et aux revenants semblerait difficilement explicable si elle était purement hallucinatoire et dénuée de tout fondement réel ».

Pour beaucoup de spirites, c'est un défunt qui vient dans les maisons hantées témoigner de sa survivance. Selon le spiritisme, l'homme serait composé de trois éléments : le corps, qui après la mort se désagrège et fait retour au monde matériel, l'esprit, qui est la source de la conscience, de l'intelligence, de la volonté, et qui est immortel, et le périsprit, ou corps spirituel, qui serait un organisme fluidique formé d'une sorte de matière quintessenciée intermédiaire entre la matière proprement dite et l'esprit. Il survivrait plus ou moins longuement à la mort corporelle et servirait d'enveloppe et d'instrument à l'esprit. C'est grâce à lui que le décédé pourrait se manifester physiquement.

Le périsprit d'un mort, inquiet, outragé ou repentant, produirait tous les phénomènes que l'on observe dans les maisons hantées. Pour le calmer, il suffirait de l'interroger avec déférence, de lui demander ce qui l'agite et comment il convient de l'apaiser. Après s'être conformé à ses exigences, les phénomènes cesseraient d'eux-mêmes. Effectivement, en agissant ainsi, les phénomènes disparaissent généralement.

D'autres spirites, avec F. Myers (*Proceedings of the S.P.R.*, vol. VI) et E. Bozzano, ne font pas intervenir directement le périsprit. Ils admettent que les hantises sont provoquées par une impulsion télépathique due à un défunt. Elle engendrerait, par l'intermédiaire d'un médium, soit des perceptions d'ordre hallucinatoire (Myers), soit des phénomènes objectifs (Bozzano).

Les occultistes et les théosophes formulent une hypothèse plus complexe. Selon eux, il existerait dans l'univers sept zones ou plans qui s'interpénétreraient. Par ordre de densité décroissante, nous aurions :

1° Le plan physique qui est notre monde habituel,

2° Le plan astral ou émotionnel qui est celui où nous irions chaque nuit pendant le sommeil et aussi après ce que nous appelons la « mort » ;

3° Le plan mental, qui est celui de la pensée ;

4° Quatre autres plans parmi lesquels les plans bouddhique et nirvanique.

L'homme posséderait plusieurs corps ou véhicules correspondant à ces divers plans :

1° Le corps physique dense et visible, doté d'un double éthérique qui absorberait la vitalité solaire ;

2° Le corps astral ou émotionnel qui serait l'instrument des émotions, des désirs, des passions, et qui élaborerait la sensation ressentie ensuite par le corps physique ;

3° Le corps mental qui produirait la pensée exprimée par le cerveau ;

4° Le corps causal, ou individualité, appelé aussi âme ou ego. Alors que le corps physique est mortel et que les corps astral et mental seraient également périssables et ne dureraient qu'une incarnation, le corps causal serait immortel et persisterait à travers toutes les incarnations. Il transmettrait aux personnalités successives toutes les capacités et les qualités acquises dans les incarnations précédentes. Quant aux autres attributs de l'homme, ils ne seraient, à notre stade évolutif actuel, qu'à l'état de germes.

Bien entendu, si, avec la plupart des occultistes, on considère ces corps, astral, mental et causal, comme des médiateurs plastiques, l'hypothèse est difficilement défendable du point de vue scientifique. En revanche, elle devient plausible si on les assimile à des centres de forces.

Le plan astral, qui nous intéresse particulièrement ici, serait le lieu où évolueraient non seulement ceux que nous appelons les « morts » pas encore délivrés de leurs illusions terrestres mais aussi toutes les « coques », tous les « vêtements » psychiques abandonnés par les esprits passant sur les plans supérieurs. Ces « résidus » d'âmes, si l'on peut s'exprimer ainsi, finiraient, à la longue, par se diluer et se dissoudre dans le « Tout » universel, mais ils lutteraient contre leur anéantissement final en provoquant, par un dernier effort, ces phénomènes incohérents que l'on observe dans les maisons hantées.

En outre, le plan astral posséderait des individualités autonomes appelées « élémentals* » qui seraient soit des êtres cosmiques, soit des pensées plus ou moins malfaisantes d'origine humaine. Ce peuple bizarre, à demi conscient, malicieux ou maléfique selon la nature des entités, serait à l'origine des plaisanteries burlesques ou méchantes, si fréquentes dans les maisons hantées.

D'après quelques auteurs, il est inutile, comme le font les spirites, les occultistes et les théosophes, de faire intervenir l'au-delà pour expliquer les hantises.

Selon Frank Podmore, qui s'est efforcé de ramener à la télépathie tous les phénomènes paranormaux, les choses se passeraient ainsi ; un des occupants de la maison qui va devenir « hantée » éprouve une hallucination purement subjective, visuelle, auditive ou autre, provenant de son état mental anormal, ou engendrée par une cause purement matérielle et fortuite mal interprétée. Dès que l'hallucination s'est produite une fois, elle tend à se répéter chez le même sujet grâce à l'association des idées, et, en outre, elle peut se communiquer par télépathie, de ce premier sujet à d'autres personnes habitant la même maison, et ainsi de suite, par une sorte de contagion psychique.

Mais il est évident que cette hypothèse, qui a d'ailleurs été combattue par Frédéric Myers dans le volume même des *Proceedings* (vol. VI) où F. Podmore l'a émise, n'est probablement qu'assez rarement valable, car elle est incapable de rendre compte des phénomènes matériels observés dans les hantises par de nombreux témoins.

L'hypothèse « psychométrique », d'après laquelle les hantises seraient suscitées par une véritable imprégnation psychique, paraît devoir s'appliquer à un bien plus grand nombre de cas. La matière brute aurait la propriété d'enregistrer toutes sortes de vibrations physiques, vitales, psychiques, qui seraient ensuite perçues et interprétées par le subconscient de sujets particulièrement sensibles. En l'occurrence, ils éprouveraient des « hallucinations véridiques » dans les lieux où des événements dramatiques se sont produits.

Toutefois, outre l'objection précédente concernant les phénomènes matériels, on peut rétorquer, d'une part, que la grande majorité des endroits qui ont été le siège d'événements dramatiques ne sont pas hantés, et, d'autre part, qu'il existe des hantises dans des immeubles neufs.

Les hommes-phénomènes

Une hypothèse assez curieuse consiste à attribuer certaines hantises à une action psychique volontaire réalisée, dans un but de nuire, par un sujet entraîné à ce genre d'influence mentale. Elle s'appuie sur des expériences dites de « dédoublement » ou de « bilocation », au reste très discutables, parce que insuffisamment authentifiées, qui ont surtout été décrites par des magnétiseurs tels que A. de Rochas, Hector Durville, Lancelin, Laflèche et Théo Mathys.

Cependant, il convient de remarquer que dans le monde religieux les faits de bilocation sont relativement nombreux et parfois remarquables par la durée de dédoublement. On peut en trouver la relation dans la *Mystique* de Görres, la *Mystique divine* de Ribes et dans des ouvrages consacrés à différents saints et au Padre Pio. Mais il faut souligner que l'Église est très prudente à l'égard de ces sortes de phénomènes.

Enfin, pour la plupart des métapsychistes ou des parapsychologues, et c'est également notre interprétation, les hantises, quand elles sont authentiques, sont dues à un sujet pourvu de facultés paranormales (généralement un adolescent faisant sa crise pubérale) et influencé par un local particulier.

En effet, chaque fois qu'on éloigne du lieu hanté le sujet que l'on soupçonne, avec raison, d'être l'instigateur de la hantise, elle cesse aussitôt pour se manifester de nouveau avec le retour de celui-ci. S'il change de local, les phénomènes l'accompagnent souvent.

Mais le sujet métapsychique n'est pas le seul facteur des hantises. D'autres éléments doivent intervenir parmi lesquels on peut citer, ainsi que nous l'avons dit, l'influence du lieu, et, très souvent, des récits attribuant, à tort ou à raison, des phénomènes de hantises à un lieu déterminé.

La hantise étant connue et en quelque sorte traditionnelle, tout sujet métapsychique, placé dans l'ambiance immédiate de l'endroit « hanté », pourra élaborer subjectivement ou objectivement les phénomènes qui sont censés caractériser ce lieu. Si bien qu'une légende, même primitivement erronée, peut finir par devenir « vraie ».

On conçoit dans ces conditions que les hantises soient rares, aussi rares que les véritables sujets métapsychiques à effets physiques, et, d'autre part, qu'elles soient soumises à des éclipses plus ou moins prolongées.

Les sujets qui agissent sur des structures matérielles

Uri Geller

Ainsi que nous l'avons précédemment signalé, est apparue, en ces dernières années, et tout spécialement avec Uri Geller et Jean-Pierre Girard, une médiumnité particulière permettant, à ceux qui la possèdent, de modifier des structures matérielles généralement métalliques.

C'est le 15 novembre 1974 que le jeune israélien Uri Geller, alors âgé de 28 ans, fit, sur la seconde chaîne de télévision française, une entrée que l'on peut qualifier de « sensationnelle ».

Pour la première fois, quelque quatre millions de Français se sont trouvés en direct face à face avec l'inexplicable : Uri Geller tordait sous leurs yeux des clefs, un gond de porte, remettait en marche la montre détériorée du grand-père de Pierre Sabbagh, animateur de l'émission, et recevait télépathiquement un dessin esquissé par Joseph Pasteur.

Toutefois, étant donné que l'on peut, en l'occurrence, objecter qu'un contrôle sérieux n'a peut-être pas été effectué, je retiendrai d'abord ici le témoignage de ma collègue de l'I.M.I., Madame Yvonne Duplessis, professeur de philosophie. Elle eut trois rencontres avec Uri Geller, et l'exposé qui suit relate la première qui eut lieu le 30 août 1973 en présence de Paul Bardot, ingénieur.

Des effets physiques et des effets psychiques y furent observés.

« Dans le premier cas, écrit Mme Yvonne Duplessis, nous avons vu se modifier la forme d'une cuillère puis celle d'une clef et enfin nous avons constaté l'action d'Uri Geller sur des mouvements d'horlogerie.

« Uri Geller plaça une des cuillères, que nous avions apportées, sur la paume de l'une de ses mains, la maintenant légèrement avec le pouce. Avec deux doigts de l'autre main, il en effleura le manche tout en fermant les yeux. Après une trentaine de secondes environ, nous avons observé que la cuillère commençait à se courber. Il nous sembla encore plus insolite que, sans aucun contact, et placée devant nous sur la table, la cuillère continuât à s'incurver pendant approximativement deux minutes tandis qu'Uri Geller nous parlait sans la regarder.

« Après quoi, il nous demanda de lui fournir des objets métalliques plus résistants : tenailles, lime ou même chandelier. N'en ayant pas nous lui tendîmes une petite clef de sûreté en acier. Il en modifia la forme selon le même processus que celui employé pour la cuillère. La seconde phase, à distance et sans concentration apparente, se produisit aussi.

« Deux effets différents ont été constatés ensuite sur des montres. Ainsi, celle de mon collaborateur fonctionnait depuis trois semaines environ sans décalage horaire. Uri Geller la prit, la posa sur la table, et serra fortement le poing au-dessus d'elle pendant environ trois secondes. Les aiguilles marquèrent alors 17 h 13 mn, soit près de 1 h 15 mn de retard par rapport à l'heure exacte que marquait la montre avant l'expérience. La position des aiguilles avait donc été modifiée. Comme nous constatâmes l'arrêt de la trotteuse, il serra les poings au-dessus de la montre et la remit en marche sans contact.

« Depuis lors, Paul Bardot a remarqué que l'indicateur de sonnerie de sa montre-réveil, fixé par nécessité professionnelle depuis plusieurs mois à 6 h 45 mn, indiquait aussi 5 h 13 mn.

« Le décalage horaire de la montre s'est maintenu jusqu'au lendemain, où elle fut remise à l'heure exacte.

« Ensuite, Uri Geller prit ma propre montre, non remontée depuis deux mois. Elle marquait alors 20 h 20 mn. Dès qu'il eut serré le poing sans qu'on eût actionné le ressort, le bruit de son mouvement se fit entendre. Elle marcha jusqu'à 22 h 47 mn, soit pendant environ 4 h 15 mn, avec ceci de particulier que, durant cette période de 4 h 15 mn, le déplacement des aiguilles correspondait à une modification angulaire de 2 h 40 mn comme nous le constatâmes le soir même lorsque la montre s'arrêta. La différence entre le fonctionnement artificiel provoqué par Uri Geller et le laps de temps réellement écoulé a été environ de 1 h 25 mn. D'où un ralentissement du mouvement.

« A la suite de ce curieux résultat, nous avons procédé à deux contre-épreuves quelques jours après. La montre arrêtée depuis 48 heures fut secouée fortement par plusieurs personnes pour tenter de la remettre ainsi en marche, mais en vain. Puis on chercha s'il y avait synchronisme entre le temps vraiment passé et celui qui était marqué par les aiguilles lorsque la montre s'était arrêtée après avoir été à peine remontée. Or, on s'aperçut qu'à ce moment-là, le mouvement cessait d'un seul coup. »

Ajoutons à cet exposé de Mme Y. Duplessis, que les expériences de télépathie qu'elle réalisa en fin de séance avec Uri Geller, celui-ci agissant soit comme percipient, soit comme agent, furent particulièrement réussies. En revanche, les expériences de métagnomie furent moins bonnes.

Mais comme les unes et les autres n'apportent rien de nouveau dans ce domaine, nous pensons qu'il est inutile de les rapporter ici.

Les expériences effectuées par W. E. Cox présentent quelque analogie avec les précédentes, mais, en outre, elles offrent cette particularité que W. E. Cox, qui est l'un des collaborateurs les plus brillants du professeur Rhine, est un excellent illusionniste amateur ; à ce titre, il est le Président du Comité de la *Société des Magiciens et Occultistes Américains.*

« La première épreuve, écrit-il dans son rapport sur Uri Geller, se déroule avec une clef en acier, genre clef de coffre-fort, beaucoup trop dure et trop rigide pour être tordue à la main. Geller pose la clef sur le guéridon puis l'effleure doucement. La clef commence à se tordre lentement. Il n'y a apparemment aucune trace de fraude, car une pression quelconque de sa part aurait été contre le sens de la torsion.

« Ma montre de gousset est ensuite la vedette d'une autre expérience. On la donne à Geller avec la chaîne. Le défi est le suivant : par la seule puissance de son esprit, il doit régler cette montre de façon qu'elle marche normalement, tout en sachant, au départ, que la montre en question a été trafiquée par mes soins et que j'ai, entre autres, modifié le régulateur de vitesse. De plus, un ruban de papier d'étain est placé comme écran dans le boîtier au-dessus du balancier. Enfin, dix minutes avant l'expérience, j'ai poussé la conscience professionnelle jusqu'à glisser un bout de papier dans les rouages dentés pour les bloquer définitivement.

« Geller la tient contre son oreille sans la secouer, l'écoute encore. A aucun moment la montre n'échappe à nos regards particulièrement attentifs, ce qui exclut tout risque d'escamotage.

« Tout à coup il annonce triomphalement : « Ça fait tic-tac. »

« Nous ouvrons la montre pour en avoir le cœur net. Nous constatons alors que le bras du régulateur a été légèrement déplacé ainsi que le bout de papier qui n'est plus, comme par enchantement, dans les rouages du mécanisme d'horlogerie. L'autre papier d'étain a été coupé et s'est déplacé lui aussi.

« Ce double effet sur ma montre est pour moi beaucoup plus impressionnant que toutes les torsions de clefs... Enfin, j'ai l'intime conviction, en tant que témoin oculaire et averti, qu'il n'est pas possible d'expliquer ces effets par la tricherie. »

Jean-Pierre Girard

Jean-Pierre Girard est un jeune Français qui, à l'instar d'Uri Geller, produit sur la matière des effets parapsychologiques ou médiumniques surprenants. Mais, à l'encontre de Uri Geller, il agit généralement sur des objets ou des dispositifs de laboratoire.

C'est ainsi qu'en ce qui concerne la flexion d'objets métalliques, il utilise non pas des cuillères ou des clefs, comme le fait habituellement Uri Geller, mais des « éprouvettes » métalliques estampillées, parfaitement calibrées, de composition chimique connue et dont la résistance à la flexion, à la traction et à diverses actions mécaniques ou physiques a été éprouvée (d'où le nom d' « éprouvettes ») dans des laboratoires ou dans des centres de métallurgie.

Voici deux séances que j'ai réalisées avec J.-P. Girard, l'une en collaboration avec Madame Yvonne Duplessis, précédemment citée, l'autre au studio de *Radio Monte-Carlo*.

Expériences réalisées en collaboration avec Madame Yvonne Duplessis. Elles eurent lieu le 16 mars 1976, à partir de 21 heures, au domicile de Mme Duplessis. Les expérimentateurs étaient au nombre de trois : Mme Duplessis, Mme Tocquet et moi-même.

Mme J.-P. Girard assistait à la réunion mais resta distante de plusieurs mètres de la table d'expériences, laquelle était éclairée à giorno par un lustre muni d'un grand nombre de lampes.

Sur cette table, furent disposées huit pièces métalliques comprenant : trois barreaux cylindriques, de 1 cm de diamètre, dont l'un était en acier, l'autre estampillé Au 4 G et le troisième, fort lourd, fait d'un alliage de cuivre particulièrement résistant ; un barreau de section moindre, recouvert d'une pellicule de graphite, trois lames métalliques de 1,5 cm à 3 cm de large ; une pièce de fonte dont les extrémités avaient 4 cm environ de largeur, la région centrale étant amincie.

Toutes ces pièces étaient parfaitement rectilignes, c'est-à-dire qu'elles ne présentaient aucune courbure ainsi qu'il fut constaté en les plaçant sur un papier quadrillé millimétré.

Des essais préalables, effectués en particulier sur les quatre barreaux, me permirent de constater qu'il était impossible de les plier par l'effet d'efforts musculaires normaux. Quant à la pièce de fonte, tout effort musculaire aurait conduit à la casser et non à la plier.

Les expériences réalisées, qui durèrent 1 heure environ, peuvent être classées en quatre catégories selon les effets observés : expériences dans lesquelles J.-P. Girard a agi seul ; expériences réalisées en collaboration avec les assistants ; expérience effectuée par moi-même ; effets spontanés.

1° Expériences réalisées par J.-P. Girard : Celui-ci tenant successivement trois barres par l'une de leurs extrémités, entre le pouce et l'index d'une main, les effleura légèrement avec l'autre main. Tous les assistants, dont moi-même, placé à sa droite immédiate et ayant toujours eu les yeux fixés sur les barres, virent celles-ci se plier en leur milieu.

2° Expériences réalisées en collaboration avec les expérimentateurs : J.-P. Girard demanda à chacun de nous de prendre des barreaux ou des lames métalliques et de tenter de les modifier. En ce qui me concerne, je pris donc une lame métallique par l'une de ses extrémités cependant que J.-P. Girard la tenait à peine par l'autre bout. Il l'effleura légèrement et la lame s'infléchit alors qu'aucune pression n'était exercée ni par

J.-P. Girard, ni, bien entendu, par moi-même. Le même genre d'expérience fut ensuite réalisé avec Mme Tocquet et Mme Duplessis.

3° Expérience effectuée par moi-même : je pris le barreau recouvert de graphite et, sans que J.-P. Girard le touche à aucun moment (il était alors occupé à modifier la lame de Mme Duplessis), je parvins à le courber en l'effleurant très légèrement. Le profil de ce barreau présente deux points de flexion, et, entre les deux, une légère courbure en bombé. D'après J.-P. Girard, ce genre de déformation est plutôt rare.

4° Effets spontanés : Pendant que J.-P. Girard et les participants de la réunion modifiaient des pièces métalliques, la pièce de fonte se courba spontanément ainsi qu'il fut constaté à la fin des expériences. D'autre part, la lame Au 2 GN modifiée par J.-P. Girard et par moi-même a continué à se courber après avoir été déposée sur la table. Enfin, la lame pliée par Mme Tocquet, déposée également sur la table, se redressa pendant que J.-P. Girard m'aidait à modifier la mienne.

Observations et expériences réalisées au studio de Radio Monte-Carlo. Une semaine après la réunion du 16 mars chez Mme Duplessis, c'est-à-dire le 23 mars 1976, j'ai, de 14 à 15 heures, présenté Jean-Pierre Girard aux auditeurs de *Radio Monte-Carlo,* et, en cette occasion, il s'est littéralement surpassé.

Cela résulte du fait que, d'une part, il lui fallait agir vite car le temps qui lui était imparti était très mesuré, et que, d'autre part, il se trouvait dans une ambiance particulièrement sympathique. A ce propos, je ne me lasserai pas de répéter que l'environnement joue un rôle capital dans l'étude et la production des phénomènes paranormaux. La présence de personnes hostiles à la parapsychologie ou simplement sceptiques produit un effet inhibiteur sur les médiums qui, en général, et c'est bien le cas de Jean-Pierre Girard, sont des sujets émotifs, hypersensibles et anxieux. De sorte qu'il est difficile de prévoir, dans une série d'expériences, les résultats qu'ils peuvent obtenir.

Quoi qu'il en soit, dès le début de l'émission, Jean-Pierre Girard a, en quelques minutes, courbé plusieurs éprouvettes métalliques en les effleurant à peine.

En'outre, il a transmis ses « pouvoirs », involontairement ou inconsciemment s'entend, à quelques assistants. Ainsi, ai-je moi-même, me trouvant à sa droite immédiate, courbé une tige métallique en la touchant légèrement, la flexion s'effectuant ensuite progressivement et à vue d'œil, la « flèche » définitive étant d'environ 3 cm. Le phénomène fut beaucoup plus net, beaucoup plus accentué et bien plus rapide que lors de la séance du 16 mars.

Au cours de l'émission, et je reviendrai plus loin sur ce phénomène, de nombreux auditeurs auraient également obtenu des résultats analogues.

J'ai voulu, par le truchement de cette émission, alerter le grand public, instruit et curieux de notre temps, et, s'il se peut, inciter la communauté scientifique française à prendre en charge ce nouvel effet psi-kappa. Pour le connaître, il faut l'étudier et passer du plan doctrinal ou théorique au plan expérimental. Dans ce genre de recherches, je veux dire en parapsychologie ou en métapsychique, les préjugés, pour ou contre, se sont trop souvent exprimés : il est temps de donner la parole aux faits.

Et il n'y a pas lieu de les rejeter a priori parce qu'ils heurtent la raison ou sous prétexte que certains illusionnistes, que des bateleurs ou des charlatans, qui vivent de leur art, de leurs subterfuges ou de leurs mensonges, prétendent réaliser des phénomènes semblables. En fait, il s'agit, non pas de phénomènes identiques, mais d'une grossière caricature de ceux-ci.

Ceux qui prétendent le contraire font preuve d'une grande outrecuidance, mais, comme la présomption est le plus souvent en raison directe de l'ignorance, leur attitude n'est pas tellement surprenante.

Et je pense ici à tous ces pseudo-rationalistes qui s'efforcent de propager leurs croyances négativistes en ne présentant qu'un seul aspect de la réalité, la déformant ainsi d'une manière systématique.

Et je pense aussi à ces prestidigitateurs dont je viens de parler.

Autres expériences. Des physiciens ou des parapsychologues français et étrangers de grand renom, tels que Charles Crussard (métallurgiste et directeur scientifique de Pechiney), Casimir Bogdanski (biophysicien à Paris), William Wolkowski (maître de conférence à l'*Université de Paris*), Michel Troublé (physicien nucléaire à Paris), Raymond Viletange (ingénieur chimiste à Paris), Albert Ducrocq (physicien et excellent vulgarisateur scientifique), John Taylor (professeur au *King's College à l'Université de Londres*), Richard Mattuck (physicien à l'*Institut Orsted, à l'Université de Copenhague*), George Wikman (physicien à l'*Université de Gothenburg*), Hans Bender (psychologue et professeur à l'*Université de Fribourg-en-Brisgau*), Jean Dierkens (psychanalyste, neuropsychiatre et professeur aux *Universités de Bruxelles et de Mons*), ont réalisé avec Jean-Pierre Girard des expériences analogues à celles que je viens de décrire et d'autres tout à fait différentes : courbure d'échantillons métalliques (barres d'aluminium, ressorts, clous) préalablement placés dans un tube de verre absolument clos, l'ouverture ayant été soudée au chalumeau ; allongement d'une barre métallique, durcissement d'un métal ; adoucissement d'un alliage comme s'il avait été chauffé à 600° C ; influence thermique à 2 m de distance par simple effet du regard sur des plaques thermosensibles à cristaux liquides (déviation apparente de la température de 22 à 26° C) ; apparition d'une tache claire d'environ 2 cm de diamètre sur une plaque de cristaux liquides de cholésteryl, également par l'action du regard, et disparition de la tache en quelques secondes lorsque J.-P. Girard détourne les yeux ; déplacement et lévitation de petits objets choisis intentionnellement en matériaux non magnétiques (aluminium, plastique, etc.), J.-P. Girard ayant les bras croisés sur la poitrine et des contrôles inopinés ayant lieu afin de vérifier s'il n'avait pas de fils très fins entre les doigts et s'il n'y en avait pas dans l'espace où se trouvaient les objets ; tous les mouvements se produisaient dans sa direction et impliquaient jusqu'à trois objets mus simultanément, placés en différents endroits ; action stérilisante sur des cultures microbiennes ; inhibition du développement de graines en germination dans des tubes scellés.

Compte rendu d'expertise. Voici maintenant le compte rendu d'expertise établi par Ranky, illusionniste et président du *Comité Illusionniste d'Expertise des Phénomènes Paranormaux* (C.I.E.P.P.). Il se rapporte à la séance du 4 mars 1977 donnée dans les studios *Data* pour les besoins de l'émission *Les Paranormaux* effectuée par FR 3 le 1er avril 1977.

« Personnes présentes :

« Monsieur Richard Rein, journaliste, réalisateur de l'émission ;

« Maître Sochard, huissier de justice ;

« Monsieur Ranky, illusionniste ;

« Une assistante télé ;

« Trois techniciens télé.

« A la demande de Monsieur Richard Rein les barreaux utilisés pour l'expérience étaient constitués d'un alliage du même type que ceux composant l'avion *Concorde.* Ils provenaient d'un centre de métallurgie spécialisée de Grenoble. Les diamètres variaient de 1 à 2 cm et leur longueur était de 25 cm. Tous les barreaux présentaient une référence à l'aide de chiffres et de lettres. Ils étaient au nombre de 12 et répertoriés comme suit : 7 barreaux de 1,5 cm de diamètre ; 1 barreau de 2 cm de diamètre ; 3 barreaux de 1 cm de diamètre ; 1 barreau règle de 0,5 × 2 × 25 cm. Tous les barreaux ont été testés par mes soins ainsi que par ceux de Maître Sochard. Il nous a été impossible d'en plier un seul, malgré de violents efforts effectués à deux mains. J'étais placé à gauche de J.-P. Girard et Maître Sochard à sa droite. Monsieur Richard Rein et les techniciens formaient un demi-cercle devant la table. Après avoir minutieusement fouillé M. Girard, je lui ai demandé d'enlever sa veste et de relever ses manches de chemise. Monsieur Girard s'est toujours plié de bonne grâce aux exigences que nous lui avons imposées. L'atmosphère était calme, sans élément distractif. Les barreaux étaient disposés loin de Girard, à droite de Maître Sochard. Maître Sochard tendait les barreaux à Girard après avoir relevé le numéro de référence. A ma demande, la barre était ensuite roulée sur la table afin de s'assurer de sa parfaite rectitude.

« C'est dans ces conditions, parfaitement contrôlées, que la barre référenciée « A_5B_2 » s'est pliée à deux reprises de façon absolument indiscutable (flèche de 3 cm). Les pliages successifs se sont produits à deux endroits différents espacés de 4 cm.

« Le phénomène était parfaitement visible de bout en bout, les déformations se produisant environ pendant 20 secondes à chaque fois. Le diamètre de la barre était de 1,5 cm, ce qui rendait l'expérience impressionnante.

« Dès après l'expérience, nous avons de nouveau vérifié cette barre dont nous n'avons pu accentuer le pliage. Comme il était convenu, j'ai gardé le barreau afin de faire confirmer la résistance de l'alliage par un Centre Technique de Métallurgie de Paris. Il s'agit bien d'un alliage dit « performant » de très haute résistance, ne pouvant plier qu'à une force mécanique de 45 Newton-mètre (un homme de force moyenne développe avec une clef dynamométrique appropriée 26 Newton-mètre en y mettant toute la force de ses deux bras). Monsieur Girard tenait la barre dans sa main droite et passait sa main gauche au-dessus à environ 3 à 4 cm. Parfois, il l'effleurait. Pendant les déformations (voir le film) sa main gauche ne touchait pratiquement pas la barre. Ma place et celle de Maître Sochard permettaient de vérifier que cette barre n'était pas prétordue. C'est le premier effet visible que je constate et ma surprise a été totale. Conclusion : l'expérience s'est déroulée dans des conditions irréprochables, et j'atteste qu'elle n'a aucun rapport avec l'illusionnisme. Dans ce domaine, la parole n'appartient plus aux Illusionnistes, mais appartient aux Scientifiques. »

Expériences réalisées par le professeur Jean Dierkens. Ce vœu de Ranky devait être exaucé quelques jours après l'émission du 1er avril. En effet, et sur les suggestions de Marie-Thérèse de Brosses, collaboratrice scientifique et parapsychologique au magazine *Paris-Match,* le professeur Jean Dierkens réalisa avec Jean-Pierre Girard des expériences rigoureusement contrôlées et du plus haut intérêt scientifique dans son laboratoire de Mons.

« Là, écrit M.-Th. de Brosses, Jean-Pierre Girard fut conduit dans une cage de Faraday, pièce isolée de façon particulière afin d'éviter toute interférence. Il est immobilisé dans un fauteuil ; le professeur Dierkens lui fixe des électrodes sur le cuir chevelu pour enregistrer ses ondes cérébrales et son rythme cardiaque et lui remet une barre métallique controlée (fournie par le laboratoire d'analyse des matériaux de l'*Université de Bruxelles)* munie d'une jauge de contrainte constamment testée indiquant tout effort mécanique si minime soit-il donné à la barre. Trois caméras de télévision filment en vidéo l'expérience. L'une prend

Jean-Pierre Girard en entier ; l'autre est centrée sur ses mains et la troisième filme les feuilles où s'inscrivent l'encéphalogramme de Jean-Pierre Girard et le tracé de la jauge de contrainte de la barre. La pendule électronique a une précision de moins d'un centième de seconde.

« Dans la pièce voisine, le docteur Dierkens surveille attentivement l'électro-encéphalogramme. Le cerveau émet des signaux à un rythme régulier qui se modifient selon l'état d'esprit du sujet : le rythme alpha, qui va de 8 à 12 cycles-seconde, est lié à la décontraction ; le rythme bêta, de 14 à 30 cycles-seconde, indique la contraction, l'inquiétude ou l'excitation ; le rythme delta, de 0,50 à 3,5 cycles-seconde, est lié au sommeil, et le rythme thêta, rythme de détente profonde, varie de 4 à 7 cycles-seconde.

« Au bout de quelques secondes, l'extraordinaire se produit : la barre se déforme. Le professeur Dierkens commente :

« Ce qui vient de se produire est ce qu'on appelle un effet PK, c'est-à-dire de psychocinèse. On voit, au moment du phénomène, s'inscrire sur l'électro-encéphalogramme un tracé de détente avec des ondes alpha... Une chose m'étonne : alors que l'esprit de Jean-Pierre est en état de détente au moment des phénomènes, son électrocardiogramme révèle une accélération cardiaque importante. De toute façon, cette expérience m'a confirmé que les potentialités psychiques et cérébrales existent, non pas dans l'état de tension, mais dans l'état de détente. Nous vérifions aussi cela en psychologie : l'acquisition du vocabulaire est plus aisée, c'est-à-dire qu'on retient plus de mots et on les retient mieux en état de détente qu'en état de tension. Tout se passe comme si la détente libérait des potentialités supplémentaires de nos cellules cérébrales. »

Phénomènes d'induction à grande distance

Lors des passages à la télévision et à la radio d'Uri Geller ou de Jean-Pierre Girard, il se produit non seulement en leur voisinage immédiat, mais aussi à de très grandes distances, des phénomènes que l'on peut qualifier d' « induction » ou de « contagion » paranormale.

C'est ainsi qu'au cours de la séance télévisée du 15 novembre 1974, dont nous avons précédemment parlé, de nombreux téléspectateurs, et parmi eux des directeurs de journaux, des écrivains, des députés, des diplomates, des industriels, des médecins, virent se produire chez eux des phénomènes analogues à ceux qui apparaissaient sur leur petit écran : des clefs ou des cuillères se tordaient, des vieux réveils se remettaient en marche. A S.V.P. le standard fut bloqué par des milliers de téléspectateurs qui tentaient en vain de témoigner des phénomènes de ce genre se réalisant spontanément en leur domicile.

Il en avait été de même le 23 novembre 1973 lorsque Uri Geller réalisa des torsions de clefs à la B.B.C. de Londres. Tout le standard de la station fut débordé par des appels téléphoniques en provenance de différentes régions des îles Britanniques. Des couteaux, des fourchettes, des cuillères, des clefs et des clous se courbèrent dans toute l'Angleterre, tout près ou très loin de Londres. Des auditeurs annoncèrent que des montres et des pendules, arrêtées depuis des années, s'étaient remises à fonctionner. Une dame de Harrow déclara qu'en tournant le potage, sa louche s'était mise à se courber. Le bracelet en or d'une jeune fille de Surrey s'était déformé et courbé. Un gardien de la paix de Dunstable avait vu plusieurs cuillères et couteaux se courber. Chez un bijoutier tout un demi-plateau de coutellerie avait fait de même. Un horloger dit que ses brucelles s'étaient comportées de la même manière.

« Tout le monde, relate Uri Geller, se demandait ce qui allait arriver quand, le lendemain soir, je répéterais la performance à l'une des émissions télévisées les plus populaires de la B.B.C. ; la « *David Dimbleby's Talk-In* ».

« Parmi les invités qui devaient assister à cette émission, l'un était John Taylor, physicien connu du *King's College*, de l'*Université de Londres,* l'autre était Lyall Waston, auteur de l'*Histoire naturelle du Surnaturel* et biologiste également connu. David Dimbleby avait fait apporter, pour l'expérience, des fourchettes, des cuillères, des clefs et plusieurs montres détraquées. Dans une autre pièce, on avait préparé un dessin, placé dans une enveloppe cachetée, que je devrais reproduire.

« Au début de l'émission, tout sembla bien marcher. Je me suis fortement concentré sur l'enveloppe, puis j'ai fermé les yeux en attendant que l'image apparaisse sur mon front qui est pour moi une sorte d'écran. Je ne tardai pas à la voir se dessiner très nettement. Elle représentait un bateau à voile. Alors l'enveloppe fut décachetée : c'était bien la même image. Divers objets étaient répandus sur la table : fourchettes, cuillères, clefs, montres hors d'usage. Dimbleby prit une cuillère : je la caressai légèrement avec deux doigts. En très peu de temps, elle se tordit presque en deux. Tandis que la cuillère se courbait dans la main de Dimbleby, une fourchette posée sur la table se courba sans que moi-même ou quiconque la touchât. Je caressai une autre fourchette : le manche se brisa et tomba sur la table. Ensuite, je me concentrai sur les montres détraquées, également disposées sur la table. Elles se remirent en marche presque immédiatement. Mais, curieusement, celle de Lyall Watson, qui fonctionnait parfaitement, s'arrêta brusquement. Les aiguilles de l'une des autres montres se dressèrent contre le verre du cadran.

« Le professeur Taylor, dont l'attitude était manifestement sceptique en début d'émission, paraissait frappé par ce qu'il voyait. Les autres assistants également. La démonstration était un succès. Le standard de la B.B.C. faillit de nouveau tomber en panne. Partout, dans les foyers anglais, on avait été témoin des mêmes phénomènes. Même dans l'île anglo-normande de Guernesey, des cuillères s'étaient tordues et des pendules détraquées s'étaient remises en marche dans trois familles. »

Ce phénomène d'induction ou de contagion est-il dû, comme certains auteurs l'ont affirmé, à l'action directe du médium sur des objets situés à grande distance ?

Nous ne le pensons absolument pas.

Si nous le tenons pour réel, et de nombreuses et sérieuses enquêtes montrent qu'il l'est tout au moins pour un certain nombre de cas, il est vraisemblable qu'il est suscité chez des sujets possédant, à l'état virtuel ou potentiel, les mêmes « pouvoirs » que Uri Geller ou Jean-Pierre Girard.

Autrement dit, ceux-ci délégueraient leur propre pouvoir,

grâce à une sorte de suggestion indirecte, à l'auditeur ou au téléspectateur lointain, qui, en somme, serait un « homme-phénomène » qui s'ignore.

Et nous en trouvons la preuve dans ce fait que des expériences préalablement enregistrées et émises en différé ont produit les mêmes résultats d'induction ou de contagion que les expériences effectuées en direct.

Mécanisme probable des phénomènes physiques paranormaux

Il conviendrait maintenant, après avoir examiné les principaux phénomènes physiques paranormaux, de déterminer leur mécanisme probable ou possible. Mais, ici, nous avouerons immédiatement que toute théorie semble vaine et prématurée, et, du point de vue expérimental, inefficiente. Néanmoins, ces réserves faites, nous proposons les hypothèses suivantes.

La télékinésie et la lévitation du corps humain pourraient être produites par des formations ectoplasmiques issues du médium et se présentant soit sous la forme de tiges, soit sous l'aspect de fils, soit sous l'apparence de leviers prenant appui sur le médium ou sur le sol. Dans cette théorie mécanique la pesanteur ne serait pas supprimée mais serait équilibrée par une force égale dirigée de bas en haut et ayant un substratum matériel.

Cette hypothèse semble effectivement corroborée par un certain nombre de faits. Ainsi, beaucoup d'observateurs ont signalé que du dos ou des flancs d'Eusapia s'extériorisaient des formations fluidiques qui déplaçaient des objets et dont la forme était appropriée à l'effet à obtenir. De même, Stanislava Tomczyk produisait, d'après le Dr Ochorowicz, des « rayons rigides » qu'il aurait photographiés et même radiographiés et qui permettaient au médium de soulever ou de déplacer des petits objets. Les photographies de ces « rayons » ou de ces « fils » indiquent qu'ils étaient discontinus et qu'ils présentaient des stries inclinées comme s'ils avaient été engendrés par un fluide en mouvement hélicoïdal. De son côté, et ainsi que nous l'avons noté, le Dr Osty a vu, au cours d'une séance avec Rudi Schneider, une sorte de brouillard grisâtre assez épais atteindre une table et la faire glisser sur le parquet. De plus, ses expériences à l'infrarouge avec le même médium montrent que celui-ci émettait une modalité substantielle de l'énergie lorsqu'il cherchait à réaliser une télékinésie.

Mais il ne semble pas que ce mécanisme, étroitement lié à la notion d'ectoplasmie, elle-même très mystérieuse, soit le seul à envisager dans les phénomènes télékinétiques. Il ne permet pas en effet d'interpréter les déplacements d'objets placés dans un espace matériellement inaccessible, sous une cloche de verre par exemple, d'où la nécessité d'avoir recours à une autre hypothèse et, en particulier, à la notion de graviton* (voir ce mot au lexique).

Cette étrange entité, dénuée de charge et ayant au repos une masse égale à zéro, traverse la matière avec la plus grande facilité. Pour l'arrêter il faudrait une épaisseur de plomb de 2000 années-lumière.

Ses extraordinaires propriétés peuvent en faire l'intermédiaire entre la matière, la vie et la pensée et l'on peut imaginer, grâce à elle, des interactions entre ces trois grandes modalités de l'Univers. Il n'est pas impossible, en particulier, qu'un effet antigravitationnel, ou même antimassique, soit, par son truchement, à la base des télékinésies, des lévitations et de la psychokinésie. Peut-être joue-t-elle aussi un rôle dans la production des raps.

Au surplus, si l'on considère, à la lumière des connaissances électroniques modernes qu'il est une région où l'on ne peut plus tracer une ligne de démarcation entre l'énergie et la matière parce qu'elles se fondent imperceptiblement l'une dans l'autre, il apparaît que la barrière, qui semble séparer irréductiblement le matériel et l'immatériel, le visible de l'invisible, est en réalité factice.

Et tout particulièrement dans le cas des phénomènes présentés par Uri Geller, Jean-Pierre Girard et leurs émules où il y a, semble-t-il, intrusion directe de la pensée ou de l'esprit au niveau des particules moléculaires, atomiques ou subatomiques. De sorte que tout en abandonnant le principe fondamental de causalité, dans la mesure où les relations d'incertitude d'Heisenberg limitent notre connaissance en ce qui concerne l'évolution de certains systèmes matériels, nous en venons à penser avec Einstein « que si la matière n'a pas d'existence sinon comme une spécialisation du cerveau, ce serait une faute de concevoir les aspects psychiques et physiques de la matière comme deux aspects absolument distincts, l'espace et le temps étant les moyens par lesquels nous pensons et non le milieu dans lequel nous vivons ».

L'étonnante fantasmagorie présentée par les ectoplasmies est-elle également susceptible de recevoir une explication atomistique ?

On peut dire que tout se passe dans ces faits comme s'il y avait modelage de la matière par la pensée. Le médium vivrait une sorte de rêve, mais ses phantasmes, au lieu de demeurer subjectifs, s'objectiveraient, se matérialiseraient, les éléments substantiels étant empruntés à lui-même ou à l'ambiance. Le phénomène ne serait pas sans présenter quelque analogie avec le mimétisme où l'animal extériorise sur lui-même sa représentation du monde. Le processus pourrait être le suivant : une certaine quantité de matière serait dissociée en ses élements corpusculaires, électrons, protons, neutrons, et autres particules élémentaires, puis organisée en apparences phénoménales simulant des mains, des membres, des êtres complets.

Cette hypothèse, sans doute, se heurte à bien des difficultés et nous ne le proposons qu'avec la plus extrême réserve. Si nous l'acceptons, il faut supposer que l'énergie médiumnique de désintégration est du même ordre de grandeur que l'énergie mise en jeu dans les plus puissants cyclotrons ou dans le rayonnement cosmique et que la pensée possède, en dehors du corps, un surprenant pouvoir d'organisation. Où le médium empruntera-t-il cette énergie, comment agit la pensée en dehors de l'organisme ? Voilà autant de questions auxquelles il est difficile de répondre.

A moins d'admettre, ce qui, au reste, est hautement vraisemblable, que l'esprit est l'ultime réalité du Monde, et qu'il est, de ce fait, capable de maîtriser l'énergie et la matière.

C'est ce que Virgile avait d'ailleurs affirmé bien longtemps avant nous en ces vers admirables :

Principio cælum ac terras camposque liquentes
Lucentemque globum Lunæ Titianiaque astra
Spiritus intus alit, totamque infusa per artus
Mens agitat moelm, et magno se corpore miscet

Que l'on peut traduire comme suit :

Et d'abord le ciel, la terre, les plaines liquides, le globe lumineux de la lune, l'astre titanique du soleil sont pénétrés et vivifiés par un principe spirituel répandu dans les membres du monde.
L'esprit en fait mouvoir la masse entière et transforme, en s'y mêlant, ce vaste corps.

En tout cas, quelle que soit la théoric envisagée, les phénomènes physiques paranormaux, comme d'ailleurs la plupart des phénomènes étudiés par la métapsychique, doivent nous inciter à accepter les choses comme elles sont et non comme nous voudrions qu'elles fussent et à penser qu'il est raisonnable de vouloir adapter notre intelligence à l'Univers et vain de prétendre adapter l'Univers à notre entendement.

Les caractéristiques du sujet paranormal

Qu'il soit métagnome, télékinésiste ou téléplaste, le sujet « paranormal » présente un certain nombre de caractères psychophysiologiques que nous allons préciser.

Selon le Dr Alain Assailly, neuropsychiatre et professeur à l'*Institut de Philosophie comparée de Paris,* les sujets métagnomes ou « voyants » présentent quatre signes principaux :

1° Le gonflement abdominal qui est prémenstruel chez la femme mais qui peut exister chez l'homme ;
2° La fragilité capillaire ;
3° L'hyperlaxité * ligamentaire, qui peut se manifester notamment au niveau des chevilles ;
4° L'hypertrichose, ou développement pileux supérieur à la

normale, notamment au niveau des membres inférieurs chez certaines femmes.

A cet ensemble de signes qui, dans les milieux parapsychologiques, est désigné sous le nom de « syndrome d'Assailly », s'en ajoutent parfois d'autres.

1° Une hyperesthésie * ou hypercénesthésie * épigastrique ;
2° L'insatisfaction sexuelle
3° La mythomanie * ;
4° Les troubles de la fonction spéculaire *.

Cette séméiologie * a amené le Dr Assailly à discuter du rôle possible des substances dont le jeu paraît responsable des quatre principaux signes physiques, organiques ou fonctionnels observés. Parmi elles, on peut citer la vasopressine * du lobe postérieur du complexe hypophysopituitaire, les hormones thyroïdiennes, les hormones de la cortico-surrénale, l'histamine, les hormones surrénalo-génitales, la folliculine, les vitamines C et P.

La médiumnité semble héréditaire. Daniel-Douglas Home était le fils d'une clairvoyante. La grand-mère, la mère et l'un des frères d'Hélène Smith, que nous avons examinée dans le cadre des artistes prodiges, étaient des sujets métagnomes. Le père de Franek Kluski avait les mêmes dons que lui bien que n'ayant jamais fait de séances ; son oncle paternel, prêtre catholique, possédait également des dons médiumniques. Les frères Schneider, Rudi et Willy, étaient tous deux médiums à effets physiques. De son côté, Nelya Miklailova a récemment déclaré : « Je pense que j'ai hérité de ma mère cette faculté télékinésique et que je l'ai également transmise à mon fils. » On pourrait multiplier les exemples de ce genre, de sorte qu'il existe peut-être un gène ou un chromosome de la médiumnité.

D'autre part, il arrive assez souvent que la faculté médiumnique, vraisemblablement latente, apparaisse à la suite d'un traumatisme, d'un trouble physiologique ou d'un heurt psychologique ou moral.

Ainsi, Eusapia Paladino eut le pariétal enfoncé à l'âge d'un an, et, à peine âgée de huit ans, elle assista à l'agonie de son père mortellement blessé par des brigands. Sa mère étant décédée en lui donnant le jour, elle fut, après la mort de son père, recueillie par sa grand-mère qui la traita durement.

Daniel-Douglas Home eut, dans sa jeunesse, des crises d'hémoptisie.

Mrs. Piper se révéla sujet métagnome en 1884 à la suite d'un violent heurt occasionné par un traîneau et de deux opérations chirurgicales.

Edgar Cayce, qui, à l'état d'hypnose, diagnostiquait les maladies, reçut un projectile dans la colonne vertébrale et son rétablissement fut très lent.

Mollie Fancher fut victime, dans sa jeunesse, d'un grave accident de la circulation.

Louis Fleury, calculateur prodige, fut atteint, dès sa naissance, d'une double ophtalmie purulente qui le rendit complètement aveugle.

Franek Kluski a eu, à l'âge de vingt-sept ans, le cœur traversé de part en part par une balle de pistolet au cours d'un duel.

Uri Geller fut, à l'âge de trois ans, et à la suite de circonstances mystérieuses, frappé avec une telle force qu'il tomba à la renverse et s'abîma dans un profond sommeil qui dura plusieurs heures.

Rosemary Brown fit, étant enfant, une chute dans une école, et, atteinte de plusieurs fractures, dut être hospitalisée.

Nelya Mikhailova fut grièvement blessée par l'éclatement d'un obus.

Mais le choc physique n'est pas le seul à agir sur le psychisme de certains sujets.

Quelques-uns d'entre eux voient leurs facultés télépathiques ou métagnomiques apparaître ou se développer au cours d'une maladie. Ainsi Federica Hauff, dite « La voyante de Prévorst », longuement étudiée par le Dr Justinus Kerner, avait sa faculté exaltée lorsqu'elle était souffrante. Il en était de même pour le célèbre somnambule Alexis Didier.

Très souvent également, la médiumnité se révèle à l'époque de la puberté qui constitue chez l'homme et surtout chez la femme une période de profond déséquilibre humoral et psychologique. Dans la plupart des maisons dites « hantées », dont certaines sont le siège de phénomènes réellement paranormaux, on trouve, ainsi que nous l'avons indiqué, une fillette ou un jeune garçon subissant leur crise pubérale.

Parfois, c'est un choc émotif violent qui fait apparaître le don. Ce fut le cas, par exemple, pour Pascal Forthuny et Édith Mancell qui virent naître et se développer leur extraordinaire clairvoyance après la mort d'un de leurs enfants.

Certaines pratiques, telles que le jeûne, l'ascétisme, les mortifications, le yoguisme, sont susceptibles également de favoriser la médiumnité.

Lorsqu'on étudie entre autres les grands mystiques métagnomes, on constate qu'ils furent presque tous, pour ne pas dire tous, des ascètes, et, parfois, de véritables bourreaux de leur corps. Par de longues méditations, par des prières interminables et sans cesse répétées, par la sédentarité de l'ermitage, du cloître ou du temple, ils le condamnaient à une presque complète immobilité, condition génératrice d'une auto-intoxication progressive, aggravée par d'autres pratiques néfastes telles que alimentation défectueuse, jeûnes prolongés, réduction du sommeil, etc.

Pour prendre un exemple sinon contemporain, du moins assez peu éloigné de nous, celui du saint curé d'Ars, peut-on ne pas penser que ses seize heures de confessionnal journalières, ses repas hâtifs et presque exclusivement composés de pommes de terre cuites pour de nombreuses fois, et finissant par être fermentées, la paillasse sur laquelle il s'ingéniait à se priver de sommeil équivalurent à l'action nocive d'une affection chronique ? C'est d'ailleurs vraisemblablement pour cela qu'il fut un perpétuel malade. Il a été aussi, on le sait, un grand métagnome, de sorte que les foules humaines, qu'eussent laissées indifférentes les mortifications excessives d'un homme vertueux, se précipitèrent vers ses prodiges psychiques, y voyant du divin.

Notons au passage que la corrélation que nous indiquons ici entre les mœurs ascétiques et la psycho-physiologie favorable aux manifestations transcendantes ne constitue pas une atteinte à de respectables croyances. Les hautes vertus des grands mystiques ne sont en rien amoindries parce que nous mettons en évidence les rapports d'une propriété psychique, dont les mystiques n'ont d'ailleurs pas l'exclusivité, avec l'état fonctionnel de leur corps.

Enfin, et comme nous l'avons signalé, l'emploi de diverses substances plus ou moins toxiques, comme l'opium, le hachich, le peyotl, la marijuana, la mescaline, la psilocybine, le L.S.D., sont susceptibles également de favoriser les visions métagnomiques.

Ces substances, ainsi que les pratiques ascétiques, provoquent généralement l'apparition d'un état organique particulier voisin de l' « état de transe » qui se produit spontanément chez les médiums et qui semble être une condition indispensable à la mise en œuvre des facultés paranormales.

La transe peut se traduire, du point de vue psychologique, par un léger obscurcissement de la conscience, ou, au contraire, par l'inconscience totale pouvant être accompagnée d'une crise convulsive. Du côté physiologique, ses symptômes sont assez variés et inconstants. On peut citer : le refroidissement des extrémités ; l'augmentation des pulsations cardiaques qui, chez Eusapia, passait de 70 à 120 ; la diminution de la fréquence respiratoire ou, au contraire, son accroissement. C'est ainsi que chez Rudi Schneider la fréquence respiratoire passait, de 12 ou 14 respirations à la minute, ce qui est normal, à une extraordinaire hyperpnée allant de 214 à 350 respirations à la minute. D'autres signes physiologiques peuvent être observés, en particulier l'apparition du rythme cérébral alpha, l'augmentation des sécrétions et de l'activité génésique ainsi qu'on pouvait le constater chez Eusapia.

La plupart des médiums se rendent compte, au moment de la transe, des changements physiologiques et psychologiques qui s'accomplissent en eux. Ces derniers ont été parfaitement analysés par un clairvoyant de grande classe, Raoul de Fleurière, que nous avons naguère consulté :

« En ce qui me concerne, nous confia-t-il, dès que commence la vision métapsychique, je m'aperçois très bien que mon état mental n'a plus rien de commun avec mon état psychique habituel. Instantanément, j'entre dans une sorte d'état second où, n'étant plus le même homme, je ne vois ni ne sens plus de la même façon. Il se fait en moi comme un dédoublement de ma personnalité, ou, plutôt, c'est comme si une personne cachée au plus profond de mon être surgissait tout à coup pour se surajouter à ma personne normale.

« Ce n'est pas que je sente mon psychisme habituel absolument évincé ou aboli. Non ! J'ai plutôt l'impression que, maintenant, il y a deux entités qui se partagent mon être, deux intelligences superposées l'une à l'autre, comme deux locataires mystérieux qui habiteraient deux étages différents : en haut, l'intelligence consciente, momentanément plus passive ; en bas, l'intelligence subliminale en pleine ébullition... Les pouvoirs de cette intelligence subconsciente sont prodigieux. On dirait qu'elle engendre des forces mystérieuses, des sens internes circonstanciels, des facultés nouvelles indéfinissables qui défient toute analyse et toute classification. De ces éléments sans cesse renaissants, elle semble se faire une armée d'ouvriers qui travaillent pour elle de toute façon et partout à la fois. On dirait une légion de détectives, de reporters, d'explorateurs lancés par elle dans toutes les directions et chargés de lui rapporter toutes les informations dont ils peuvent s'approvisionner... Je pense, malgré moi, au mot de Virgile : *fervet opus,* par allusion à la ruche en plein travail, comme si, moi aussi, j'avais dans la tête une ruche bourdonnante, c'est-à-dire des millions d'éléments divers acharnés à la production de la vision supranormale. »

Le saviez-vous ?

— Il faudrait réserver les médiums à la science, écrit le professeur Charles Richet, à la sévère, généreuse et juste science, au lieu de laisser prostituer leurs facultés merveilleuses aux crédulités enfantines ou aux sarcasmes impudents.

Mais il faudra en même temps ne pas se départir de la sévérité scientifique. Traitons les phénomènes de la métapsychique comme des problèmes de pure physiologie. Expérimentons avec les médiums, êtres rares, privilégiés, admirables, et répétons qu'ils ont droit à tout notre respect, mais aussi qu'ils exigent toute notre méfiance.

— La célèbre aviatrice Adrienne Bolland, décédée en son domicile parisien le 17 mars 1971, à près de 80 ans, réalisa son extraordinaire traversée de la Cordillère des Andes, jusque-là inviolée, grâce à des indications précises obtenues en séance médiumnique lesquelles lui furent communiquées peu de temps avant son raid par une jeune femme qui lui était inconnue. « Quand, lui dit-elle, vous aurez atteint le milieu de la Cordillère, vous verrez un lac en forme d'huître, au fond d'une vallée tournant à droite. Mais si vous la suivez, vous serez perdue. Vous devrez tourner à gauche, face à une montagne en forme de dossier de chaise, apparemment infranchissable où vous trouverez un passage. » Après ces affirmations, la visiteuse remit à Adrienne Bolland une petite boîte à n'ouvrir qu'après la réussite.

L'aviatrice, au cours de sa randonnée, reconnut le lac en forme d'huître et la vallée tournant à droite. Elle fonça alors à gauche au milieu d'une tempête de neige, en direction de la montagne infranchissable, convaincue qu'elle allait s'y écraser avec son petit avion Caudron G 3 de 80 CV, à carlingue découverte, qui commençait à « plafonner », mais découvrit soudain le passage salvateur, s'y engouffra et atterrit peu après sur l'aérodrome de Santiago du Chili.

Lorsqu'elle ouvrit la petite boîte, elle y trouva une médaille, frappée au nom du Centre Spirite de Buenos Aires. Intriguée, elle voulut revoir sa mystérieuse visiteuse afin de savoir d'où elle tenait cet itinéraire et cette description géographique, inconnue, semble-t-il, ou tout au moins mal connue des géographes. Elle apprit alors qu'au cours d'une séance spirite, un « esprit-guide » avait demandé si quelqu'un parlait français, et que, sur la réponse affirmative de Mme Maria Iguarte, d'origine basque, celle-ci avait été chargée d'instruire la courageuse aviatrice des conditions de réussite de son raid audacieux. Effectivement, avant Adrienne Bolland, plusieurs pilotes, qui avaient fait la même tentative, s'étaient tués et personne ne croyait à sa réussite. Les démarches se succédaient pour qu'elle renonce à son entreprise. On l'appelait « la Folle », et, dans la colonie française de Buenos Aires, on allait jusqu'à dire qu'elle desservait la cause de la France.

C'est donc grâce à un message médiumnique que le vol extraordinaire d'Adrienne Bolland, qui, en toute logique, aurait dû se terminer en catastrophe, a pu être accompli. Il ne fut répété plusieurs années plus tard, par les prestigieux pilotes de l'aéropostale, Guillaumet, Mermoz et Saint-Exupéry, que sur des appareils beaucoup plus puissants, plus confortables et mieux équipés.

— « Ce n'est pas seulement l'effet des émotions du sujet qui agit sur son propre champ de force, écrit le parapsychologue soviétique Edward Naumov, mais c'est également, dans une certaine mesure, l'impact des émotions ressenties par les observateurs présents.

« Ce point est très difficile à expliquer à certains savants. Ceux-ci attendent des êtres humains que tous réagissent comme des machines. Ils ne semblent pas comprendre que leur propre champ de force puisse interférer avec celui de Mme Mikhailova. Celle-ci possède un caractère très nerveux et excitable. Certains de ces savants, qui sont peu versés en psychologie ou en bio-information, émettent à leur insu des radiations hostiles et projettent, dirait-on, leur scepticisme que le sujet enregistre. Habituellement, nous pouvons, malgré tout, obtenir des démonstrations télékinésiques ; mais, en présence d'observateurs incrédules, il faut sept heures d'affilée à Mme Mikhailova pour les obtenir. Les influences négatives constituent un obstacle certain. Au contraire, dans un climat d'assistance bienveillante, le sujet peut réaliser ses expériences en moins de cinq minutes. »

— Si la littérature métapsychique est assez riche en faits de prévision se rapportant à un individu, en revanche, elle offre peu de cas de prévisions d'événements généraux. Les sujets ne semblent les connaître que par réfraction dans les consciences individuelles, et, par conséquent, d'une manière fragmentaire. C'est ainsi que la célèbre Fraya (née Valentine Dencausse), qui, jusqu'en 1954, date de sa mort, fut la voyante « attitrée » des rois, des ministres, des artistes et des écrivains (Jean Jaurès, Aristide Briand, Pierre Loti, Anatole France, Lucien Guitry, Anna de Noailles, Marcel Proust et combien d'autres personnalités de premier plan la consultaient fréquemment) a prédit la guerre de 1914-1918, ainsi que sa durée, en croyant remarquer des signes de mort violente dans de nombreuses mains masculines.

A moi-même, Mme Jeanne Peyroutet m'a indirectement prédit la guerre du Rif. En 1920, ayant « vu » que j'avais l'intention de reprendre du service comme officier d'artillerie, elle m'en a dissuadé et m'a dit : « Vous prendriez part à une nouvelle guerre de l'autre côté de la mer, si vous persistiez dans cette voie. » Effectivement, dans ma demande, déjà adressée au Ministère de la Guerre, je sollicitais mon départ pour le Maroc. Un an après éclatait la guerre du Rif.

Enfin signalons qu'un étudiant de première année de l'*Université de Caroline du Nord,* Lee Fried, a prédit la catastrophe survenue le 27 mars 1977 aux deux Boeing américain et hollandais à Santa Cruz de Tenerife (Canaries). Le 21 mars 1977 il avait en effet rédigé un document disant qu'un journal local paraîtrait le mardi 29 mars avec le titre : « 583 morts dans une collision entre deux Boeing 747. La plus grande catastrophe aérienne de l'histoire. »

— Kamensky et Nikolaiev, qui sont les plus célèbres télépathes russes, ont participé à presque tous les tests importants télépathiques consistant en la transmission d'images, de messages codés, de sons, d'éclairs lumineux.

Lutsia Pavlova, électrophysiologiste au département de Physiologie du Travail à l'*Université de Leningrad,* et le Dr Genady Sergeyev du laboratoire A.-A. Utomskii dirigé par l'armée soviétique, ont constaté que les tracés électro-encéphalographiques de Kamensky et de Nikolaiev présentaient les mêmes accidents lors d'une transmission télépathique, bien que les deux sujets fussent séparés l'un de l'autre par plusieurs centaines de kilomètres.

Cette observation corrobore les résultats expérimentaux obtenus à l'aide du pléthysmographe.

— Selon quelques parapsychologues soviétiques, une certaine harmonie physiologique entre l'agent et le percipient favorise la télépathie : cœurs battant au même rythme, similitude de l'activité électro-encéphalique, etc. Et l'un de leurs objectifs est de susciter cette harmonie. A cet effet, ils placent l'agent et le percipient au centre d'un champ magnétique artificiel relativement faible et à l'intérieur d'une atmosphère riche en ions oxygène négatifs. Ils estiment d'autre part que certains facteurs physiques naturels, auxquels nous sommes tous soumis, peuvent stimuler, ou, au contraire, annuler l'effet Psi, de sorte qu'ils évitent de faire travailler les sujets télépathes lorsque les conditions atmosphériques sont mauvaises.

— D'après ces mêmes parapsychologues, la localisation cérébrale exacte du point où se manifeste la télépathie dépendrait de la nature du message transmis. Ainsi, lors de la transmission d'une image visuelle, l'activité cérébrale du percipient serait localisée dans la région occipitale qui est normalement la zone de la vision. En revanche, s'il s'agit de la transmission d'un son, l'activité cérébrale se manifesterait dans la région temporale qui est la zone intéressant l'audition.

— Uri Geller a été étudié par divers groupements scientifiques, et, en particulier, par l'*Institut de Recherches de Stanford,* qui a conclu : « En conséquence du succès de la période expérimentale employée avec Uri Geller, nous considérons qu'il a prouvé sa capacité perceptible paranormale d'une manière convaincante et non équivoque. » De son côté, le département de physique de l'*Université de Kent,* ayant soumis à l'expérimentation le phénomène de torsion et de cassure des métaux produit par Uri Geller, et, à cet effet, utilisé un microscope électronique, a déclaré dans son rapport que « l'effet Geller était nouveau et inexplicable et qu'il y avait décidément une relation entre la physique et l'énergie spirituelle ».

— Uri Geller pense qu'il détient ses pouvoirs de mystérieuses entités de l'espace. Ce qui, à notre avis, est très problématique.

— Malheureusement, à quelques-unes de ses expériences authentiquement paranormales qu'il a réalisées au music-hall devant le grand public, Uri Geller, sur les désirs impératifs de son imprésario, a ajouté un tour d'illusionnisme. « Lorsque, écrit-il, mon imprésario me pressa d'ajouter des tours de magie à mon numéro qui reposait sur la vérité, je ne sus vraiment que faire. Il fut convaincant et j'étais encore jeune et sans expérience. Il insista en disant que si je ne rendais pas mon numéro plus consistant, ça ne pourrait plus marcher. En fin de compte, je cédai tout en sentant au fond de moi-même que j'avais tort d'accepter. Mais je ne me rendis pas compte de l'erreur que j'étais en train de commettre. La plus grande bêtise de ma vie. Plus je devenais connu dans le pays et plus les gens se demandaient si ce que je faisais était vrai ou pas. Je mêlais donc ce fameux tour à des choses vraies et, chaque fois que je le faisais, je m'en voulais. »

— « La métagnomie, écrit le Révérend Père Mainage, nous apporte la preuve que l'esprit possède des pouvoirs dont on ne connaît pas encore l'étendue et nous révèle un peu de ce que peut être la magnificence de l'âme. »

LES SORCIERS ET LES GUÉRISSEURS

Il peut paraître inopportun et même ridicule de parler de sorcellerie à l'ère de l'atome et de la conquête des espaces cosmiques. Cependant, les sorciers existent encore à notre époque et ils ont même pris, sous le nom de guérisseurs, une importance sociale considérable. Sorciers proprement dits et guérisseurs sont habituellement considérés comme des hommes-phénomènes.

A vrai dire, très souvent, ce que l'on appelle sorcellerie n'est qu'une pseudo-sorcellerie. Elle est faite, comme il est facile de le constater, de beaucoup de bon sens, d'une finesse assez aiguisée et d'un certain apparat destiné à frapper les imaginations, toutes disposées d'ailleurs à se laisser influencer. Ainsi, tel « sorcier », qui, dans nos campagnes, « prédit » les numéros gagnants dans les loteries, n'est qu'un rusé compère. Il ne donne pas positivement un numéro, mais il indique un moyen compliqué permettant d'en acquérir la connaissance : soit en comptant à minuit les étoiles visibles après avoir prononcé une formule cabalistique, soit en dénombrant les grains d'avoine mangés par un cheval noir pendant un temps déterminé. Et si, dans l'un ou l'autre cas, le bon numéro n'est pas celui qu'a pris le postulant, c'est que celui-ci s'est trompé dans ses calculs, a mal répété la formule magique, a commis une erreur quelconque. On voit le principe : employer un moyen tel qu'en cas de réussite la gloire et le profit soient pour le sorcier, et qu'en cas d'échec, l'insuccès soit uniquement imputable au demandeur.

Mais, à côté de cette fausse sorcellerie, il est une sorcellerie authentique, en ce sens que ses adeptes ou ses suppôts l'appliquent avec toute leur foi et leur volonté. Ses formes sont innombrables mais on peut les grouper en trois catégories : la sorcellerie fruste, la sorcellerie magnétique et la sorcellerie de goétie. En outre, les sectes guérisseuses se rattachent plus ou moins directement aux différentes formes de sorcellerie.

La sorcellerie fruste

Elle est le fait d'ignorants qui utilisent, sans les comprendre, certaines pratiques transmises de génération en génération, certains « secrets » ou encore quelque formule magique composée de mots latins ou hébreux et de termes qui n'ont aucun sens, soit qu'ils n'en aient jamais eu, soit qu'ils aient été déformés par la prononciation défectueuse des illettrés qui se les repassent oralement.

Ou bien ses éléments ont été puisés dans ces petits opuscules de magie que le colportage répandait autrefois dans les campagnes et qui sont précieusement conservés dans les familles où les sorciers se succèdent de père en fils, ce sont par exemple, *Les Secrets merveilleux du Grand Albert,* ceux du *Petit Albert,* l'*Enchiridon du Pape Honorius, Le Dragon rouge, Le Trésor du Vieillard des Pyramides, La Poule noire.*

Le sorcier y trouve, outre des conseils relatifs aux trois principales préoccupations humaines : la santé, l'amour et l'argent, une quantité de recettes s'appliquant aux hommes comme aux animaux.

Le maître mot de la sorcellerie guérisseuse est ABRACADABRA, hérité des Gnostiques, lesquels, eux-mêmes, le tenaient des Hébreux et l'avaient hellénisé, son origine réelle étant l'hébreu *abreq ad habra,* qui signifie : « envoie ta foudre jusqu'à la mort ». Il charme, paraît-il, nombre de maladies et notamment la fièvre. En Orient, on le porte au cou, en manière d'amulette, écrit en triangle sur un parchemin ou une plaque métallique et disposé de telle sorte qu'il puisse être lu en tous les sens. On peut aussi le réduire en écrivant simplement ABRAC ainsi qu'il figure, et ceci est assez curieux, sur la croix de la tombe de la cathédrale de Lausanne.

Contre les hémorragies, il y a tout un rituel. On peut prendre une tasse d'eau froide et y laisser tomber trois gouttes de sang, puis faire boire le tout au patient en lui demandant : « Qui est-ce qui t'aidera ? » Il doit répondre : « ce sera Sainte Marie ». Et le sorcier guérisseur prononce alors : « Sancta Maria huna sanguineum firma. » On peut encore tremper son doigt dans le sang et écrire avec ce sang sur le front du malade : « Consummatum est. » Ou bien, dire trois fois, sans se tromper, ce qui est assez difficile : « Sanguis, mane fixus in tua vena sicut Christus in sua pœna. Sanguis, mane sicut Christus quando fuit crucifixus. » D'autres formules hémostatiques sont également employées par les sorciers ou les sorcières de nos campagnes, mais comme elles sont aussi ineptes que les précédentes nous en ferons grâce à nos lecteurs.

Contre les humeurs froides on fait chauffer sous la cendre un pied de verveine avec ses racines : la plante est appliquée sur le malade à jeun par une vierge également à jeun. Et le sorcier, crachant trois fois, murmure : « Apollon nie que la peste puisse croître, qu'une vierge nue aura éteinte. »

Pour guérir de l'épilepsie, on invoque, en trois vers latins, les trois Rois Mages.

Une « souffleuse » des environs de Chartres emploie contre les brûlures, après avoir soufflé sur les parties atteintes, la formule suivante : « Feux du ciel et de la terre, apaise ta chaleur, examarette (bis), comme Notre Seigneur a perdu ses couleurs au jardin des oliviers. Ainsi soit-il. »

« J'encercle le mal, dit Mme D..., guérisseuse à Lagorgère, je trace sur lui le signe de la croix et je dis une prière : il y en a pour les brûlures, les eczémas, les chancres, les morsures de serpent. »

Les entorses et les foulures ne résistent pas, paraît-il, à cette supplication : « Que Dieu, Mme sainte Anne, les Bienheureux saints Cosme et Damien te remettent les os, les nerfs et les joints. » Après quoi, estropié et guérisseur font chacun un signe de croix et tout est dit et fait. Actuellement encore, dans beaucoup de villages de la Touraine et du Berry, le premier soin des éclopés est de faire « barrer » une entorse, une foulure, une piqûre. On ne recourt aux soins du médecin que si la guérison se fait trop attendre.

Alors que le souffleur souffle, que le barreur barre, le marcoul « touche ». Il est marqué par le Destin qui lui a départi le don de guérir. En effet, dans beaucoup de contrées, c'est le septième enfant mâle ; en Normandie, c'est un enfant né le Vendredi Saint. En Bretagne, un vieux préjugé attribue aux enfants dont le père est mort avant la naissance le don de guérir par attouchement les goitres ou la gourme. Comme ses confrères barreurs et souffleurs, le marcoul emploie des formules magiques.

Un guérisseur très connu dans le Var et dans les départements limitrophes, Denis Gasquet, avait une singulière façon de procéder. Il se faisait donner le nom et les prénoms de la personne souffrante, puis allait en plein champ, prononçait une prière mystérieuse, et, en même temps, plantait un couteau neuf dans la terre ; cela suffisait pour amener la guérison (?). On a découvert des milliers de ces couteaux enfoncés dans le sol, ce qui prouve que sa clientèle était nombreuse.

Le sorcier s'occupe aussi très volontiers d'art vétérinaire. Ainsi, il guérit les vers du cheval en disant, tout en se signant maintes fois : « Je t'adjure, toi, ver, que tu ne manges ni ne suces la chair, ni les os de ce cheval, et que tu sois aussi paisible qu'a été ce bon personnage Job et aussi bon que saint Jean lorsqu'il baptisait Notre-Seigneur au Jourdain. » Ensuite, il chuchote trois *pater* et trois *ave* dans l'oreille de l'animal.

A l'aide de suppliques analogues, il lutte contre les maladies des troupeaux : clavelée, gale, etc. M. Louis Marin, directeur de l'*École d'Anthropologie* et membre de l'*Institut de France,* nous a rapporté qu'il a personnellement connu un paysan qui, en marmonnant quelque prière, guérissait les bestiaux de la météorisation. Il fut étudié par le professeur Bernheim qui, chose curieuse, conclut à la réalité du fait.

Il préconise parfois les mixtures les plus saugrenues dans le traitement de l'homme et des animaux. C'est ainsi qu'un empirique campagnard faisait boire à ses patients un « élixir » obtenu en faisant macérer dans une chopine de vin blanc dix ou douze crottins de cheval ou de mulets. De même en Russie soviétique, un sorcier guérisseur de Bashkir soignait ses malades en leur faisant avaler des excréments de poulet tout en leur soutirant des honoraires très élevés. Un autre guérisseur, français, celui-là, prescrivait des cachets contenant de la craie pilée, ce qui avait au moins l'avantage d'être inoffensif. Un maréchal ferrant de la banlieue parisienne, le père Moreau, employait une pommade miraculeuse, toujours identique à elle-même, quels que fussent les malades et les maladies. L'analyse révéla qu'elle était composée de saindoux. Avec un si merveilleux produit tout diagnostic était inutile, aussi le guérisseur se contentait-il de vendre ses pots à tout venant. Il en débitait, paraît-il, une moyenne de deux cents par jour. Il fut poursuivi en correctionnelle, mais ses clients, qui défilèrent à la barre, se montrèrent enthousiastes. L'un avait été guéri de ses rhumatismes, un autre d'artériosclérose, etc. Parmi les témoins à décharge, figurait même un authentique médecin, le docteur M. de V.-sur-L., qui proclama : « Je ne sais qu'une chose, j'ai été guéri et je continue de l'être. »

Mais hélas ! Ces drogues et ces pratiques « magiques » ne sont pas toujours sans danger. Chaque année, de retentissantes affaires judiciaires nous révèlent en effet leur malfaisance.

L'amour, comme la santé, tient une place importante dans la sorcellerie rurale fruste. Veut-on se faire aimer d'une rebelle à vos avances ? Le sorcier vous en donne le moyen, soit à l'aide de formules magiques qu'il faut réciter avec conviction selon les rites appropriés, soit par l'emploi de philtres renfermant les ingrédients les plus variés et souvent les plus inattendus tels que : graisse de bouc, fiente du même animal, sang de chauve-souris, pommade de patte de loup, parties génitales du lièvre, du bouc, de la colombe, du moineau, rognures d'ongles, ambre gris, civette, musc, laurier, trèfle à quatre feuilles, verveine, pervenche, armoise, herbe de la Saint-Jean (millepertuis), marjolaine sauvage, lierre.

La pratique suivante est souvent recommandée :

« Brûler trois poils des parties secrètes et trois de l'aisselle gauche sur une pelle à feu. Mettre la cendre obtenue dans un aliment. La personne qui consommera le tout ne vous quittera plus. »

D'après quelques sorciers ruraux la pervenche réduite en poudre mélangée à des vers de terre desséchés donne de l'amour aux hommes qui ingurgitent ce singulier aphrodisiaque.

En Normandie, la jeune fille qui désire savoir quand elle se mariera n'a qu'à remettre à un sorcier l'un de ses cheveux auquel sera suspendu l'anneau d'une femme mariée ; le sorcier plongera le tout cinq fois dans un verre d'eau, et il s'écoulera, avant le mariage, autant d'années que l'anneau aura frappé de fois les parois du verre.

Enfin, le sorcier dispose d'innombrables recettes analogues à celles que nous avons données en premier lieu, pour gagner à la loterie ou pour découvrir des trésors.

La sorcellerie magnétique et les magnétiseurs

Les procédés du « magnétisme animal » semblent avoir une base plus sérieuse que les moyens assez disparates et souvent bizarres employés en sorcellerie fruste. Au reste, les observations des magnétiseurs ont préparé les analyses de la psychologie pathologique, les méthodes de la médecine psychosomatique et ouvert la voie à la métapsychique.

Mesmer, qui a donné le nom à la doctrine du « magnétisme » et qui est généralement considéré comme son fondateur, n'a fait, en réalité, que continuer l'œuvre des thérapeutiques antérieures qui faisaient appel à des entités ou à des pouvoirs mystérieux. Mais il eut l'intelligence d'affirmer, tout gratuitement d'ailleurs, qu'il existait des analogies entre le « magnétisme animal » purement hypothétique et certaines forces, sans doute encore bien inconnues à son époque, mais dont la réalité ne semblait pas douteuse à tout esprit tant soit peu cultivé : l'attraction universelle, le magnétisme des aimants, l'électricité, l'influx nerveux.

A vrai dire, Mesmer n'inventa rien. Avant lui, et en termes plus ou moins abscons, un grand nombre de philosophes ou d'occultistes du Moyen Age et de la Renaissance avaient déjà signalé le « fluide » et signifié son action sur la matière inerte et organisée. Parmi ces pionniers, on peut citer Pomponace, Cornelius Agrippa, Paracelse, Robert Fludd, Goclenius, van Helmont, Greatrakes, Wirdig, Kircher. Au surplus, avant la « découverte » du magnétisme animal, bien des sorciers de village opéraient comme le firent plus tard les magnétiseurs.

Peut-être même conviendrait-il de remonter beaucoup plus loin dans le passé. C'est du moins ce que semble démontrer M. Henri Durville dans ses remarquables travaux sur le magnétisme et l'occultisme. D'après l'éminent auteur de *La Science Secrète*, le fluide aurait été connu dans l'Inde antique, en Égypte pharaonique, chez les Assyriens et les Perses. De plus, selon M. Henri Durville, les Sages de la terre de Khem auraient eu une connaissance approfondie du fluide qui, pour eux, revêtait trois aspects particuliers : le fluide Sa, les forces ignées et le souffle vital.

Quoi qu'il en soit, le premier auteur qui réunit en corps de doctrine les préceptes sur l'action curative du magnétisme fut incontestablement le médecin écossais William Maxwell. Il considérait les maladies comme étant le résultat de la soustraction d'un fluide vital et pensait que l'équilibre pourrait être rétabli par un simple apport de cette force. Les fameuses propositions de Mesmer ne sont que la reproduction, sinon littérale, du moins quant au fond, des aphorismes de Maxwell. Mesmer affirme « qu'il existe une influence mutuelle entre les corps célestes, la Terre et les corps animés ». Cette action, dit-il, s'exerce « au moyen d'un fluide universellement répandu, sorte de gaz impalpable et invisible dans lequel tous les corps sont plongés. Comme ce fluide ressemble beaucoup, par ses propriétés attractives, au pouvoir magnétique des aimants et qu'il est très développé chez l'homme et les animaux, cela m'a déterminé à le nommer *Magnétisme animal* ». Toujours selon Mesmer, la volonté humaine a le pouvoir de mettre ce fluide en œuvre, peut l'extraire de l'ambiance, l'extérioriser, l'accumuler, le faire passer d'un corps dans un autre. La maladie ne serait qu'une aberration dans la répartition harmonieuse du fluide. Le traitement consiste à rétablir cette harmonie par un heureux emploi du magnétisme. Mais, en fait, la réalité de ce fluide n'a jamais pu être rigoureusement démontrée. D'autre part, l'effet Kirlian *, dont il est beaucoup question actuellement, n'a aucun rapport avec le fluide magnétique.

Hector Durville (1848-1923), qui, durant de longues années, dirigea l'*École de Massage et de Magnétisme,* a codifié la « science » magnétique dans deux ouvrages : *Physique magnétique* et *Théories et procédés du magnétisme,* qui constituent les bréviaires des magnétiseurs actuels lesquels utilisent à quelques variantes près les procédés du « Maître du magnétisme moderne », c'est-à-dire l'imposition des mains et les passes, passes longitudinales et passes rotatoires, le massage magnétique, les frictions palmaires, digitales, longitudinales et rotatoires, la malaxation, les pressions, les insufflations. Dans un but thérapeutique, ils magnétisent également les corps inertes.

Mais il est clair que dans ces pratiques joue l'effet « placebo * ».

L'*École Henri Durville,* qui succéda à l'*École de Massage et de Magnétisme,* a été créée, et, jusqu'en ces dernières années, dirigée par Henri Durville (1888-1963) fils d'Hector Durville. Elle s'était donné pour but d'enseigner le magnétisme et la suggestion dans toutes leurs applications : expérimentales, éducatives, thérapeutiques. « L'adepte, écrit Henri Durville, qui suit la ligne de conduite que nous lui traçons, riche de vastes connaissances, est assuré de se créer une carrière où il trouvera, en même temps que des satisfactions d'idéal, une large rémunération, juste récompense des efforts donnés. » Effectivement, la plupart des « cabinets magnétiques », qui traitent toutes sortes de maladies, ne désemplissent pas, mais on comprendra pourquoi nous ne donnerons pas des adresses, car, ici encore, le charlatanisme n'est pas rare.

La « médecine sympathique », imaginée par Paracelse (1493-1541) et encore employée par quelques empiriques contemporains, peut être considérée comme une variante de la médecine magnétique. Elle est basée sur cette théorie qu'un lien subtil unit êtres et choses et que toute partie isolée d'un organisme est toujours en relation avec lui. D'où l'idée des traitements sympathiques : il suffit, par exemple, d'appliquer un onguent approprié sur un linge imprégné du sang d'un blessé pour guérir celui-ci à distance. Ongles et cheveux peuvent être également utilisés dans ce but.

On peut employer aussi une image ou une photographie de l'homme malade qui servent de support psychique comme dans l'envoûtement dont il est question plus loin. « Si tu veux soulager un homme de sa maladie et le guérir, écrit Paracelse, il faut que tu oignes, drogues, graisses son image, que tu lui fasses enfin ce qui serait nécessaire à l'homme lui-même. »

Le transfert des maladies est également une variété du traitement sympathique. Le procédé consiste à faire absorber à un animal quelque partie du corps du malade (ongles, cheveux, sang) ou encore à faire passer la maladie, grâce à des rites appropriés, dans un arbre ou dans un corps inerte. La méthode semble résulter du raisonnement suivant : on ne peut à la fois donner une chose et la conserver. Par conséquent, si l'on transmet sa propre maladie à un être quelconque, ou à un objet inerte, celle-ci vous abandonne.

Chez les Noirs, la méthode du transfert est couramment utilisée. Au Mexique, les guérisseurs font passer les maladies dans un morceau de bois, dans un fragment de cuivre, dans une étoffe. Pour opérer ce transfert, le sorcier tourne autour du malade, suce la partie atteinte et crache sur l'objet récepteur.

Maître Maurice Garçon raconte avoir défendu, dans le midi de la France, une guérisseuse qui traitait par la méthode sympathique. Elle insérait des annonces dans les journaux et recevait des lettres par milliers accompagnées de mèches de cheveux, de lambeaux de chemise ayant touché la personne malade. Les guérisons se comptaient par centaines, les lettres de félicitations pleuvaient de toutes les régions de France. Mais une poursuite intentée par le Parquet se termina par une amende. Dès lors, la guérisseuse ne fit plus d'annonces que dans les journaux étrangers de sorte qu'elle réalisa des miracles à Buenos Aires ou à Valparaiso. Son entreprise fut des plus prospères.

Enfin, dans nos campagnes, la méthode du transfert est aussi appliquée par de joyeux lurons en matière de thérapeutique antivénérienne. Ils estiment que le meilleur moyen de se débarrasser d'une blennorragie, d'un chancre ou d'une syphilis est de les passer charitablement à quelque aimable jouvencelle, vierge de préférence.

La sorcellerie magnétique fabrique des amulettes et des talismans qui préservent de toutes sortes de maux. Ainsi, un morceau de parchemin consacré pendant une messe et sur lequel on a copié le premier chapitre de l'Évangile de saint Jean est un excellent porte-bonheur. Mais il est des talismans plus compliqués et de signification planétaire précise. Ils sont fabriqués en grand cérémonial à l'heure planétaire convenable. Par exemple, un jeudi, sous l'influence de Jupiter, et en Lune montante, on prend une plaque de cuivre sur laquelle on grave deux cercles sur lesquels on écrit les dix noms divins séparés par des petites croix : El, Elohim, Eloha, Zebauth, Elyon, Escrehye, Adonay, Jah, Tretragrammaton, Sadaï. Au milieu, on trace un carré avec les mots : Roguil Iophiel, puis on conjure le « Maître » de l'astre d'apporter aide et santé au porteur du fétiche sans oublier de prononcer ô Damassès mahadus, Camas, Iadas, Dichidas, Ossididus, Canores. Pascal, le grand Pascal, dont les *Pensées* sont considérées à juste titre comme l'un des chefs-d'œuvre de la philosophie française, portait un tel talisman cousu dans la doublure de son vêtement. Il semble que les plus grands esprits, car le cas de Pascal n'est pas unique, aient besoin de ces petits moyens pour relever leurs forces aux heures de défaillance organique ou morale. Il est d'ailleurs à noter qu'à notre époque, il est encore des « mages » et des « initiés » qui vendent à un prix fort élevé tout cet attirail moyenâgeux préparé selon les règles de l'art. Il existe même des talismans pour chiens et chats, et au cours d'une émission radiophonique de *France Inter,* nous avons été personnellement confronté avec « l'inventeur » de ces talismans animaliers qui était, comme il se doit, muni de nombreuses attestations élogieuses.

Bien sûr, de nos jours, la foi aux amulettes et aux talismans n'est plus aussi vive qu'au temps des Égyptiens et des Romains, mais il n'en demeure pas moins qu'ils sont encore nombreux ceux qui recherchent des porte-bonheur, qui croient à l'influence heureuse des trèfles à quatre feuilles, qui ramassent un fer à cheval pour le pendre au-dessus de leur porte ou qui achètent un talisman.

Et le problème qui se pose est de savoir si ces fétiches sont vraiment bénéfiques. Dans son ouvrage *La magie quotidienne,* Guy Casaril répond fort pertinemment à cette question. « En général, écrit-il, tout acheteur de talisman est un faible qui recherche un appui. Comme tout individu désemparé, il a tendance à se croire plus malheureux et plus menacé qu'il n'est en réalité. La situation d'infériorité provisoire qui est la sienne lui dissimule la somme des possibilités qu'il recèle en lui-même. Il ne sait plus avoir confiance. Il ne sait plus vouloir. Il achète un talisman. S'il a confiance, les possibilités latentes de sa personnalité sont transférées au talisman et il trouve, dans cet objet, la confiance, la force et la volonté qu'il ne parvenait pas à trouver en lui-même, à cause de sa faiblesse et de son aveuglement. Le talisman joue alors, en quelque sorte, le rôle du psychanalyste ou de la « bonne voyante » ; il révèle l'homme à lui-même, lui supprine ses inhibitions et lui permet d'agir. »

« Réciproquement, ajoute malicieusement Guy Casaril, je crois pouvoir dire que la psychanalyse est une forme moderne de la « science » talismanique. »

En tout cas, la vente des talismans est souvent une affaire en or : investissement très faible, prix de revient dérisoire, frais généraux minimes.

L'envoûtement, qui consiste à agir en bien ou en mal, mais surtout en mal, sur l'homme ou sur les animaux, par l'intermédiaire d'une figurine appelée quelquefois volt, est un des actes les plus courants de la sorcellerie magnétique. L'homme préhistorique l'utilisait déjà pour capturer ou frapper l'animal qu'il convoitait. Il apparaît en effet de plus en plus certain, comme nous l'avons montré dans l'un de nos ouvrages [1], que la plupart des dessins préhistoriques n'étaient pas des tableaux faits pour être admirés, mais qu'ils étaient destinés à donner à l'homme une sorte d'emprise magique sur le gibier qu'il s'agissait de diriger, de blesser ou de tuer. Des scènes de conjuration avaient très vraisemblablement lieu dans les grottes après l'exécution des dessins afin de soumettre à la volonté humaine l'animal envoûté. Au reste, beaucoup de peuplades primitives actuelles, qui ne font

1. Robert Tocquet : *L'Aventure de la vie. De l'atome à l'homme,* Paris, 1967.

probablement que répéter des rites ancestraux préhistoriques, pratiquent ces sortes de cérémonies.

L'envoûtement, appliqué à l'homme, peut être de guérison, d'amour ou de haine. Dans les trois cas, le rituel est le même. Le sorcier fabrique d'abord une figurine avec de la cire d'abeille, l'habille de vêtements analogues à ceux que porte la personne qu'il veut envoûter, place dans ces vêtements ou introduit dans la cire elle-même des cheveux, des rognures d'ongles appartenant à la personne visée puis baptise la statuette. Celle-ci est alors sensibilisée.

Si l'opérateur désire exercer une action maléfique comme c'est, ainsi que nous l'avons déjà signalé, généralement le cas, il s'acharne sur la figurine, la pique à l'aide de longues aiguilles à l'endroit du cœur, du foie et du cerveau, la pince, l'écorche. Après quelques séances de ce genre, l'envoûté, si l'on en croit les ouvrages de sorcellerie, est atteint dans sa santé physique, dépérit et, enfin, meurt.

Pour une action rapide et passagère, le sorcier peut se servir d'hosties. Il écrit alors, au verso de l'hostie, le nom et les prénoms de la personne à ensorceler, se concentre, agit sur l'hostie comme sur une figurine et la brûle dans la flamme d'un cierge.

Il utilise parfois des sortes de coussinets confectionnés avec le cou de poules ou de pigeons, des morceaux de toile grossièrement découpés en vue d'imiter une personne ou un organe. Après que ces objets ont été « sensibilisés », il les introduit dans l'oreiller de sa future victime.

« Je possède, écrit le Révérend Père Reginald Omez, un certain nombre de ces objets provenant de Lorraine, du Pays basque et de la Vendée. On en trouve de semblables ailleurs. »

La sorcellerie de goétie

Ici, le sorcier invoque ou évoque les esprits malfaisants et en particulier le Démon dans le but d'obtenir pour lui-même ou pour autrui la fortune, l'amour ou la gloire. Nous passons sous silence les cérémonies diaboliques du temps de la Montespan et de l'abbé Guibourg, qui appartiennent à un passé lointain, pour dire qu'actuellement de nombreuses messes noires sont encore pratiquées. Quelques-unes sont suivies sérieusement par des satanistes convaincus, mais les autres ne sont que des prétextes à réunions érotiques où l'on pratique toujours le même rituel : la parodie de l'office divin célébré sur le ventre d'une femme nue servant d'autel, la pollution de l'hostie, l'invocation à Satan, et, enfin, le déchaînement des appétits sexuels puis l'amour en commun.

Qu'elles soient « sérieuses » ou érotiques, le principe des messes noires est assez simple : on remplace dans la liturgie courante le nom de Dieu par celui de Satan ou par le nom de démons : Aloger qui préside à l'orgueil, Nambroth qui dirige la colère, la volonté, l'action ; Astaroth qui donne l'intelligence, l'envie, l'habileté commerciale ; Lilith qui préside à la luxure, à l'amour, etc.

« La grande opération » consiste à évoquer dans un but déterminé, soit les forces astrales : génies, démons, élémentals, soit Satan en personne. Elle a lieu de préférence en plein air et au solstice d'été. Son rituel assez compliqué comporte l'emploi d'objets ou d'instruments qui ont été achetés ou préparés sous les auspices planétaires favorables : robes de soie, baguette de coudrier, épée, cierges, réchauds de terre, parfums. Le sorcier trace d'abord un vaste cercle à l'aide d'un morceau de charbon de bois et se place au centre. Il sacrifie une poule ou un coq noirs dont le sang, versé dans une coupe, sert d'appel aux forces malfaisantes. Les prières et oraisons sont dites ensuite.

« Souvent, écrit le magiste connu sous les initiales J. B., les forces évoquées se manifestent par une sorte de tourbillon impétueux qui arrache et détruit tout ce qui est extérieur au cercle magique.

« Dès que l'invocation est faite, on dirige les éléments vers le but désiré. Ce sont des forces aveugles ou faiblement intelligentes. Lorsque l'impulsion a été donnée rien ne peut empêcher l'aboutissement qui devient fatal. »

Celui-ci en effet est très réel et peut consister, pour le « magicien » ou présumé tel, en troubles mentaux ou somatiques tels que hallucinations, névroses, syncopes, hypertension, pseudo-paralysies ou même paralysies et en maladies bizarres qui laissent souvent la médecine impuissante.

Trois guérisseurs célèbres : Philippe, Béziat, Alalouf

Voici maintenant, dans le labyrinthe plus ou moins obscur des guérisseurs, où l'on rencontre assez souvent la sorcellerie, la magie, la superstition, trois guérisseurs célèbres dont nous avons pu contrôler directement ou indirectement les pouvoirs : Philippe, Béziat, Alalouf.

Philippe

L'un des plus puissants guérisseurs de tous les temps fut certainement le « Maître » Philippe de Lyon (1849-1905) auquel le docteur Philippe Encausse a consacré un intéressant ouvrage précisément intitulé *Le Maître Philippe de Lyon.*

Les séances où il intervenait, et qui étaient généralement collectives, débutaient par une invocation à Dieu, puis le « Maître » s'arrêtait devant un malade et entreprenait de le guérir.

Certaines de ses guérisons paraissent absolument invraisemblables.

Le docteur Encausse (Papus) rapporte le cas suivant dont il fut témoin.

« A l'une des séances arrive une pauvre femme du peuple tenant dans ses bras un enfant rachitique âgé de dix-huit mois. Cet enfant est examiné par deux docteurs en médecine et par dix témoins. On constate une déviation en arc de cercle des tibias telle qu'il est impossible à l'enfant de rester, une seconde, droit sur ses petites jambes. »

« Nous allons demander à Dieu la guérison de cet enfant », dit Philippe. En dix secondes, c'est fait ; les deux médecins et les dix témoins constatent le redressement des tibias et voient l'enfant se tenir droit sur les jambes, tandis que la mère s'effondre en larmes. »

Un autre de ses prodiges fut enregistré officiellement.

Les hommes-phénomènes

Vers 1900, Philippe était le grand favori de la Cour de Russie. Lors d'un voyage en France, la tsarine demanda à Waldeck-Rousseau, président du Conseil, que l'on délivrât à son protégé le titre de docteur en médecine. La souveraine ayant beaucoup insisté, il fut décidé qu'une commission médicale examinerait le guérisseur. Trois médecins furent désignés : le professeur B., les docteurs Lalande et Encausse. Ils se rendirent à une séance et choisirent, parmi les patients, une énorme hydropique qui semblait à la dernière extrémité.

On la mit en présence de Philippe, et, instantanément, la malade apparut svelte et guérie. Les deux médecins établirent un procès-verbal relatant que la malade avait été examinée avant et après l'intervention du thaumaturge, mais le professeur B. refusa de signer, sous le prétexte assez fallacieux qu'il n'avait pas compris ce qui s'était passé sous ses yeux.

Ces deux guérisons, si nous les tenons réelles, et il n'y a aucune raison pour les mettre en doute, égalent, ou même dépassent, les plus extraordinaires miracles accomplis à Lourdes.

Jean Béziat

Jean Béziat ne fut peut-être pas un guérisseur aussi puissant que Philippe, et, cependant, ceux qui ont visité la Lourdes laïque que fut la ferme de *La Borie,* où le thaumaturge opérait, ont rapporté la conviction qu'il se produisait là de véritables « miracles ».

Ingénieur agronome, c'est surtout de 1920 à 1926 qu'il exerça ses pouvoirs dans son importante propriété du bourg d'Avignonnet, près de Villefranche-de-Lauragais (Haute-Garonne). Chaque matin, plus de cinq cents personnes attendaient pour le voir. Il fallait des tickets pour entrer dans la cour de la ferme et dans la salle. Béziat soignait dix-huit heures par jour, appelé de partout, supplié par tous. Une conférence précédait ses soins. Béziat assurait à ceux qui l'écoutaient que ce n'était pas lui qui guérissait, mais que c'était « le Foyer Universel de vie, l'Ame universelle, c'est-à-dire Dieu ».

« Parcelle de la Divinité, disait-il, l'homme peut faire appel à la Force souveraine pour agir sur le mal, imperfection passagère, que, seule, peut vaincre la force créatrice ! »

Cette causerie créait, parmi les auditeurs, une ambiance favorable ; un courant de sympathie et c'est alors que le guérisseur examinait et soignait chaque malade, les soins consistant simplement en imposition des mains, frictions et souffle chaud sur l'organe malade.

Béziat fit des cures prodigieuses et parfois à distance. Voici quelques cas particulièrement typiques :

Une enfant de treize ans, Germaine C., demeurant à Notre-Dame-de-la-Garde, près de Montauban, était restée paralysée de la gorge et des yeux à la suite d'une diphtérie. Elle avait été examinée par les meilleurs médecins et spécialistes de Toulouse et son état était précisé par de nombreux certificats médicaux. Elle n'avait pas quitté son village et Béziat ne l'avait jamais vue, mais il accepta de s'occuper d'elle à distance. Il le fit un soir à six heures vingt-cinq et l'enfant recouvra immédiatement la vue et la parole.

Une pauvre femme habitant Reynès avait une jambe rongée par un ulcère variqueux. Le mal était horrible à voir ; par endroits, l'os était à nu. La malade, abandonnée par les médecins, vint voir Béziat qui, bien que doutant du succès, étant donné l'étendue et la profondeur du mal, sollicita néanmoins les puissances invisibles. Le lendemain de l'intervention, la femme sentit sa jambe raide « comme si elle avait été séchée dans un four », mais ne défit pas les bandages. Le surlendemain, ils furent enlevés et chacun put voir la jambe complètement guérie et les tissus refermés, cependant que le lit était plein d'escarres provenant de la plaie. Quelques semaines plus tard, rien ne différenciait la jambe traitée de la jambe normale, si ce n'est de faibles cicatrices.

Béziat a réussi également à agir à distance dans le cas de maladies mentales, ce qui, d'après les guérisseurs eux-mêmes, est très difficile. C'est ainsi qu'il guérit à distance une psychopathe gravement atteinte internée à Villejuif. Le Dr Sénac, de l'asile, a lui-même reconnu qu'il y avait là une guérison extra-médicale.

Ainsi qu'il se doit, le guérisseur d'Avignonnet fut fréquemment poursuivi à la requête des syndicats médicaux. Lors d'un de ses procès, le procureur eut cette phrase savoureuse : « Oui,

Béziat, vous guérissez, et c'est là ce qui vous rend plus coupable encore, vous guérissez, mais pas par des moyens légaux. »

Bien que musclé, charpenté en athlète, respirant la puissance et la santé, Béziat mourut rclativement jeune, à l'âge de quarante-huit ans, d'un mal insidieux et lent (une lymphogranulomatose probablement) contre lequel, cruelle ironie du sort, il ne put rien.

Léon Alalouf

Les guérisons obtenues par Serge-Léon Alalouf, dont nous avons, depuis ses débuts à Toulouse, suivi la carrière éblouissante, et dont nous allons, en quelques lignes, fixer l'attrayante personnalité, ont été, dans un grand nombre de cas, parfaitement contrôlées.

Né à Salonique en 1905, venu en France en 1920 et naturalisé français, Serge-Léon Alalouf fit des études électrotechniques et fut reçu ingénieur en 1926. Il s'engagea à la *Croix-Rouge française* et, blessé à Monastir, fut cité à l'ordre de l'armée alliée comme étant le plus jeune engagé. Dès les débuts de la Seconde Guerre mondiale, il totalisa vingt-sept blessures, et, versé de l'infanterie au *2e Bureau,* il exerça ses dons de voyance, aussi surprenants que ses dons de guérisseurs, et fut cité à l'ordre de l'armée, dans les termes suivants, pour ses détections sur plan des sous-marins allemands : « En 1940, Serge-Léon Alalouf est cité à l'ordre de l'Armée pour ses dépistages, à distance et sur cartes, de sous-marins ennemis pour le compte de l'état-major de la 17e région. En promenant ses mains sur des cartes géographiques, Léon Alalouf indiquait les positions des sous-marins dont plusieurs purent ainsi être détruits. »

A l'Armistice, Léon Alalouf entra dans la *Résistance.*

Titulaire de quatre décorations anglaises, de deux décorations américaines, de la Croix de la Libération, avec attribution de la Croix de Guerre, de la Médaille de la Résistance, de la Médaille militaire, il est également décoré de la Légion d'honneur pour les motifs suivants :

« Patriote ardent, Léon Alalouf s'est donné entièrement à la Résistance. Bravant tout danger, a passé en tous sens vingt-sept fois la frontière d'Espagne, a accompli toutes missions périlleuses qui lui ont été confiées soit par le *Comité d'Alger,* soit par le colonel Malaise à Madrid. Arrêté par la Gestapo sur la frontière d'Espagne, questionné, torturé (il fut pendu par un bras et roué de coups), a su garder le silence. Mis dans un convoi de déportation, s'évade et se met encore une fois au service de la *Résistance* dans le Lot. Est un exemple de courage, d'abnégation de soi. »

Mais, si brillant que soit le palmarès d'Alalouf, il est pourtant éclipsé par son palmarès de guérisseur. Léon Alalouf possède en effet quelque 350 000 attestations de guérisons, et encore tous ceux à qui il a rendu la santé ne lui ont pas envoyé de témoignage écrit. Ses clients viennent de tous les milieux et de tous les points du monde. Il a soigné des rois, des chefs d'État, des ministres, des princes, des prélats appartenant au haut clergé, des artistes, etc. Alphonse XIII, Anatole de Monzie, Gaston Doumergue, Édouard Herriot, Sacha Guitry eurent recours à son fluide. Gandhi, qui passa huit jours chez lui en 1932, lui déclara : « Vous avez un étonnant pouvoir de revitaliser les corps déficients, un pouvoir nettement supérieur au mien... » Et c'est sur l'invitation du Mahatma qu'il effectua un voyage aux Indes et au Tibet. Il a été appelé plusieurs fois à la Cour d'Angleterre, et, pour le remercier de ses interventions, on lui a envoyé deux places pour assister au couronnement de la reine Élisabeth. De véritables pont d'or lui ont été offerts pour qu'il accepte de s'installer à l'étranger, notamment au Brésil et aux États-Unis, mais il a toujours refusé.

Au cours d'une enquête, que nous avons effectuée naguère sur les guérisseurs et leurs méthodes, Léon Alalouf nous a écrit ce qui suit :

« Les vertus curatives de mes radiations s'exercent efficacement sur les troubles pathologiques les plus divers ; c'est ainsi que je peux vous citer des guérisons ayant trait à des maladies nerveuses : névralgies, paralysies, apepsies, etc. ; d'autres affectant des organes ou leurs fonctions : laryngites, céphalées, tuberculose, gravelle, hernie, néphrite, entérite, etc., et, enfin, un certain nombre dues à des traumatismes divers : abcès, tumeurs, blessures, etc. Je tiens à votre disposition des attestations démontrant la guérison de ces diverses affections avec tout le contrôle et l'esprit critique que peut émettre quelqu'un qui, voyant de tels résultats produits par l'imposition des mains, cherche à en étudier les causes. Souventes fois, je me demande si le pouvoir curatif de mes radiations est du ressort de la physiologie, de la psychologie ou de la métapsychique. Sous quelle forme se manifeste-t-il ? Peut-on le concevoir à l'instar d'un courant électrique ou d'une forme spirituelle de la suggestion ? Son action curative s'exerce-t-elle indifféremment sur toutes sortes de maladies et quelle est la mesure de son efficacité ? Quels facteurs peuvent modifier son action et quels processus en assurent la féconde réalisation ? »

Comme tous les guérisseurs, Léon Alalouf est, sur la plainte du *Syndicat des Médecins,* poursuivi périodiquement pour exercice illégal de la médecine.

Mais, à tous ses procès, des hommes de science, des médecins et parfois des professeurs de médecine viennent déposer en faveur du guérisseur. Ainsi, au cours du procès qui lui fut intenté à Toulouse le 24 juin 1966, un stomatologue, chargé de cours à la *Faculté de Médecine de Toulouse,* et un professeur de toxicologie à la même Faculté, qui avaient été soignés avec succès par Alalouf et à qui ils avaient envoyé des clients, vinrent dire tout le bien qu'ils pensaient du guérisseur. « Nous savons, dit le Président du Tribunal, en s'adressant à Alalouf, que vous guérissez, et que vous jouissez d'une réputation mondiale et d'un don inexpliqué. Mais vos activités para-médicales tombent sous le coup de la loi. » Cependant, fait unique dans les annales judiciaires françaises, les juges renoncèrent à se prononcer sur le fond de l'affaire et relaxèrent le prévenu.

Les sectes guérisseuses et leurs prophètes

On peut rattacher au problème des guérisseurs celui des sectes guérisseuses qui, pour rétablir la santé, font appel à des principes métaphysiques ou religieux. Elles sont très nombreuses, mais il convient de citer en premier lieu, à cause de leur importance, la *Christian Science,* l'*Evangelical Christian Science,* l'*École Améri-*

caine de Métaphysique, l'*Antoinisme,* le *Pentecôtisme,* l'*Église Chrétienne Universelle.* Leurs créateurs et leurs animateurs, qui se présentent souvent comme étant les « prophètes » d'une nouvelle religion, peuvent être considérés comme des hommes (ou des femmes) phénomènes.

Le fondateur de la *Christian Science* fut Mrs. Mary Baker-Eddy qui reçut la « révélation » à Boston. C'est une des plus importantes sectes guérisseuses sur le plan international. Elle compte près de 15000 prêtres-guérisseurs. Pour eux, il est inopportun d'aller chez un médecin, le mal et la maladie n'existant pas et n'étant que des illusions. Il suffit de s'en convaincre pour guérir. Cette « religion » a ses propres journaux, ses revues, ses livres.

Il était à prévoir qu'un mouvement mystique d'une telle ampleur engendrerait des dissidences, d'autant plus que Mrs. Eddy était intransigeante sur les principes. Outre la *New thought,* le plus important de ces schismes fut celui de l'évêque Olivier C. Sabin de Washington, qui fonda l'*Evangelical Christian Science* ou *Schristology.* Comme la *Christian Science,* la secte possède ses journaux, ses revues, ses livres dans lesquels on peut lire les mêmes récits de cures, les mêmes relations miraculeuses.

Un autre groupement important, qui cherche à se distinguer de la *Christian Science,* mais qui, en fait, l'imite, est l'*École Américaine de Métaphysique* fondée par M. Leander Edmund Whipple. Dans son enseignement les affirmations les plus risquées pleuvent dru comme grêle. Ainsi, il est dit : « C'est parce que l'homme y pense qu'il y a des microbes dans le sang du lapin... Si l'on suggérait à temps au cobaye de ne plus penser au bacille de Koch, il ne serait plus tuberculeux. » De même qu'en ce qui concerne certaines assertions de la *Christian Science,* nous sommes évidemment ici en pleine incohérence, dans un monde de pensées analogues à celui que peut élaborer le rêve ou même un certain déséquilibre mental.

En marge de la *Christian Science* et des sectes de ce genre, Oral Roberts prêche « à l'américaine ». Il déploie une extraordinaire activité, prône, joue de la guitare, chante avec sa femme des hymnes au Seigneur, et veut gagner chaque année un million d'âmes au Christ. Pour ce faire, il parcourt le territoire des États-

Unis dans une somptueuse roulotte, plante son chapiteau dans chaque ville traversée et réunit 10 000 personnes par soirée. Ses programmes télévisés mélangent les chants, concerts, exhortations, discours et homélies au cours desquels il guérit par imposition des mains. Les téléspectateurs ne sont pas oubliés et peuvent, s'ils ont la foi, bénéficier des dons d'Oral Roberts, en posant la main sur leur récepteur. Oral Roberts publie un journal mensuel qui tire à 500 000 exemplaires et reçoit 25 000 lettres par semaine.

Le « Père » Antoine, qui a fondé l'*Antoinisme,* n'appartenait pas à l'Église alors que l'on croit souvent, à cause de cette appellation de « Père », qu'il faisait partie d'une communauté religieuse. C'était un ancien mineur belge qui prétendait guérir grâce aux remèdes et aux fluides magnétiques que lui communiquaient les Esprits. Sa clientèle fut prodigieuse. Une secte naquit : « l'Antoinisme ». Elle compte encore en France et en Belgique plusieurs dizaines de milliers de disciples et une cinquantaine de temples.

A l'encontre de l'*Antoinisme,* qui a vu le jour en Europe, le *Pentecôtisme* est d'origine américaine. C'est, comme la *Christian Science,* une religion guérisseuse basée sur une interprétation particulière des Écritures. Les pentecôtistes pratiquent le baptême par immersion et seulement pour les adultes. Ce groupement, qui se développe de plus en plus, en particulier aux dépens des églises baptistes, est actuellement plus important que la *Christian Science.* Il compte, en effet, dans le Monde, de neuf à dix millions de membres, répartis en diverses Églises de même obédience. En France, les pentecôtistes sont au nombre de 40 000 environ, dont 12 000 baptisés, contre deux ou trois milliers d'adeptes à la *Christian Science.*

Alors que la *Christian Science,* l'*Antoinisme,* les *Mouvements de Pentecôte,* et, en général, les sectes de ce genre, se contentent, pour obtenir des guérisons, de recourir à des principes métaphysiques ou de solliciter la Divinité, dispensatrice des biens de ce Monde, l'*Église Chrétienne Universelle,* tout en invoquant également Dieu le père, prétend en outre avoir en son sein le « Christ revenu », en l'occurrence Georges Roux de Montfavet. Pour les « Témoins du Christ », la guérison doit venir de la foi, de l'absence de péché et de l'hygiène alimentaire. Si, en dépit de leur adhésion à la secte et de leur respect du message de Georges Roux, des malades meurent, c'est que Dieu le veut, et, en l'occurrence, utiliser des médicaments serait une manifestation impie d'opposition à la volonté de Dieu.

Sans doute, les « Témoins du Christ » rétorquent qu'en face de ces « accidents » ils peuvent opposer des milliers de guérisons, notamment dans le cas de tuberculose et de cancer, mais il faut souligner qu'elles sont rarement vérifiées et qu'en tout cas elles n'excusent pas, si elles sont véridiques, ces morts tragiques dues à un manque voulu de soins.

Bien entendu, les sectes guérisseuses que nous venons d'examiner ne sont pas les seules à exercer leur apostolat en France et dans le Monde. Il en est beaucoup d'autres, les *Disciples de la Sœur Gaillard,* l'*Église Évangéliste Indépendante de l'Union Chrétienne,* l'*Église Christique Primitive,* les disciples de *Mazdazman,* le groupe *Amour et Vie,* par exemple, mais il n'est pas dans notre intention d'en faire ici une étude exhaustive car toutes ces « Églises » font appel d'une façon analogue aux mêmes principes spirituels accompagnés généralement de conseils hygiéniques et alimentaires, de sorte que ce serait nous répéter que d'exposer leurs doctrines.

Il faut cependant noter que les fondateurs de ces « religions » guérisseuses, qu'il s'agisse de Mrs. Eddy, du Père Antoine, de Georges Roux et des autres « messies » de ce genre, sont, autant que les fondateurs des religions orthodoxes, animés d'une conviction profonde qu'ils transmettent bientôt à leurs adeptes lesquels deviennent à leur tour d'ardents prosélytes. Ils croient en leur propre mission ce qui les conduit à persévérer dans leur action malgré les sarcasmes, les déboires, les ennuis de toutes sortes qui les assaillent continuellement au cours de leur « sacerdoce ». Quant à la solidité et à la vraisemblance du message qu'ils répandent, cela n'importe guère. Il se trouve toujours, en effet, un certain nombre de personnes pour qui telle ou telle doctrine convient, quelle que soit sa consistance, tant est profond et multiforme chez l'homme le besoin de croire au merveilleux, de chercher un appui, un refuge au-delà de lui-même, en dehors de sa propre volonté. En outre, pour les adeptes, le chef de l'une ou l'autre de ces sectes guérisseuses est le « maître », le « grand homme » tel que le définissait Freud, c'est-à-dire en fait celui qui incarne le « père » auquel chacun de nous, enfant, rêva de s'identifier. Le suivre et répandre son enseignement, c'est donc, dans une certaine mesure, réaliser un rêve de jeunesse.

La psychologie des sorciers et des guérisseurs

En règle générale, une conviction forte les anime. Sans elle ils n'eussent pu devenir sorciers ou guérisseurs. Mais, dans le commerce de la vie courante, ils n'apparaissent pas comme des êtres extraordinaires.

Précisément sauf exception (et nous pensons ici à Henri Durville, à Philippe, à Béziat, à Alalouf, et à quelques autres guérisseurs) ils n'en sont pas. Ce sont même habituellement des personnes faibles. « Leur caractère commun, écrit le Dr Maurice Igert à propos des guérisseurs, est leur suggestibilité aux influences collectives. La plupart d'entre eux paraissent présenter une diminution de l'affectivité et un affaiblissement du sens critique. »

Sont-ils des charlatans ? Quelquefois, mais, le plus souvent, ils sont sincères. Certains d'entre eux ne le sont qu'à moitié en ce sens qu'ils appliquèrent d'abord leurs procédés sans trop y croire, puis, devant les résultats positifs obtenus, finirent par être à peu près convaincus.

Quelques-uns sont-ils des névropathes ou même des psychopathes ? Peut-être si l'on admet qu'il n'y a pas d'esprit sain qui ne porte en lui quelque trace des névroses ou des psychoses classiques et qu'il n'y a pas de déséquilibré qui ne soit sain d'esprit en de nombreux domaines.

Comment deviennent-ils sorciers ou guérisseurs ? Habituellement de trois manières ; ou bien ils s'engagent de propos délibéré dans la sorcellerie ou dans la thaumaturgie, ou bien ils succèdent à un parent ou à un ami, héritent de leurs procédés et de leurs « secrets », ou, encore, ils découvrent par hasard qu'ils ont des « pouvoirs ».

Ceux-ci existent-ils vraiment et quelle est leur nature ?

En fait, l'étude critique de nombreuses guérisons, attribuées à des sorciers ou à des guérisseurs, nous a montré que, généralement, l'agent de la guérison ne provient pas essentiellement du guérisseur, mais qu'il a pour origine le malade lui-même : c'est dans les profondeurs de son être que celui-ci trouve les énergies salvatrices et que s'élabore sa santé reconquise. Ce qui importe avant tout, c'est la suggestibilité du malade, ses dispositions psycho-physiologiques, la foi qu'il attribue au procédé employé.

Enfin, dans quelques cas très rares, le guérisseur agit, semble-t-il, par une sorte d'action médiumnique dont le mécanisme est encore très obscur. Tel fut ou tel est vraisemblablement le fait du « Maître » Philippe, de Béziat et d'Alalouf.

Le « pouvoir » maléfique des sorciers a la même origine que le pouvoir bénéfique des guérisseurs. En dehors de leur action paranormale possible, mais certainement extrêmement rare, leur seule réputation, leur aspect troublant, leurs pratiques bizarres suffisent à expliquer leur emprise sur certaines personnes faibles et suggestibles de sorte que les « envoûtés » ne sont, en réalité, que des « autoenvoûtés ». De même les possessions diaboliques sont habituellement le fait d'imaginations délirantes.

Guérisseurs et sorciers ne sont donc, en général, des hommes-phénomènes, qu'à cause des pouvoirs qu'on leur attribue.

Le saviez-vous ?

— La ligature de l'aiguillette était un maléfice qui provoquait l'impuissance en amour et l'antipathie entre deux jeunes époux. Ce charme, extrêmement redouté, fut très employé au Moyen Age, et, plus tard, au XVIIe siècle. « Le nouement de l'aiguillette est si commun, écrit Pierre de Lancre, démonographe renommé du temps de Louis XIII, qu'il n'y a guère d'hommes qui s'osent marier, sinon à la dérobée. On se trouve lié sans savoir par qui et de tant de façons que le plus rusé n'y comprend rien. Tantôt le maléfice est pour l'homme, tantôt pour la femme, tantôt pour les deux. » Le rite le plus usuel pour cette ligature s'accomplissait à l'église pendant la cérémonie nuptiale. Après s'être muni d'un lacet, on assistait à la célébration du mariage. Lorsque les anneaux s'échangeaient on faisait le premier nœud au lacet, on en faisait un second au moment où le prêtre prononçait les paroles essentielles au sacrement ; enfin, quand les époux étaient sous le drap, on en faisait un troisième. L'aiguillette était nouée et les époux se trouvaient dans l'impossibilité de consommer le mariage.

— Dans le but d'assister au sabbat les sorcières du Moyen Age se frottaient le corps avec un électuaire fait de poudres aphrodisiaques et de plantes narcotiques telles que la belladone, l'opium, le haschisch. L'absorption cutanée de la drogue leur donnait l'illusion de s'enlever dans les airs et les plongeait dans un profond sommeil envahi de visions luxurieuses. Elles croyaient recevoir l'âpre baiser du Démon. « C'était, ont-elles rapporté, un déchirement affreux, la brûlure d'un pal de fer rouge, puis, aussitôt l'angoisse d'une inondation abondante et glacée. »

Des fillettes, filles de sorcières, participaient de la même manière à ces ébats. Dans un procès de sorcellerie, l'une d'elles, Jeannette d'Abadie, âgée de treize ans, déclara que lorsqu'elle était possédée par le Diable, elle souffrait d'une extrême douleur, laquelle venait de ce que le membre du Démon « estant faiet à escailles comme un poisson, elles se resserrent en entrant et se lèvent et piquent en sortant ». Une autre jouvencelle, la petite Marie de Marigrane, dit que « le membre du Démon est moitié de fer, moitié de chair, tout de son long et de même que les génitoires » cependant que Françoise Fontaine le trouve « dur comme un caillou, noir et fort froid ».

— Selon les démonologues, les incubes sont les démons du sexe mâle qui font œuvre de chair avec les femmes tandis que les succubes sont des « démones » qui prennent figure de femme et séduisent l'homme.

— La lycanthropie consisterait en la mutation temporaire de l'homme en animal, en loup-garou comme l'on disait encore naguère dans quelques campagnes. Cette croyance a maintenant à peu près disparu.

— En sorcellerie, les vampires sont considérés comme étant des entités astrales qui survivent à la dépouille mortelle de certains individus, en particulier de sorciers, et en retardent indéfiniment la désagrégation. Ces entités, attachées au cadavre par un lien invisible, deviendraient erratiques et s'attaqueraient aux passants.

— Selon Louis Fourcade, la sorcellerie est une progression inquiétante dans les pays se disant civilisés.

L'église anglicane s'en inquiète au point que la hiérarchie s'efforce de lutter par tous les moyens dont elle dispose pour réduire la vague d'envoûtements et de sortilèges qui menace le libéral pays britannique.

En Espagne, le mal est si grand qu'on a cru opportun de réaliser un Congrès International de la sorcellerie où un jésuite espagnol a souligné l'importance de ce débat.

L'Italie, à son tour, se plaint des maléfices, de magie noire, voire de messes noires, en notoire progression dans certains lieux et contrées.

En France, et selon nos propres observations, il y a trois sorciers pour 20 000 habitants en Bretagne, deux pour 10 000 en Lorraine et en Béarn, cinq pour 10 000 à Paris et six pour 10 000 à Lyon.

Aux États-Unis, on met en œuvre une brigade de policiers antisorcellerie. Le périple de cette croisade passe par quarante-cinq villes américaines. Ce sont surtout parmi les jeunes, qui se déclarent asociaux, que l'on recrute le plus de partisans de l'occultisme maléfique.

Il semble par conséquent que nous assistions, en notre époque trépidante inquiète et névrosée, à une renaissance de la magie la plus étrange et de la sorcellerie la plus basse, de sorte que des gens, apparemment sensés et doués de sens critique, n'hésitent pas à venir s'agenouiller dans les cryptes des sanctuaires de l'occulte. Les forces qui se produisent en ces temples ténébreux les affolent et les désorbitent. Ils s'hallucinent, voient et croient. Quant à l'objectivité des phénomènes qui s'y produisent, le scepticisme s'impose. Il apparaît que la plupart sont purement subjectifs. Ils ne s'objectivent que par le canal des actions humaines, et, en particulier, par la fraude.

Il faut donc étudier rigoureusement, scientifiquement, positivement ces manifestations subconscientes, psychiques et occultes, dévoiler sans pitié la fourberie, exiger des preuves irréfutables. La contagion magique, déjà fort répandue, serait une terrible maladie si elle s'étendait sans obstacles. L'homme a trop lutté contre les superstitions ancestrales pour accepter de retomber si vite dans les bras des sorciers.

— Pour porter maléfice à un cheval, le sorcier lui noue la queue d'une certaine façon. A. M... (Limousin), un jeteur de sort envoie la maladie aux bestiaux en tapant sur l'herbe avec un bâton de coudrier et en disant en même temps : « Lait de mon voisin, va dans le mien. »

— Afin de lutter contre un effet maléfique, le sorcier utilise le contre-envoûtement. L'une des pratiques les plus courantes consiste à réitérer l'acte accompli par le maléficiateur et à lui renvoyer le sort. Le libérateur peut aussi prendre le mal à son propre compte.

— Dans la plupart des pratiques traditionnelles de la sorcellerie, on constate que la victime du sortilège doit être avertie d'une manière quelconque de ce qui se prépare contre elle : ossements disposés en croix placés sur son passage ; porte marquée d'un signe ; volt symbolique (cœur percé d'épingles, figurine de cire mutilée, etc.), disposé dans son voisinage ; couteau fiché dans son champ, etc. Il s'ensuit que l'explication télépathique de l'envoûtement est généralement superflue : l'envoûtée est, en l'occurrence, un auto-envoûté.

— Il est également dit dans les manuels de magie que l'envoûtement peut manquer son but si la victime est pure et qu'alors la malédiction revient frapper l'opérateur. Il est donc recommandé aux victimes d'un envoûtement de se purifier de toutes leurs culpabilités et surtout de ne jamais répondre par la haine à la haine de leur persécuteur, mais de s'efforcer d'avoir pour lui, dans le fond du cœur, pitié et pardon. Dans ces conditions il est clair que les complexes autopunitifs des envoûtés se trouvent libérés des suggestions du sorcier.

— Aujourd'hui encore, dans quelques diocèses, un prêtre exorciseur est chargé par l'évêque, grâce à une permission « particulière et expresse », de conjurer le Démon et d'user de bénédictions destinées à éloigner les influences maléfiques provoquées par des sorciers. L'Église admet donc l'intervention du Diable dans les affaires humaines et les possibilités de la sorcellerie. « Mais elle manifeste une extrême méfiance à l'égard des illusions très faciles dans ce domaine. » (R.P. Reginald Omez).

La séance d'exorcisme, dirigée par le prêtre, comprend des prières, des signes de croix et des adjurations telles que : « Je t'ordonne, esprit immonde, je te somme, par tous les mystères de Notre-Seigneur, de me dire ton nom », ou encore : « Je t'exorcise, esprit impur ; que toute intrusion de l'ennemi, toute image soient enlevées de cette créature. »

— La *Gazette médicale* donne cette surprenante évaluation : « Il faut compter que, tant Français qu'étrangers, 8 200 000 consultants tournent quotidiennement dans le cirque des guérisseurs. Quand on sait que le tarif des « diagnostics », des passes magnétiques et des décoctions d'herbes oscille de 5 F à 600 F, il ne faut nullement s'étonner que le courant des billets de banque irriguant les caisses du guérissage s'élève annuellement à quelque 15 milliards 5 millions de francs. »

— « Les chirurgiens aux mains nues » des Philippines ne sont que d'habiles prestidigitateurs qui extraient « miraculeusement » des parois abdominales de leurs patients, et sans laisser de traces, des tissus d'origine animale tels que viscères de lapins, ou de souris. On sourirait presque si ne s'imposaient à l'esprit les milliers de dupes désespérées qui ont investi leurs économies dans un voyage illusoire, des malades cancéreux qui perdront de précieux mois au lieu d'augmenter leurs chances de guérison en s'adressant à des instituts de cancérologie.

En tout cas, grâce à ses « chirurgiens » le tourisme philippin a vu son chiffre d'affaires croître dans des proportions vertigineuses en accueillant des « malades condamnés par la science occidentale » déversés à pleins charters de Belgique, d'Allemagne, des États-Unis et de bien d'autres pays.

— Le 5 janvier 1944, s'éteignait à Virginia Beach, et ainsi qu'il l'avait lui-même prédit, Edgar Cayce, généralement désigné sous le nom de l' « homme du mystère ». C'était un simple photographe de campagne sans aucune connaissance médicale, mais qui, placé en état d'hypnose, diagnostiquait les maladies de n'importe quelle personne présente et indiquait le traitement à suivre. Ses diagnostics furent vérifiés par un grand nombre de médecins qui arrivèrent à la stupéfiante conclusion que, dans 90 pour 100 des cas, Edgar Cayce avait vu juste. Or, une fois réveillé, celui-ci ne comprenait même pas les termes qu'il avait employés. Après sa mort, un Comité de Recherches a étudié les quelque 15 000 dossiers de guérisons qu'il avait obtenues.

— La presse soviétique mène une campagne incessante contre les rebouteux, et, pourtant, le *Komsomolkaïa Pravda,* organe de la jeunesse, donna un jour à ses lecteurs le conseil suivant : « Si vous tombez malade, à la campagne, et que vous ne trouvez pas de médecin dans un rayon de plusieurs kilomètres, n'hésitez pas, s'il s'agit d'un cas grave, à aller consulter un guérisseur qu'on vous aura chaudement recommandé. »

Et, à ce propos, Sheila Ostrander écrit : « Ce n'est peut-être pas un si mauvais conseil. A force de préparer leurs décoctions, les sorciers soviétiques ont fini par amasser toute une pharmacopée populaire que la science officielle commence tout juste à étudier, et dont elle tire le plus grand profit. On a découvert, par exemple, qu'un mélange de fraises et de framboises, souvent recommandé par les rebouteux, était un antibiotique puissant. »

— Le plus grand guérisseur populaire russe fut sans doute Karl Otto Zeeling. D'après certains biologistes qui l'étudièrent, il était capable de diagnostiquer non seulement les maladies mais aussi toutes sortes de phénomènes. Ainsi, il plaçait ses mains au-dessus d'un œuf et annonçait s'il donnerait un poussin mâle ou femelle, et, affirment les chercheurs, il ne se trompait jamais. De même, en plaçant ses mains sur des photographies préalablement recouvertes d'un carton opaque, il pouvait dire s'il s'agissait d'un homme ou d'une femme. Il était également capable de donner le sexe de la dernière personne qui s'était regardée dans un miroir qu'on lui présentait. En 1937, Karl Zeeling fut sauvagement assassiné au plus fort de la période du « culte de la personnalité ».

LES FAKIRS

Le mot « fakir », qui est d'origine arabe, signifie littéralement « pauvre » et même « mendiant ». Mais, dans son sens habituel, il désigne, d'une part, des ascètes de l'Inde qui cherchent à acquérir la sainteté par la contemplation et les mortifications, et, d'autre part, des transfuges de l'illusionnisme qui, en Inde ou en tout autre pays, présentent sur la place publique ou sur scène des phénomènes pseudo-paranormaux dits de « fakirisme » accompagnés ou non d'exercices qui impliquent quelque courage et de la volonté. Enfin, sous le nom de fakirs, on désigne souvent, mais à tort, des yogis qui sont parvenus, grâce à un long entraînement, à maîtriser leur corps, et, en particulier, à commander à certains organes de la vie végétative.

Quelques-uns de ces ascètes peuvent donc être considérés à juste titre comme des hommes-phénomènes et d'autres comme des prestidigitateurs plus ou moins habiles. Les deux aspects coexistent d'ailleurs parfois chez le même personnage.

Acrobaties physiologiques

Parmi les exercices cruels ou même pénibles pratiqués par les fakirs indiens on peut signaler : l'*ourdhamouki* qui consiste à rester suspendu par les pieds, la tête en bas, avec d'énormes pierres fixées en différents points du corps, et ainsi pendant des heures entières : l'*ourda-babous* dans lequel l'ascète maintient au-dessus de sa tête ses bras levés de sorte qu'ils finissent par s'atrophier et à ressembler à deux branches desséchées d'un arbre mort ; le *tharasri,* où, pendant des années, l'adepte reste debout sur un pied en se cramponnant à un arbre ou à une corde, ce qui fait que la jambe porteuse se gonfle, devient insensible et finit par se gangrener ; le *chidi-mari* qui consiste à se faire rouer de coups puis à se laisser suspendre à un gibet au moyen d'énormes crochets de fer enfoncés dans les muscles thoraciques.

D'autre part, nombre de fakirs passent leur vie entière dans une cage de fer, d'autres se chargent de lourdes chaînes, d'autres encore maintiennent leurs poings serrés si bien que leurs ongles poussent à travers les paumes et ressortent sur le dos de la main. Quelques-uns tournent toujours la tête d'un même côté et conservent cette position jusqu'à ce qu'ils ne puissent plus faire mouvoir le cou dans l'autre sens. Les *panchadhounis* s'entourent de quatre bûchers alimentés par de la bouse de vache séchée ou par du bois et demeurent dans cette position pendant plusieurs années. Même sous un soleil torride, ils ne semblent pas souffrir de la chaleur. Ou encore ils se suspendent, la tête en bas, au-dessus d'un brasier qu'ils entretiennent eux-mêmes avec le bois qu'on leur lance. Les flammes viennent lécher leur corps nu.

Nos « fakirs » européens n'accomplissent pas, en général, ces folles et inutiles prouesses. Toutefois, l'un d'eux, le Hollandais Mirin Dajo, décédé en 1948, fit aussi bien et peut-être mieux que ses collègues indiens.

Cet illuminé, qui, de son vrai nom, s'appelait A.-G. Henskes, se faisait en effet transpercer le corps par des épées ou par des fleurets non stérilisés. Un opérateur les plaçait soit sur le thorax, soit sur l'abdomen du fakir, pressait de toutes ses forces, et les faisait progresser lentement.

Au début de l'expérience, Mirin Dajo pinçait les lèvres, transpirait fortement, rougissait, puis son visage reprenait bientôt son expression ascétique habituelle. Sous la poussée, les instruments émergeaient de 20 à 30 cm. Lorsqu'on les retirait, ils ne portaient aucune trace de sang et les plaies ne saignaient pas.

Un soir, en public, Mirin Dajo se laissa transpercer le milieu du corps et le cœur au moyen de trois épées creuses dans lesquelles on fit passer de l'eau. A la clinique de Zurich, on le vit garder un fleuret à travers l'abdomen pendant vingt minutes, parcourir une salle de malades et gravir un escalier.

La radiographie permit de constater que plus de cinq cents transfixions avaient été faites et, qu'au cours des expériences, le péritoine, les reins, l'estomac, le foie, les poumons et le cœur avaient été traversés de part en part.

Mirin Dajo se plaçait, pendant ses expériences, sous la protection divine : « La possibilité miraculeuse que je possède, nous écrivait-il en 1947, est la conséquence d'une soumission volontaire à la Puissance Supérieure qui régit le monde. Au moment où la pointe de l'épée touche mon corps, je me remets entre les mains de cette puissance. Je suis convaincu que la science matérialiste actuelle ne trouvera pas l'explication de ce phénomène. Ce sera la tâche de la parapsychologie. »

En réalité, et contrairement à cette affirmation, les phénomènes présentés par Mirin Dajo n'étaient pas de nature paranormale et c'est bien la science matérialiste qui semble en avoir donné l'explication correcte.

En premier lieu, toute idée de truquage fut exclue. C'est donc vers une explication physiologique qu'il convenait de s'orienter tout d'abord. A cet effet, le professeur Bessemans, de la *Faculté de médecine* de Gand, et avec qui nous étions en relations amicales, réalisa les expériences suivantes. Il enfonça lentement, à travers l'abdomen et le thorax de différents animaux : souris, cobayes, lapins et chiens, des tiges métalliques à pointes finement affilées, arrondies ou plates, lisses et sans arêtes coupantes. Il utilisa aussi deux canules à ponction lombaire munies de leur mandrin. Les instruments n'étaient pas désinfectés. Retirés prudemment, ils ne portaient aucune trace de sang et les plaies, sans exception, ne saignèrent pas. L'examen radiologique ou l'autopsie montrèrent que le foie, l'estomac, les poumons et le cœur avaient été traversés, et, cependant, les animaux survécurent sans présenter d'infection. La douleur ne se faisait sentir qu'à l'entrée et à la sortie de l'objet acéré. Ces expériences furent ensuite reprises avec le même succès par le professeur Brunner de Zurich.

Il en résulte évidemment que les transfixions de Mirin Dajo peuvent s'expliquer sans qu'il soit nécessaire de faire intervenir des facteurs paranormaux. L'introduction lente des épées produit une distension progressive des tissus et provoque l'écartement des gros vaisseaux sanguins dont les parois sont très résistantes. « Quant à l'inexistence de complications infectieuses, écrit dans *La Presse Médicale* le Dr L. Rivet, elle doit tenir à ce que les instruments métalliques, lisses et propres, ne portent couramment que des microbes relativement peu nombreux et en majorité saprophytes, qu'ils abandonnent pendant les transfixions à la surface de la peau et dans l'hypoderme où les frottements les essuient, et que les quelques germes qui pénètrent profondément succombent sous l'action virulicide des humeurs. »

Malheureusement, la carrière de Mirin Dajo s'acheva prématurément et d'une façon assez inattendue puisque notre fakir décéda à la suite d'une intervention chirurgicale. Le 13 mai 1948, Mirin Dajo avale une aiguille d'acier de 35 cm de longueur. Le 15, souffrant de violentes douleurs gastriques, Mirin est opéré par le professeur Brunner. Le processus cicatriciel opératoire est très rapide et l'opéré rentre chez lui. Quelques jours après, pris d'un malaise subit, Dajo tombe en catalepsie et meurt sans avoir repris connaissance. L'autopsie est faite et le médecin diagnostique : « mort consécutive à une infection générale non imputable à l'opération ».

Bien entendu, malgré les explications physiologiques rationnelles qui ont été données des transfixions, il n'en demeure pas moins que les exploits de Mirin Dajo n'étaient pas « ordinaires » au sens propre du mot et qu'il fallait pour les accomplir un grand courage et une confiance absolue dans les forces mystiques invoquées. De plus, un élément psychique (probablement de nature suggestive) se superposait certainement aux facteurs physiologiques de cicatrisation, car la guérison des plaies était extrêmement rapide.

Enfin, il reste également que les expériences du mystique Hollandais ont eu l'avantage de mettre en relief certains aspects encore peu connus de la physiologie des organes, aspects dont les conséquences pourront être fort importants aux points de vue scientifique, médical et chirurgical. En particulier, elles tendent, pensons-nous, à démontrer que l'organisme est capable de s'adapter aux blessures et aux traumatismes graves qui seraient mortels sans entraînement préalable : les humeurs acquièrent vraisemblablement un pouvoir bactéricide accru, les artères et les veines la faculté de se contracter et peut-être aussi de se rétracter lorsqu'elles sont effleurées par un objet acéré, ce qui évite sa pénétration.

Exercices truqués

Certains exercices présentés par les fakirs indiens appartiennent uniquement au domaine de la prestidigitation. Tel est le cas de l'expérience du manguier. Pour exécuter ce tour, le fakir enterre une graine de la plante dans un petit tas de terre ou de sable et recouvre le tout d'une étoffe légère. Après avoir marmonné quelques incantations, il tire l'étoffe et laisse apercevoir un rameau qui est sorti avec deux feuilles. Il répète ce jeu plusieurs fois jusqu'à ce qu'apparaisse un arbuste de 30 à 40 cm de haut, portant une grappe de véritables mangues. Le magicien cueille lui-même les fruits et les offre à l'assistance. En réalité, il ne s'agit pas là d'un phénomène occulte de génération rapide. L'opérateur substitue successivement des plants de tailles différentes, préalablement cachés dans sa ceinture, et attache en dernier lieu les mangues à la tige.

Les exercices suivants ; le jeûne, la planche à clous, l'échelle de sabres, l'insensibilité, l'arrêt du pouls, la catalepsie et l'enterrement sont exécutés non seulement par les fakirs orientaux, mais aussi, sous le couvert du fakirisme, par des illusionnistes de nos pays.

Le jeûne des fakirs est une épreuve d'endurance que, tout subterfuge écarté, il est possible de prolonger une cinquantaine de jours. Mais elle n'est pas sans danger.

Dans l'expérience de la planche à clous, le fakir revêtu d'un pagne apparemment léger se couche sur une planche garnie de clous. Un homme peut même appuyer de tout son poids sur la poitrine du fakir et cependant les clous ne pénètrent pas dans la peau. La multiplicité des clous, d'ailleurs faiblement acérés et généralement très longs et flexibles, est tout le secret du tour. Il est aisé de comprendre que si l'homme dont le poids est de 70 kg se place sur 100 clous, chacun d'eux ne supportera que 700 g, force nettement insuffisante pour assurer la pénétration d'un clou à pointe légèrement émoussée. Au surplus, le fakir porte souvent sous son pagne une culotte de cuir qui lui permet de s'asseoir sans danger sur la planche à clous (la pression est alors relativement forte) avant de s'y allonger.

L'expérience de l'échelle de sabres est basée sur le même principe. Des lames de sabres sont présentées au public. Avec l'une d'elles, choisie par les spectateurs, le fakir coupe une feuille de papier : les lames sont donc apparemment bien aiguisées. Elles sont alors disposées en échelons le long de deux montants et le fakir gravit, pieds nus, l'échelle ainsi constituée.

Le tour repose sur les occurrences suivantes : d'abord les lames sont aiguisées en biseau et disposées obliquement. Dans ces conditions chaque lame présente au pied, non un tranchant, mais le plat du biseau. D'autre part, on sait qu'une lame tranchante tranche difficilement si on la fait agir normalement sur l'objet à couper mais coupe facilement si on la fait glisser ; on le remarque aisément lorsqu'on coupe un morceau de pain. Aussi, le fakir prend-il la précaution de poser son pied bien normalement sans le faire glisser. De plus, il le pose en long et non en travers de la lame afin d'augmenter la surface de contact, ce qui diminue la valeur de la force pressante. Enfin, certaines parties du sabre (l'extrémité ou la base), sur lesquelles le pied ne repose pas, sont finement affilées ; ce sont celles-là qui permettent de couper facilement une feuille de papier.

Dans les expériences dites d' « insensibilité », qui constituent l'une des principales attractions des séances de fakirisme, l'opérateur fait traverser certaines parties de son corps, joues, gorge, peau des régions thoraciques, abdominales ou autres, par de longues aiguilles, par des poignards ou même par des sabres. Ici, le truc est simple, car, en fait, il n'y en a pas. Les régions transpercées sont en effet très faiblement innervées et faiblement vascularisées de sorte que l'expérience se fait sans douleur, et, de plus, sans danger si les objets ont été préalablement stérilisés à l'alcool ou à la flamme.

Quelques fakirs se transpercent la langue à l'aide d'un stylet. Le procédé le plus courant — et le moins douloureux — consiste à introduire dans la bouche une fausse langue en caoutchouc peint. On le fait sortir avec la vraie langue et on la maintient serrée entre les dents : c'est cette fausse langue qui sera transpercée. Les fakirs indiens emploient des langues de chien dans cet exercice.

Les Aïssaouas, qui opéraient à l'exposition universelle de 1889, se transperçaient véritablement la langue, mais celle-ci avait été préalablement percée, aussi c'était un jeu de passer clous et poignards à travers l'ouverture.

Ils se faisaient également enfoncer des clous dans la tête à grands coups de maillet. A cet effet, l'opérateur présentait le clou perpendiculairement à la surface du crâne, mais, dès le premier coup de maillet, inclinait le clou de sorte qu'il ne pénétrait qu'entre la peau et les os.

L'absence de sensibilité aux piqûres et aux coupures semble être également le fait de ces fakirs qui mastiquent puis avalent des feuilles de cactus hérissées de piquants, des figues de Barbarie, des morceaux de verre. En réalité, les feuilles et les figues, après contrôle des spectateurs, sont habilement remplacées au dernier moment par des feuilles ou des figues innocentes débarrassées de leurs épines. Quant au broyage de verre, il a réellement lieu, mais il se fait sans grand danger. Au surplus, du verre trempé spécialement se réduit en fine poussière dès qu'on l'écrase. Ainsi pulvérisé on peut l'avaler sans crainte.

On voit aussi en Inde, ou en nos pays, des fakirs, des saltimbanques avaler des scorpions, des vipères et autres animaux dangereux. Ici, encore, un échange a lieu entre les animaux vivants et des animaux tués dépouillés de leur appareil venimeux.

C'est également par une habile substitution de flacon que des fakirs et des bateleurs font le simulacre d'absorber des liquides très corrosifs comme l'acide sulfurique.

En ce qui concerne les expériences d'insensibilité à la chaleur, une certaine résistance à la brûlure peut être obtenue à l'aide d'un enduit à base d'alun. D'autre part, le léchage d'une tige rougie au feu peut se faire grâce à l'emploi d'une langue artificielle. Toutefois, il est possible que l'expérience ait lieu avec la vraie langue (mais nous avouerons ne pas l'avoir tentée et nous dissuadons le lecteur de chercher à la réaliser) car il se peut que les phénomènes de caléfaction suffisent à empêcher la brûlure. On sait, en effet, que des ouvriers métallurgistes font le geste de se laver les mains dans un jet de fonte en fusion (1 500 à 1 600°) après les avoir trempées dans l'eau. La vaporisation brusque de l'eau produit un matelas de vapeur qui protège la peau contre la haute température du métal.

L'arrêt du pouls est aisément obtenu à l'aide d'un petit coussin placé à l'aisselle du bras. Une pression de celui-ci fait appuyer le coussin sur l'artère humérale et le pouls cesse de battre. Avec un peu d'habitude, on peut le rendre imperceptible puis le faire repartir. Pour l'observateur, tout se passe comme si la fréquence du pouls diminuait. Certains sujets obtiennent même l'arrêt du pouls et la diminution des pulsations par simple contraction des muscles antérieurs de l'aisselle, et, par conséquent, sans coussin. D'autre part, la compression du nerf pneumogastrique dans la région du cou provoque le ralentissement du cœur et par conséquent du pouls.

Pour réaliser une pseudo-catalepsie, le fakir raidit tout simplement ses muscles puis on le dispose les pieds sur une chaise et la tête sur une autre. L'exercice est à la portée de quiconque après quelques jours d'entraînement.

Afin de démontrer qu'il est vraiment en catalepsie, le pseudo-fakir fait souvent placer sur son corps un bloc de grès assez volumineux pesant 20 à 30 kg. Un aide s'empare d'un marteau, et, d'un coup sec, fend la pierre en deux.

Cette démonstration, qui impressionne généralement le public, n'est, en réalité, que très banale. D'une part, le grès est une roche tendre qui se fend facilement selon des veines ferrugineuses ; il peut être d'ailleurs préparé par chauffage préalable et refroidissement brusque et il s'effrite alors aisément ; d'autre part, la masse absorbe le choc de sorte que celui-ci n'est que faiblement ressenti par le sujet.

L'enterrement consiste à déposer le fakir dans un cercueil et à recouvrir celui-ci de sable. Au bout d'un temps plus ou moins long, le sable est enlevé et le fakir est retiré vivant.

Le truc réside dans le fait que le cercueil est de dimensions suffisantes et contient assez d'air pour entretenir la respiration pendant trois quarts d'heure au moins. Pour un séjour plus long, le fakir peut utiliser de l'oxygène comprimé dans un petit réservoir caché dans le turban.

Le pouvoir des yogis

Il est cependant indiscutable que grâce à des exercices de yoga, en pratiquant en particulier le samadh, appelé « absorption » par Max Muller, « transe » par Sir Monier Williams et « état de super-conscience » par Swami Vivekananda, certains ascètes parviennent à contrôler, à diriger et à soumettre à leur volonté l'activité de leur système nerveux sympathique, à réduire considérablement leurs échanges respiratoires et leur rythme cardiaque, à acquérir une extraordinaire résistance au froid ou au chaud, à rester insensibles aux impressions extérieures et à se plonger volontairement dans un état cataleptique prolongé.

De sorte que certains enterrements de yogis vivants peuvent être considérés comme authentiques.

« Le centième jour de l'enterrement, lit-on dans un compte rendu signé par des médecins britanniques, apparurent les brahmanes. On ouvrit la tombe. On en sortit un cadavre recroquevillé qui, par sa teinte gris-jaune, offrait un aspect presque repoussant. Il fut déposé avec précautions sur un coussin moelleux, et l'on commença alors, en présence des officiers délégués par l'Amirauté, à frictionner le corps avec de l'huile parfumée. Chacun des brahmanes se chargeait d'une partie du corps, de sorte que, du sommet à la pointe des pieds, tout fut frictionné en même temps. Au bout de six heures, la peau, qui, à la vue et au toucher avait en premier lieu l'aspect du parchemin, devint souple et tendre. Alors, l'un des brahmanes ouvrit la bouche du yogi, introduisit entre les dents un bâtonnet d'ivoire et versa à l'homme endormi une boisson cordiale. Les frictions se poursuivirent, et ce n'est qu'au bout de trente-deux heures, pendant lesquelles on s'occupa sans arrêt du corps, que la respiration revint. Le yogi se souleva, puis, quelques minutes plus tard, il pouvait parler. »

Mais, au cours des journées qui suivirent sa « résurrection », le yogi fut incapable de fournir le moindre effort physique ou intellectuel et ce n'est que vers le sixième jour qu'il put marcher, se nourrir et poursuivre une conversation.

Le Dr Thérèse Brosse, ex-chef de clinique cardiologique à la *Faculté de Médecine de Paris,* a étudié scientifiquement chez des yogis un certain nombre des phénomènes précités et les a enregistrés à l'aide de pneumographes, de cardiographes et d'électrocardiographes.

« La maîtrise de la respiration, considérée par le yogi comme un simple exercice préparatoire, écrit le Dr Th. Brosse, n'en est pas moins enregistrable, tant elle est poussée loin sans entraîner d'intolérance. Après des années d'entraînement, les phases d'apnée (ou peut-être de respiration tellement superficielle qu'elle est inenregistrable) peuvent atteindre plusieurs heures... Au cours de nos examens, le pneumographe a enregistré à différentes reprises, pendant 10 à 15 minutes, ces phases d'apnée... Le yogi met ainsi son corps dans un véritable état de vie ralentie comparable à celui des animaux hibernants, ainsi que nous avons pu le mettre en évidence par la recherche du métabolisme basal.

« Avant de rapporter les manifestations circulatoires, objets de nos enregistrements graphiques, nous signalons quelques prouesses physiologiques auxquelles nous avons assisté : la maîtrise du yogi sur son système musculaire strié permet, par exemple, le déplacement latéral des muscles verticaux de l'abdomen (grands droits) contractés en vue d'un massage abdominal efficace. Mais cette autorité élective est aussi absolue sur les fibres lisses réglant à discrétion les mouvements péristaltiques et anti-péristaltiques permettant en tous sens le jeu des sphincters anal ou vésical et assurant, par simple aspiration, et sans le secours d'aucun instrument, la pénétration d'eau ou de lait dans la vessie ou le rectum[1].

---

1. Deux hatha-yogis, les Drs Goswamy et Pramanick, de passage en France en novembre 1950, ont réalisé des expériences de ce genre à la *Faculté de Médecine de Paris* devant un public composé surtout de médecins et de professeurs de faculté.

« En ce qui concerne plus spécialement nos explorations cardiovasculaires, nous n'insisterons pas ici sur une foule de détails dans les résultats qui pourraient être l'objet d'autant d'examens spéciaux, qu'il s'agisse du changement de rythme de 55 à 150, de variations d'amplitude et de caractère du pouls (confirmant les expériences d'occident), de phases d'apnée déjà signalées, de modifications du choc de la pointe ou même de paradoxes fréquents dans le rapport des différentes courbes. Nous n'insisterons que sur les phénomènes les plus suggestifs portant sur les modifications de l'électrocardiogramme et concernant des chutes de voltage, tantôt localisées à certaines ondes, tantôt généralisées. La diminution fut parfois si proche de l'abolition totale qu'il était difficile de repérer la place de la contraction et qu'on aurait pu porter, au vu de cette courbe, un pronostic des plus sévères ; cependant, dans les instants précédents et suivants, la silhouette électrique était non seulement normale, mais présentait même une augmentation générale du voltage au gré du yogi.

« En présence de ces faits, peu importe que nos hypothèses les attribuent soit à une concentration anormale du gaz carbonique dans le sang, soit à un changement de l'axe du cœur, soit à une modification de l'ionisation des tissus, soit à des mécanismes combinés ou à d'autres insoupçonnés puisque l'état actuel de nos connaissances ne nous permet pas encore d'envisager la cause de modifications pour nous inhabituelles en tant qu'observation. Quel qu'en soit le mécanisme, ce qui dans ce cas est à bon droit stupéfiant, c'est que la chute extrême de voltage se produise précisément lorsque le yogi annonce qu'il va retirer de son cœur l'énergie vitale et que le retour à un voltage normal ou même exagéré survienne lorsqu'il déclare contrôler le bon fonctionnement de son cœur. »

Le saviez-vous ?

— Il existe dans les Indes, en Grèce et au Mexique des pyrobates, c'est-à-dire des hommes et des femmes capables de marcher, pieds nus, sur des charbons ardents, sans se brûler. Les expériences, ou plutôt les cérémonies se déroulent devant des milliers de spectateurs, et des médecins ont vérifié l'authenticité du phénomène. Est-il paranormal ou est-il réalisé grâce à l'emploi d'une substance protectrice comme l'alun ? Jusqu'alors il a été impossible de donner une réponse définitive à cette question.

— Le « Tumo », qui signifie le « doux et chaud manteau des dieux », est une pratique des lamas tibétains qui rend insensible au froid. Selon les explorateurs qui ont assisté aux exercices de Tumo, ceux-ci doivent commencer chaque jour avant l'aube et être terminés avant le lever du Soleil. Aussi froid qu'il puisse faire, on doit être complètement nu ou porter tout au plus un simple vêtement du coton le plus léger. Les débutants peuvent se placer sur un morceau de tapis ou sur une planche. Les disciples avancés se mettent à même le sol, ou, s'ils sont encore allés plus loin, dans la neige ou sur la glace d'un ruisseau gelé.

Ils doivent pour cela être complètement à jeun et toute boisson, surtout chaude, est interdite jusqu'à la fin de l'exercice. En guise de préparation au Tumo, certains exercices respiratoires sont recommandés. Le Tumo est une discipline ressemblant au yoga, combinant singulièrement la plus sévère concentration avec l'autosuggestion, la gymnastique corporelle et respiratoire, et les formules magiques. Alors l'objet de ces exercices se manifeste. A travers le corps se répand peu à peu, en dépit du froid extérieur, une chaleur mystérieuse.

Les adeptes choisissent de préférence une nuit venteuse et il n'en manque pas au Tibet. Les élèves de Tumo s'assoient complètement nus, les jambes croisées, à même le sol. On plonge des serviettes dans de l'eau glacée, d'où on les sort toutes raidies par le gel. Les élèves s'en enveloppent et doivent les laisser dégeler puis sécher sur leur corps. A peine est-ce fini que l'on plonge à nouveau les serviettes dans l'eau et que le jeu recommence pour ne prendre fin qu'avec l'aube. Le vainqueur du tournoi est celui qui a séché sur lui le plus grand nombre de serviettes.

LES HYPNOTISEURS

Les hypnotiseurs sont généralement considérés comme des hommes-phénomènes et le pouvoir d'hypnotiser comme un don mystérieux. Mais, dans la réalité, tout homme normal est capable, après un très court apprentissage, d'imposer des suggestions.

C'est au médecin anglais Braid que l'on doit la découverte de l'hypnotisme. En 1845, à l'occasion d'expériences publiques du magnétiseur Lafontaine, il constata que l'on pouvait endormir certaines personnes en leur faisant fixer un point brillant, un bouchon de carafe en cristal par exemple. En opérant de la sorte, il supprimait le rôle de l'hypothétique fluide magnétique et le remplaçait par un phénomène psycho-physiologique assez simple provoqué, d'une part, par la fatigue causée par la fixation, et, d'autre part, par l'attention créant un monoïdéisme de l'esprit. Braid vit, en même temps, que dans ces conditions le sujet acceptait facilement des suggestions.

Plus tard, avec le professeur Charcot, l'hypnose fut provoquée par différents procédés : occlusion des yeux, fascination, pression continue des pouces, lumière vive, miroirs tournants, couronnes aimantées, coups de gong ou coups de sifflet, bruit de tam-tam, battements d'un métronome, etc.

Au cours de ses retentissantes expériences faites à la *Salpêtrière* sur des hystériques, Charcot crut reconnaître trois phases successives dans le sommeil hypnotique : la léthargie qui est une sorte de somnolence, la catalepsie où le sujet est comme pétrifié et le somnambulisme dans lequel le sujet semble dormir, mais répond quand on lui parle et obéit aux ordres donnés. Dans ce dernier état il est particulièrement suggestible.

Bientôt cependant, l'École de Nancy, avec le professeur Bernheim et Émile Coué, montre que le sommeil hypnotique n'est pas dû à une action physique, telle que la fixation d'un point brillant, mais qu'il est un effet de la suggestion. La fixation d'un point brillant ou les yeux de l'opérateur suggèrent, même sans paroles, l'idée de dormir et c'est ce sommeil suggéré qui provoque les autres phénomènes de suggestibilité. Bernheim écrit la phrase fameuse : « Il n'y a pas d'hypnotisme », entendant par là que le sommeil n'est qu'un symptôme qui a été suggéré. Autrement dit, l'hypnotisme de Charcot, avec les trois états, est un hypnotisme de culture. De plus, le sommeil n'est pas nécessaire pour produire les phénomènes dits hypnotiques ; ils peuvent être créés, à l'état de veille, chez les sujets suggestibles.

Hypnotisme théâtral

Dans l'hypnotisme de scène ou de salon des Donato, Pickmann, Onofroff, Sabrenno, Hermano, Ynabeb, du Grand Robert et *tutti quanti,* ces phénomènes constituent un extraordinaire mélange de faux et de vrai. Certains sujets sont des compères qui se livrent aux pantalonnades habituelles telles que de simuler un homme ivre ou un homme qui a trop chaud ; ils servent d' « amorce » et d'exemple ; d'autres, et c'est le plus grand nombre, exécutent certaines suggestions soit par pithiatisme, l'une des tendances de l'être humain étant d'imiter ce qu'il voit accomplir, soit pour se rendre intéressants, soit pour ne pas contrarier l'opérateur qui, pensent-ils, a besoin de gagner sa vie, soit, enfin, par jeu.

Parmi les hypnotiseurs de théâtre, Donato et Pickmann n'ont pas encore été égalés, pas même par le « Grand Robert » qui, en ces dernières années, a, avec un grand renfort de publicité, présenté son spectacle sur les principales scènes américaines et européennes.

« Donato, écrit l'excellent prestidigitateur Raynaly, était un caractère et un tempérament. Ce qu'il a fait n'est pas à la portée de tout le monde. Il connaissait à fond le cœur humain et surtout sa faiblesse. Plus il forçait la note, plus il trouvait de gobeurs pour l'admirer. Il joua de la crédulité humaine en véritable virtuose. De l'audace, encore de l'audace et toujours de l'audace fut sa fière devise. »

Il débuta dans le journalisme en collaborant à un grand quotidien, l'*Étoile Belge,* où ses articles sur l'hypnotisme furent immédiatement remarqués. C'était l'époque où les expériences de Charcot à la *Salpêtrière,* celles de Bernheim à Nancy passionnaient le public et le monde savant. Encouragé par l'abondant et élogieux courrier de ses lecteurs, Donato résolut de passer de la théorie à la pratique.

La première partie de ses séances était remplie par des tours de prestidigitation simulant des phénomènes paranormaux : télépathie, double vue, lévitations de tables, etc. La seconde partie était constituée par des expériences d'hypnotisme.

Son aide principal, un nommé Gauvel, organisait minutieusement les représentations avant l'arrivée du maître, créait l'ambiance par des affiches, des articles dans les journaux et recrutait les sujets.

Ce fut surtout à Paris que Donato eut un très grand succès. Pendant plus de cinq semaines, il fit littéralement courir la foule à la salle Herz. Assurément, il y eut des séances assez mouvementées provoquées par des spectateurs qui voyaient clair dans les manœuvres de l'hypnotiseur, mais Donato eut toujours raison de ses adversaires grâce à son éloquence, car c'était un orateur né, et grâce aussi à ses connaissances scientifiques et littéraires qui étaient fort étendues.

Néanmoins, poursuivi en Belgique, il dut reconnaître que son « médium » Lucile était un simulateur et qu'un certain nombre de spectateurs pris dans la salle étaient des compères.

Chose amusante, beaucoup d'entre eux constatant avec quelle facilité on pouvait tromper le public firent de l'hypnotisme pour leur propre compte, et, d'hypnotisés, devinrent hypnotiseurs.

Pickmann, qui fut précisément l'un de ceux-là, devint l'élève de Donato puis quitta son maître pour monter un numéro d'hypnotisme simulé doublé d'expériences de prestidigitation.

Il s'intitulait : « Le célèbre Maître-Hypnotiseur » ou bien « Le célèbre Liseur-de-Pensées » ou encore « Le célèbre Professeur d'Énergie, de Volonté et de Confiance ».

Comme Donato il devint rapidement célèbre.

« Il donna des soirées non seulement dans la France entière, écrit Ulrich Guttinger, mais dans tous les pays du globe. Toutes ses expériences, sans exception, étaient du chiqué, pour employer une expression argotique. Et, pourtant, il osait convoquer des médecins et les faisait monter sur la scène afin de contrôler ses expériences. Et je sais quelques docteurs fameux qui ont certifié que Pickmann n'employait aucun truc. Les médecins sont parfois déconcertants. »

Il mystifia aussi nombre de savants et nous connaissons personnellement des gens sensés et instruits qui, ayant vu Pickmann opérer, le considèrent toujours comme un puissant hypnotiseur et un véritable liseur de pensées alors qu'il ne fut qu'un grand mystificateur, mais, il faut le dire, une sorte de génie, un homme-phénomène dans le genre.

Au reste, ses « confessions » ne laissent aucun doute dans sa manière d'opérer.

« J'ai eu, dit-il, au moins deux compères pour chaque expérience, afin d'entraîner l'imagination des autres spectateurs. Je suis convaincu qu'il n'y a jamais eu autre chose, dans toutes les expériences, en dehors des truquages, que de la suggestion. Je n'ai jamais endormi personne, mais j'ai dit à des gens de fermer les yeux, ils fermaient les yeux et que se passait-il exactement ? Je suppose qu'ils se figuraient eux-mêmes qu'ils allaient dormir, parce qu'ils se figuraient que j'avais le pouvoir de les faire dormir. Si, dans ces expériences, j'avais été remplacé par une autre personne ayant à peu près ma silhouette, ils se seraient endormis de même : il n'y a pas de suggestionneurs, il y a seulement des suggestionnés. »

Hypnotisme médical

Mais, en dehors de cet hypnotisme théâtral, qui est sans grand intérêt, il existe un hypnotisme ou plutôt une suggestion thérapeutique qui appartient à ce que l'on appelle maintenant la médecine psychosomatique.

Aux mains d'un praticien expérimenté, elle combat avec succès non seulement des troubles psychiques, mais aussi des maladies psychosomatiques et organiques telles que migraines, asthmes, maladies diverses de la peau, troubles de la circulation et de la digestion, impuissances, frigidité, verrues, etc.

Bien entendu, la médecine psychosomatique ne saurait constituer un traitement passe-partout. Elle comporte des contre-indications, en particulier pour certains types de névrosés dont un « rapport » trop passionnel avec l'hypnotiseur ne ferait qu'aggraver l'état.

En tout cas, c'est cette suggestion thérapeutique qui est utilisée consciemment ou inconsciemment par les sorciers, les magnétiseurs et par un grand nombre de guérisseurs. Elle peut alors conduire à des succès exceptionnels en raison de la mise en scène, de la bizarrerie des procédés employés, de l'auréole mystérieuse qui nimbe le guérisseur. « Il n'est pas exclu, écrit le professeur Bessemans, cependant très sceptique à l'égard des phénomènes réputés paranormaux, que ces facteurs déterminent, sous la forme d'une forte tension nerveuse, une agression non spécifique, récemment dénommée « stress ». Celle-ci entraînerait, entre autres, des modifications de l'activité hypophyso-surrénale, dont les conséquences curatives sont parfois étonnantes. »

D'autre part, l'hypnose peut être préférée à l'anesthésie médicamenteuse lorsqu'en cas d'insuffisance cardiaque ou pour des raisons psychiques le patient serait hors d'état de supporter l'anesthésique. En ces dernières années, et en particulier dans les cliniques londoniennes, des extractions dentaires, d'importantes opérations chirurgicales ont été réalisées sous hypnose. A cet égard, on a beaucoup parlé dans les quotidiens, en novembre 1956, puis dans les revues médicales, de cette jeune Anglaise de vingt-cinq ans, Marion Peters, qui fut opérée d'une péritonite dans un grand hôpital de Londres sous la seule influence anesthésiante de la suggestion. Le chirurgien lui avait suggéré qu'elle serait insensible à l'intérieur d'un carré de 20 cm de côté qu'il lui traça sur l'abdomen. « Vous aurez, lui avait-il dit, à cet endroit, une sensation de froid comme si votre abdomen était entouré de glace. » Effectivement la patiente subit l'opération sans rien ressentir. Elle ne poussa qu'un cri lorsque, par mégarde, le chirurgien dépassa, avec son bistouri, la limite imaginaire d'insensibilité.

Une expérience analogue a été réalisée en France, à Antibes, le 21 janvier 1963, pour une ablation de l'appendice. Le patient, M. François S., âgé de vingt-six ans et patron pêcheur de son état, a été opéré en entendant des suggestions, enregistrées sur disque, lui enjoignant de rester calme. Il est demeuré conscient pendant toute l'opération, soit vingt minutes environ et a commenté ses impressions. Il a affirmé n'avoir ressenti aucune douleur. « J'ai eu seulement l'impression, a-t-il dit, de recevoir une décharge électrique quand l'appendice a été ligaturé par le chirurgien. » Celui-ci, le Dr André Pruvor, a déclaré de son côté : « J'ai opéré comme d'habitude et selon les normes ordinaires de temps. C'est seulement quand j'ai ligaturé l'appendice que mon patient a eu une légère défaillance. Toutefois, après quelques secondes, il m'a demandé de continuer. »

Le saviez-vous ?

— Actuellement, l'hypnotisme, légèrement modifié dans sa technique, a pris des noms divers tels que sophrologie, suggestologie, etc.

Et, à ce propos, Christian H. Godefroy écrit : « La principale différence entre l'hypnose et la sophronisation réside dans le rapport sophrologue/sujet. Ce dernier va participer à la réalisation de son état sophrolonique en se relaxant mentalement et physiquement. Il aura aussi lui-même un effet sur ses déséquilibres organiques, sans que le sophrologue ne se substitue totalement à sa pensée. »

D'autre part, sous le nom de suggestologie, le médecin et psychologue bulgare Georgi Lozanov utilise une méthode d'enseignement mettan en jeu les ressources de l'inconscient. Elle permet, d'après l'auteur, d'apprendre très rapidement les mathématiques, l'histoire, la géographie, la littérature et surtout les langues étrangères. A cet effet, les étudiants, en état de relaxation et de légère auto-hypnose, ne prêtent pas attention à la leçon grâce à un fond de musique, et, dans ces conditions, il semble que l'information soit directement acheminée vers les centres cérébraux de la mémoire.

Une variante du procédé a été préconisée par l'instituteur américain Max Sherover. Ayant eu, un soir, l'idée d'aider son jeune fils à retenir un poème en le lui répétant à voix basse pendant qu'il dormait, il constata, le lendemain, que l'enfant récitait sa leçon sans faute.

Enthousiasmé par cette réussite, il inventa le « cérébrographe » constitué d'un magnétophone, d'une pendulette électrique et d'un minuscule haut-parleur que l'on place sous l'oreiller. A une heure déterminée, qui correspond au sommeil profond, l'appareil se met en marche de lui-même et chuchote un texte préalablement enregistré.

Les résultats obtenus sont, semble-t-il, des plus satisfaisants. Aux États-Unis et dans quelques autres pays, beaucoup d'acteurs utilisent l'appareil pour apprendre leur rôle en dormant. C'est ainsi que, grâce à lui, le chanteur chilien Ramon Vinay aurait appris en une semaine son rôle de « Carmen » qu'il chanta effectivement sans aucun accent à la *Scala de Milan,* très peu de temps après son engagement.

Malheureusement, et aux États-Unis, surtout, le procédé est souvent exploité sous une forme qui frise le charlatanisme. Ainsi que le soulignent Gay Gaer Luce et Julius Segal, chargés par le gouvernement américain d'étudier les travaux de l'*Institut de la Santé des U.S.A.* concernant le sommeil, « il existe maintenant dans presque toutes les grandes villes des États-Unis des centres d'instruction par le sommeil qui vous permettent de vous inculquer toutes les connaissances possibles et imaginables et de bonifier votre personnalité sans aucun effort de votre part. Cela va de la connaissance du français à l'enseignement technique en passant par mille domaines, tels ceux de la réussite commerciale, de la lutte contre l'insomnie, de la psychothérapie sublimale, du traitement de l'onychophagie, du tabagisme, etc.

Et ces auteurs ajoutent : « Aux États-Unis, les sociétés qui consacrent leur activité à l'enseignement par le sommeil font des millions de chiffres d'affaires. »

— On comprend, dans ces conditions, que, dans les pays anglo-saxons, l'hypnose soit actuellement considérée par beaucoup de gens comme une panacée. Ils lui demandent, non seulement la guérison de leurs maux, mais parfois aussi la beauté. Il est vrai que la détente du visage, l'effacement des rides, que l'on peut effectivement obtenir sous hypnose, sont des facteurs de beauté.

LES STIGMATISÉS

La stigmatisation est le plus souvent un fait religieux, mais il existe également une stigmatisation expérimentale et probablement aussi une stigmatisation « diabolique ».

En règle générale, les stigmates peuvent être de simples érythèmes *, des lésions ouvertes de la peau avec exsudation de sang ou de liquide séreux, ou, encore, des excroissances du tissu conjonctif. Les stigmates des chrétiens figurent surtout les plaies de Notre-Seigneur Jésus-Christ. Ceux de quelques saints mahométans rappellent les blessures de guerre du Prophète. Quant aux sorciers moyenâgeux, ils furent souvent marqués de signes diaboliques ou considérés comme tels : excroissances, taches, égratignures, griffures, morsures. Enfin, certaines formations stigmatiques, que nous appelons « métapsychiques », peuvent être obtenues expérimentalement.

Stigmates religieux

Le premier saint chrétien chez qui les stigmates du Christ furent sûrement constatés a été saint François d'Assise. C'étaient des bourgeons charnus, noirâtres qui apparaissaient au milieu des mains ou des pieds et dont la forme rappelait des clous. De plus, le saint portait une plaie rouge à son côté droit comme s'il eût été percé d'une lance. Des filets de sang coulaient de cette plaie.

C'est en 1224, deux ans avant sa mort, que le saint, alors âgé de 42 ans, reçut les stigmates.

Cherchant à connaître par quel moyen, quelle démarche, quel désir, il pourrait s'attacher parfaitement au Seigneur selon le bon plaisir divin, il se retira dans le Gasentin, sur l'Alverne.

Et le jour de l'Exaltation de la Sainte Croix, le 14 septembre 1224, alors que François était agenouillé, le visage tourné vers l'orient où l'aube commençait à naître, les bras étendus, demandant au Fils de Dieu de ressentir dans son corps cet amour démesuré dont il était lui-même embrasé, « la flamme de sa dévotion, est-il raconté dans les Fioretti *, grandit tellement en lui que, par excès de son amour et de sa compassion, il se sentit changé tout à fait en Jésus ».

Et le miracle s'accomplit : « Dans ses mains et ses pieds, écrit Célano, compagnon et disciple de François, commencèrent d'apparaître les marques des clous telles qu'il venait de les voir dans l'homme crucifié au-dessus de lui... et, dans le côté du saint, qu'on eût dit blessé d'un coup de lance, une plaie s'était formée qui saignait souvent, au point que sa tunique et ses chausses se trouvaient mouillées par ce sang sacré. »

« Les têtes des clous, rapporte saint Bonaventure, rondes et noires, étaient au-dedans des mains et au-dessus des pieds ; les pointes, qui étaient un peu longues et qui paraissaient de l'autre côté, se recourbaient et surmontaient le reste de la chair dont elles sortaient. On pouvait passer un doigt entre la tête de ces clous de chair et la paume de la main ; lorsqu'on pressait l'une de leurs extrémités, on voyait l'autre se soulever. »

« A la mort de leur Père, plus de cinquante frères, la vierge Claire et ses sœurs purent voir les stigmates sacrés. »

Il est hors de notre propos de passer en revue tous les stigmatisés. Le Dr Imbert-Gombeyre, dans son ouvrage *La Stigmatisation,* en compte plus de trois cent vingt et un, car, outre que cet examen serait impossible dans le cadre de notre livre, les phénomènes, à quelques variantes près, ne font que se répéter, et, parfois, « calquent », en quelque sorte, la stigmatisation de saint François qui semble servir de modèle à tous les stigmatisés qui viennent après lui. Parmi eux voyons seulement les stigmatisés les plus typiques et les moins éloignés de nous : Catherine Emmerich, Louise Lateau, Thérèse Neumann et le Père Pio.

Anne-Catherine Emmerich naquit le 8 septembre 1774 au hameau de Flamske en Westphalie. Elle montra, dès sa première enfance, une piété extraordinaire, et, dès l'âge de six ans environ, elle était déjà visionnaire. C'est quatre ans avant son entrée au couvent, dans sa vingt-quatrième année de son âge, qu'elle reçut les premiers stigmates figurant les blessures de la couronne d'épines. Ils furent ensuite complétés par une plaie thoracique en forme de croix, et, enfin, par des plaies aux mains, aux pieds et au flanc droit. Leur authenticité est impossible à nier. Le Dr Wisener, sceptique endurci, soumit Catherine, le 22 mars 1813, à un examen minutieux. Contre son attente, il se convainquit de ce qu'il avait observé et devint le médecin et l'ami de Catherine. Le 28 mars 1813, l'Autorité ecclésiastique envoya de Münster une commission d'enquête composée de prélats, de notables et d'un médecin. L'enquête dura cinq mois. Pendant dix jours, Catherine fut soumise, nuit et jour, à une surveillance très stricte. La vérité de la stigmatisation fut dûment constatée.

Vingt-six ans environ après la mort de Catherine Emmerich, le 28 janvier 1850, naissait, à Bois-d'Haine en Belgique, une autre stigmatisée célèbre : Louise Lateau.

C'est à l'âge de dix-huit ans qu'elle reçoit les stigmates. Ils ne sont d'abord qu'intérieurs et subjectifs, c'est-à-dire que Louise en ressent les souffrances sans que rien ne paraisse au-dehors. Mais, le 24 avril 1868, la stigmatisation s'extériorise : le sang jaillit au côté gauche ; le lendemain, la plaie est cicatrisée. Le vendredi suivant elle reparaît et saigne cependant que des stigmates se produisent aux pieds. Enfin, le vendredi 8 mai, le sang se met également à couler de l'une et l'autre face des deux mains. A ces stigmates s'ajoutent bientôt les marques de la couronne d'épines puis, plus tard, la plaie de l'épaule droite.

Et, à partir de ce vendredi 14 avril, jusqu'à la mort de Louise, les divines blessures ne cessent de donner du sang tous les vendredis, soit huit cents vendredis consécutifs, deux vendredis exceptés. La perte sanguine est d'un litre environ par semaine.

Peu avant les saignements, les stigmates des mains et des pieds présentent une ampoule qui soulève progressivement l'épiderme.

L'ampoule crève lorsqu'elle est complètement développée et la sérosité qui la remplit s'échappe, puis le sang commence à sourdre du derme. Le saignement dure environ trente heures. Il cesse toujours dans la nuit du samedi. Dans l'intervalle entre les saignements, les stigmates sont remplacés par une surface légèrement rosée, entièrement intacte, sans éraillures et ne présentant aucune espèce de suintement. Elle est seulement un peu plus lisse que la peau environnante, et, sous elle, on peut, avec une bonne loupe, reconnaître le derme avec ses caractères ordinaires.

Une commission formée au sein de l'*Académie Royale de Médecine* de Belgique examina longuement la stigmatisée, la soumit à de nombreuses expériences et conclut : « La stigmatisation et l'extase de Louise Lateau sont des faits réels, purs de toute fraude. La science médicale n'en fournit pas l'explication rationnelle. »

Si Catherine Emmerich et Louise Lateau brillèrent d'un vif éclat parmi les stigmatisés du XIXe siècle, la stigmatisée contemporaine Thérèse Neumann, née le 8 avril 1898 à Konnersreuth et décédée le 18 septembre 1962, ne leur cède en rien quant à la netteté, la variété et l'étrangeté des phénomènes qu'elle présente.

Outre les stigmates « classiques », elle pleurait en effet des larmes de sang, s'abstenait de manger, possédait des dons de clairvoyance, avait une connaissance incompréhensible des détails de l'histoire biblique et s'exprimait parfois en araméen, langage du Christ, et cela avec opportunité et sans tomber dans les pièges tendus par les linguistes.

Si l'on en croit les témoins oculaires, le spectacle de Thérèse Neumann revivant la crucifixion et ressentant les souffrances du Sauveur était extraordinairement impressionnant.

Le Dr Reissmann, non catholique, écrit :

« Un spectacle inoubliable s'offre à moi. Hors des oreillers, la jeune fille redresse le naut du corps, les bras tendus en un geste d'imploration. Sur les mains, les stigmates flamboient. Le visage est contracté par la souffrance. Elle tord ses petites mains décolorées comme si son corps se brisait... Des yeux douloureusement clos, le sang s'échappe le long du visage défiguré ; ce ne sont d'abord que quelques gouttes ; finalement ce sont deux larges ruisseaux qui se répandent sur toute la largeur des joues. Mille impressions passent et repassent sur les traits contractés qui se creusent sous l'empreinte de choses effroyables, vers lesquelles le visage se tend anxieux. Le corps est secoué de frissons ; elle vit la flagellation du Seigneur ; et, soudain, au moment où la couronne d'épines est posée, les plaies de la tête s'ouvrent et teignent de rouge l'oreiller. Douloureusement, elle se prend la tête à deux mains, afin d'en retirer sans arrêt les épines enfoncées. »

Après Thérèse Neumann, nous pourrions étudier, parmi les stigmatisés célèbres du xxe siècle, le padre Pio, né en 1887 à Pietrelcina (Italie) mais, pour éviter des répétitions inutiles en ce qui concerne la stigmatisation, nous insisterons de préférence sur les autres phénomènes extraordinaires qu'il subissait ou qu'il occasionnait.

C'est le 20 septembre 1918, vers midi, que le père Pio a été stigmatisé alors que les moines célébraient leur office [1]. Un cri les fit tressaillir : le père Pio gisait sur les dalles et des flèches invisibles avaient percé ses mains, ses pieds et son côté. Depuis cette date, les stigmates saignèrent quotidiennement, surtout le jeudi et le vendredi, et de nombreux médecins tentèrent, mais en vain, de les guérir.

En outre, si l'on en croit la rumeur publique ainsi que de nombreux livres que le capucin a suscités, le padre Pio manifestait des dons inouïs et présentait, en fait, toute la gamme des phénomènes relatés par l'hagiographie ou étudiés par la métapsychique : hyperthermie (c'est-à-dire température supérieure à la normale), inédie (nourriture journalière fournissant à peine 250 calories, et, en certaines périodes, absence totale de nourriture), souffrances de compensation (le capucin supportait des maux variés à la place de certains malades qui étaient effectivement soulagés, mais, ici, il peut s'agir de phénomènes de suggestion et

1. Toutefois, dans une lettre datée du 8 septembre 1911, et connue depuis peu, le padre Pio révèle que ses stigmates apparurent dès 1910, c'est-à-dire l'année de son ordination sacerdotale, mais que, par humilité, il pria Dieu de les faire disparaître et que son vœu fut exaucé. Ces stigmates étaient d'ailleurs d'aspect différent de ceux qui lui furent imposés le 20 septembre 1918.

de pithiatisme), extases, lecture de pensée, voyance, xénoglossie (c'est-à-dire qu'il parlait parfois dans une langue étrangère qu'il ignorait à l'état normal), action sur la nature et sur les animaux, phénomènes luminescents (le professeur Romanelli a constaté que, dans la région cardiaque, la poitrine du padre émettait des radiations lumineuses), flagrance (c'est-à-dire émission de parfums, de senteurs et d'intensités variées), productions ectoplasmiques (apparitions diaboliques vraisemblablement matérielles), ubiquité (c'est-à-dire faculté d'être présent en plusieurs endroits à la fois) et même invisibilité, guérisons de maladies incurables. En ce qui concerne cette dernière occurrence, il donna, paraît-il, la vue à une fillette, Gemma di Giorgi, née sans pupilles ; à un ouvrier devenu aveugle par suite d'une explosion, il rendit également la vue, etc. Nous sommes évidemment, avec la plupart des phénomènes offerts par le capucin, en pleine fantasmagorie. Cependant, le père Pio désirait être exclusivement considéré comme un confesseur, et, jusqu'en ces dernières années, il confessait à longueur de journée comme le faisait le saint curé d'Ars. Des pénitents accouraient auprès de lui du monde entier. Levé, chaque jour, dès 3 h 30 du matin, il ne dormait que 3 ou 4 heures par nuit, perdait quotidiennement plus de 100 grammes de sang par ses plaies qui le faisaient beaucoup souffrir, et, pourtant, comme nous l'avons dit, se nourrissait à peine. Avant l'Église, la foule a reconnu en lui un saint. Après s'être retiré dans un couvent, il est décédé le 23 septembre 1968 entre 2 h 30 et 2 h 35.

Stigmates diaboliques

La stigmatisation diabolique appartient surtout au passé. Les stigmates démoniaques des sorciers du Moyen Age ou de la Renaissance étaient variés. Ils pouvaient consister en « marques » ayant la forme d'un croissant, d'une griffe, d'une paire de cornes, d'une patte de chat, de lièvre, de chien, de crapaud. Une opinion assez courante était qu'ils se trouvaient sur l'iris. On les remarquait aussi au milieu du front. Quelquefois, ils étaient dissimulés sur la langue, sous les paupières, dans le nez, sous les cheveux ou dans les régions « secrètes » du corps. Une femme brûlée à Besançon, lit-on dans le compte rendu d'un procès de sorcellerie, portait une marque diabolique « au-dessus de sa nature, un peu plus bas que le nombril, et levée sur la peau de la même façon que le cul d'un poulet ou d'un pigeon ». Chez d'autres sorciers, les empreintes sataniques étaient mieux cachées encore : « Le Diable, affirme un ouvrage de démonologie, en imprima en des parties si sales qu'on a horreur de les y aller chercher, comme dans le fondement de l'homme ou en la nature de la femme. »

En réalité, ces « marques diaboliques » étaient très vraisemblablement des formations naturelles bizarres : nævi pigmentaires et tubéreux, excroissances diverses qui rappelaient plus ou moins la forme d'une main, d'une patte, d'une paire de cornes, etc.

Les stigmates diaboliques étaient aussi des égratignures, des griffures ou des morsures. D'après les récits de sorcellerie, de telles productions étaient courantes chez les sorciers du Moyen Age. A notre époque, elles constituent probablement les seules formes sous lesquelles subsistent les marques sataniques. A cet égard, parmi les cas les plus significatifs, signalons celui d'Éléonora Zügum qui fut étudié par la comtesse Wassiko Serecki, le Dr Krœner, le professeur Tillyard, et, enfin, par le métapsychiste-prestidigitateur Harry Price, assisté du Dr Fielding Ould.

Éléonora Zügum, née en mai 1913 à Talpa près de Czernowitz (Roumanie), était, en 1925, une adolescente que rien ne distinguait de ses camarades lorsque se manifestèrent autour d'elle d'étranges phénomènes consistant essentiellement en des transports d'objets sans contact, gobelets, cruches, aiguilles, etc. Ces phénomènes mystérieux furent aussitôt attribués au Diable (Dracu en roumain) par les paysans ignorants et superstitieux de l'entourage de la jeune fille, et il est vraisemblable que cette personnification, frappant son imagination, fut le point de départ d'une autosuggestion qui s'exprima dès lors par des manifestations agressives et malfaisantes : morsures, griffures, meurtrissures variées, implantations d'épingles dans les chairs.

Les griffures apparaissaient fréquemment sur le visage, sur le cou, la poitrine et les bras du médium. Les morsures se formaient exclusivement sur les bras. Quant aux piqûres elles étaient produites par des épingles provenant de la table à ouvrage de la maison. Un jour, en dermographisme, le mot « Dracu » s'inscrivit sur le bras d'Éléonora.

Mais, quels qu'ils fussent, tous ces phénomènes présentaient deux caractéristiques essentielles : ils étaient généralement inattendus et il était impossible d'en saisir le processus. Ainsi, l'enfant, occupée à jouer avec des camarades, poussait soudainement un cri et indiquait : « je viens de ressentir une vive douleur en tel endroit du corps ». On écartait le vêtement et l'on voyait effectivement la marque.

Pour éviter que l'on puisse alléguer que c'était le médium qui produisait les stigmates, on enduisit son corps, tantôt de graisse, tantôt d'une poudre fine et adhésive, et, en aucun cas, on ne trouva dans les ongles ou dans la bouche d'Éléonora la moindre trace de ces substances.

Au surplus, mais le fait fut exceptionnel, les phénomènes se produisirent, une ou deux fois, sous les yeux des observateurs, à un endroit de la peau préalablement désigné, alors que les mains de la fillette étaient tenues (docteur Krœner).

Les phénomènes présentés par Éléonora, ou tout au moins ceux qui, apparemment, furent correctement observés, apparaissent donc, semble-t-il, authentiques. Toutefois, comme les empreintes des morsures correspondaient souvent à celles que ferait la mâchoire d'Éléonora et que, d'autre part, les marques du visage n'étaient jamais des morsures, on peut penser que la jeune Roumaine simulait parfois le phénomène paranormal.

Stigmates métapsychiques

Aux phénomènes de stigmatisation religieuse et démoniaque, on peut rattacher les nombreuses expériences de pseudo-brûlures, ecchymoses, dermographisme par suggestion qui ont été réalisées par de nombreux médecins tels que Beaunis, Janet, Kraft-Elbing, Binet et Féré, Voisin, Mabille, Osty, etc. Elles montrent que la pensée peut provoquer des modifications somatiques profondes.

Les expériences du Dr Adolf Lechler sur une jeune femme sont particulièrement démonstratives. Cette personne était sujette à différents troubles plus ou moins graves : maux de tête, tremblements, ulcères, crachements de sang, etc. Pour découvrir leur cause, Lechler eut l'idée de se servir de l'hypnose et de la psychanalyse et il apprit ainsi que la malade était susceptible de contracter plusieurs maladies dont elle avait entendu parler. Parfois, il lui suffisait de voir une personne souffrante pour être atteinte du même mal. Enfin, le Vendredi Saint de 1923, après avoir regardé un tableau représentant la Passion du Christ, elle eut les mains et les pieds gonflés et endoloris.

Ce fait donna au médecin l'idée de faire à sa malade quelques suggestions concernant les extraordinaires phénomènes présentés par Thérèse Neumann. C'est ainsi qu'il lui demanda de penser pendant une nuit à l'idée suivante : « Aux endroits où je souffre, il apparaîtra des plaies. » Effectivement, dans la matinée, des plaies humides et légèrement sanguinolentes apparurent aux régions douloureuses.

Alors il lui persuada que ses plaies allaient devenir plus profondes. C'est ce qui eut lieu effectivement vers midi.

Quelque temps après cette expérience, Lechler ordonna à la jeune femme de penser continuellement aux larmes de sang de la stigmatisée de Konnersreuth et il lui suggéra qu'elles ne tarderaient pas à apparaître aussi chez elle. De fait, deux heures après la suggestion, le sujet pleurait des larmes de sang. Une suggestion contraire les fit arrêter.

Lechler produisit également les stigmates en couronne de la tête et les fit saigner sous la seule influence de la pensée. Une fois, il demanda à la patiente de méditer sur le Christ portant sa croix. Elle le fit si bien que ses épaules devinrent rouges et douloureuses et que son corps prit une position inclinée comme s'il supportait une croix.

Si ces expériences (qui, notons-le au passage, furent conduites avec tout le soin désirable, la malade étant surveillée de près soit par le médecin, soit par des infirmières spécialisées) appartiennent plutôt à la psycho-physiologie classique qu'à la métapsychique, en revanche, les expériences réalisées à l'*Institut Métapsy-*

chique International avec Mme Kahl sont nettement paranormales.

Ce sujet de nationalité russe, mais habitant Paris et décédé depuis quelques années, possédait en effet cette étrange faculté de faire apparaître sur son corps, en dermographisme, un mot ou un dessin auquel pensait l'expérimentateur.

Dans la multiplicité des séances réalisées avec Mme Kahl, rapportons cette expérience particulièrement significative qui eut lieu sous la direction du Dr Osty.

Le Dr d'Espiney, qui assistait à l'expérience avec quelques autres personnes, fut prié de penser à quelque chose. Bientôt, sur l'avant-bras tendu de Mme Kahl, en pleine lumière du jour, « nos regards attentifs, souligne le Dr Osty, virent se former des lignes dont je fis le croquis. On pouvait reconnaître les lettres FRAN ».

Tout d'abord le tracé en fut d'un rouge faible. Mme Kahl pria l'une des personnes de l'assistance de faire une brève friction sur sa peau pour aider à l'apparition du phénomène. Il en résulta une augmentation de la rougeur des lignes mais nulle ligne nouvelle.

Le Dr d'Espiney fit connaître qu'il avait pensé *François.*

Après quelques minutes de repos, Mme Kahl proposa à Mme S., l'une des personnes accompagnant le docteur d'Espiney, de faire un essai. Elle lui demanda de se placer devant elle, de lui tenir la main et de penser un mot.

Au bout d'une quinzaine de secondes environ, comme à l'ordinaire, se traça la lettre Y ; occupant près du pli du coude toute la largeur de l'avant-bras. Regardant, comme l'assistance, ce qui allait apparaître, Mme Kahl, suggestionnée sans doute par cette lettre, dit : « C'est *Y vonne* que vous avez pensé ? ». Mme S. ne répondit pas. Bientôt, se traça en rouge, bien lisible pour tous : *Y Lande.*

Mme S. dit alors qu'elle avait pensé *Yolande.*

Il manquait la deuxième lettre du mot à l'inscription dermographique, mais sa place y était.

« Ce remarquable succès avec Mme S., écrit le Dr Osty, nous engagea dix minutes après, à lui faire effectuer un nouvel essai. Mme S. pensa quelque chose, et l'on vit se former, sur l'avant-bras que Mme Kahl tendait sous nos yeux, une sorte de X couché.

« Quand il parut évident que l'inscription avait atteint son maximum, nous demandâmes à Mme S. ce qu'elle avait pensé : « J'ai pensé le chiffre 8 » répondit-elle.

« Nous regardâmes de nouveau le dermographisme, et, sous nos yeux, nous vîmes se tracer une ligne réunissant les extrémités inférieures de la première figure. Malgré ses efforts, Mme Kahl n'arriva pas au même résultat pour les extrémités d'en haut, de sorte que la partie supérieure du 8 ne fut pas fermée, mais Mme Kahl était très fatiguée. »

Presque aussitôt après cet essai, Mme Kahl s'adressant au Dr Osty lui dit : « Je veux faire une expérience avec vous. » Le Dr Osty se représente alors mentalement, sans dire un seul mot, une ligne horizontale coupée par deux lignes obliques parallèles. Immédiatement, une raie horizontale très marquée barre la poitrine de Mme Kahl sur une longueur d'environ dix centimètres. Elle fut très vite coupée par deux lignes.

Ce dermographisme resta visible au moins une minute puis une rougeur diffuse envahit la région.

Mécanisme de la stigmatisation

Nous estimons que la stigmatisation authentique, qu'elle soit religieuse, démoniaque ou métapsychique, est, en règle générale, de nature purement suggestive.

On peut en effet remarquer que la forme même des stigmates reflète précisément l'idée que le stigmatisé s'en fait : le catholique romain reproduit les plaies qu'il pense être celles du Christ, en particulier celles des mains, alors que des travaux récents apportent la preuve que les clous de la crucifixion furent nécessairement plantés au travers des poignets et non dans les mains ; le mahométan extériorise les blessures du Prophète ; le sorcier est griffé, mordu par le Diable auquel il croit, et le sujet métapsychique présente des stigmates dont l'aspect se rapporte à la suggestion donnée. Enfin, en ce qui concerne Catherine Emmerich, la croix qui apparut la première fois sur sa poitrine avait l'aspect d'un Y reproduisant ainsi la forme d'un crucifix, qu'elle avait eu dans son enfance et auquel elle tenait beaucoup.

La vision hallucinatoire d'une plaie, qu'elle soit christique ou autre, les sensations douloureuses imaginaires qui en résultent permettent à l'influx nerveux de s'ouvrir progressivement un chemin jusqu'aux centres qui commandent, d'une part, l'irrigation vasculaire cutanée, et, d'autre part, les phénomènes de phagocytose. Bien entendu, on peut imaginer des relais variés, nerveux et endocriniens.

Quoi qu'il en soit, la sensation initiale provoque la congestion locale des vaisseaux (le simple fait d'affirmer à une personne : « vous rougissez », suffit souvent à provoquer la rougeur de la face), leur éclatement et la destruction du derme par phagocytose, ce dernier phénomène pouvant d'ailleurs être plus ou moins suscité par le premier.

De plus, avec des sujets tels que Mme Kahl, au reste extrêmement rares, un phénomène métagnomique se superpose au phénomène psychophysiologique et la stigmatisation prend un caractère nettement paranormal. En tout cas, il se produit ceci de prodigieux que Mme Kahl, pour réaliser le dermographisme de sa pensée consciente ou subconsciente, doit, par une action finement sélective des cellules pyramidales de son cerveau, agir avec une telle précision sur la hiérarchie des centres cellulaires du système végétatif (centres échelonnés dans les noyaux gris sous-corticaux, la protubérance, le bulbe, la moelle épinière, les ganglions de la chaîne ventrale, etc.) qu'il en résulte finalement une turgescence des seuls vaisseaux capillaires devant servir au tracé de ce qui doit être inscrit, toute la circulation voisine continuant à s'effectuer normalement, sans modification du tonus. Et la précision atteinte paraît extraordinaire lorsqu'on sait que le lacis microscopique extrêmement serré, qui répand la substance du sang dans l'intimité des tissus, couvrirait, si on l'étalait en surface, sept mille trois cents mètres carrés environ.

Le saviez-vous ?

— Pendant la dernière guerre, les autorités hitlériennes retirèrent la carte d'alimentation à Thérèse Neumann en prétextant qu'elle n'en avait pas besoin puisqu'elle ne mangeait pas.

— La pseudo-stigmatisée Maria de Mörl, qui « fabriquait » ses stigmates à l'aide d'un canif, rendit par les voies naturelles et aussi à travers la peau des clous, des aiguilles, des morceaux de verre qu'elle avait préalablement absorbés ou subrepticement enfoncés sous l'épiderme. De nombreuses observations de la clinique contemporaine montrent que de tels objets sont avalés par les hystériques.

— La jeune Raymonde B. du village de Bussus, près d'Abbeville, faisait apparaître, d'une façon qui semblait paranormale, diverses inscriptions sur sa peau. En réalité, la fillette était dermographe et elle traçait inopinément sur ses bras ou sur ses jambes, au moyen d'une épingle à cheveux, les chiffres, les mots ou les dessins qu'elle désirait rendre visibles. Les dermographes sont des individus chez qui tout frôlement exercé sur la peau, soit avec l'ongle, soit avec n'importe quel objet pointu, se traduit, après quelques minutes, par le relief des inscriptions virtuellement tracées.

POSTFACE

LE FUTUR A DÉJÀ COMMENCÉ

En résumé, et comme nous l'avons vu, on peut diviser les hommes-phénomènes en deux catégories bien distinctes : l'une constituée d'individus présentant des caractéristiques morphologiques, physiologiques ou tératologiques très particulières ainsi que cela a lieu pour les jumeaux, les nains, les géants, les macrobites, les sujets affectés de monstruosités, l'autre formée d'hommes pourvus de qualités peu courantes ou rares, comme c'est le fait pour les champions de toutes sortes, les prestidigitateurs, les gens du voyage, les enfants précoces, les génies, les individus possédant une mémoire extraordinaire ou une volonté puissante, et, enfin, comme c'est essentiellement le fait pour les sujets métapsychiques ou parapsychologiques.

Avec ces derniers, et ce sera le dernier mot de notre ouvrage, mais non sa conclusion, car il n'en exige pas, nous estimons que « le futur a déjà commencé ».

Il s'exprime d'abord timidement chez tous ces hommes, qu'ils soient champions, prestidigitateurs, jongleurs, acrobates, qui, par des moyens divers, cherchent et souvent réussissent à dépasser ce que peut faire l'homme « moyen » ou « ordinaire ».

Mais il se manifeste dans toute son ampleur avec les hommes qui possèdent des qualités intellectuelles supérieures et surtout avec ces êtres d'exception, télépathes, métagnomes, précognitifs, télékinésistes, psychokinésistes, téléplastes, qui, vraisemblablement, avec leurs pouvoirs spéciaux, préfigurent, dans une certaine mesure, l'homme ou plus exactement le « surhomme » de demain.

L'évolution, en effet, ne s'est jamais départie de son effort et il n'y a aucune raison de penser qu'elle soit arrivée à un point singulier du Temps. Constamment, elle s'est élevée, de degré en degré, pour aboutir à l'homme. Et, à chacune de ses étapes, préfiguraient les êtres à venir. C'est ainsi qu'avec sa nageoire-patte et son ébauche de poumon, le cœlacanthe laissait prévoir le vertébré aérien. De même, les théromorphes, qui sont des reptiles ambigus, présentent, dès l'ère primaire, soit des caractères de batraciens, soit des caractères de mammifères. Tandis que les premiers reptiles mammaliformes sont typiquement reptiliens, les derniers sont tellement évolués, qu'à quelques détails près, on pourrait les considérer comme de véritables mammifères. Trytolodon, par exemple, du trias d'Afrique du Sud, d'abord classé parmi les reptiles, est actuellement considéré comme un mammifère cependant que certains auteurs continuent d'y voir un reptile.

Bien entendu, il ne saurait être question de retracer ici les transformations morphologiques et physiologiques qui, au cours des temps géologiques, se sont produites dans les séries animales, et, en particulier, dans leur système nerveux. Disons simplement que, dans ses grandes lignes, l'évolution s'est nettement orientée, à travers les phylums animaux, vers l'acquisition d'un système nerveux de plus en plus complexe, de plus en plus concentré, permettant l'expression d'un psychisme toujours plus élevé.

Considérons, par exemple, le groupe des arthropodes qui débute par les péripates pour aboutir aux insectes, et qui, outre ces deux catégories, comprend essentiellement les crustacés, les myriapodes, les mérostomes et les arachnides. Nous voyons que les péripates ont un système nerveux très simple, guère différent de celui des vers qui leur ont sans doute donné naissance ; il est formé de deux masses ganglionnaires céphaliques, situées dorsalement par rapport au tube digestif, et de deux cordons ganglionnaires ventraux, très écartés l'un de l'autre. A l'image de leur système nerveux, le psychisme de ces animaux est des plus rudimentaires. En revanche, les insectes sociaux, termites, fourmis, abeilles, qui représentent les formes les plus élevées des insectes, et, par conséquent, des arthropodes, sont pourvus d'une organisation nerveuse complexe et sont doués en même temps de facultés psychiques remarquables.

Dans l'embranchement des mollusques, nous pouvons observer une évolution du même genre. Les lamellibranches, tels que les huîtres et les moules, ont un système nerveux composé de ganglions qui assument à peu près exclusivement le fonctionnement de la vie végétative. La vic psychique de ces animaux semble à peu près nulle. En revanche, les céphalopodes : poulpc, seiche, calmar, ont un système nerveux condensé, un véritable cerveau enfermé dans une capsule cartilagineuse jouant le rôle de crâne et leurs yeux, extrêmement perfectionnés, rappellent ceux des vertébrés. Corrélativement, la vie psychique de ces mollusques supérieurs est riche et variée : ils se prêtent au dressage, leur mémoire est étendue et les souvenirs d'habitude acquise persistent longtemps. Leur psychisme apparaît comparable à celui de certains vertébrés supérieurs.

Enfin, le développement et l'épanouissement du psychisme dans la série des vertébrés, constituée par les poissons, les amphibiens, les oiseaux, les mammifères et l'homme, sont des faits parfaitement établis sur lesquels il est inutile d'insister.

Si nous considérons maintenant l'ensemble du règne animal, nous pouvons dire que chez les invertébrés et surtout chez les invertébrés inférieurs, l'automatisme est prépondérant ; ces animaux agissent à peu près en dehors de tout raisonnement, guidés qu'ils sont par leur instinct. Chez les vertébrés inférieurs apparaissent déjà des franges d'intelligence qui semblent être comme l'ébauche d'une conscience. Chez l'animal supérieur, éléphant, cheval, chien, singe, la réalisation conscientielle a fait de grands progrès. Les facultés de logique et de raisonnement jouent déjà un rôle non négligeable. En même temps, l'importance de l'instinct diminue ; ses manifestations ne sont plus continues et dominatrices, elles deviennent intermittentes et limitées ; la conscience tend à se substituer à lui ; une certaine spontanéité, plus ou moins spécieuse, mais néanmoins annonciatrice de la liberté, apparaît. Enfin, chez l'homme, naît et s'épanouit une conscience claire, une pensée féconde capable de vouloir, de choisir, de comprendre et de créer.

Sans doute, la montée, dans le temps, à travers le monde animal, vers plus de pensée et de conscience, n'a pas toujours été régulière et continue. Il y a eu, en effet, au cours de l'évolution générale des êtres, des régressions, des involutions, des inadaptations, mais, dans l'ensemble, et étalés sur des millions de siècles, ces « accidents » ne comptent guère. Seul, le résultat définitif importe : la réalisation de la souveraine conscience dans le Monde manifesté.

Demandons-nous maintenant, si, sur notre globe, l'évolution, et, en particulier, l'évolution psychique est terminée, si elle est arrivée à sa « fin », si elle est parvenue à son point culminant qui serait représenté par l'homme.

De l'avis de la plupart des naturalistes, il paraît certain que les grands groupes animaux, les « clades » de Cuénot, sont définitivement fixés dans leur forme. Des spécialisations, des modifications de second ordre sont probablement encore possibles dans les phylums secondaires, mais l'âge des transformations majeures semble actuellement révolu. L'homme, lui-même, d'après ces auteurs, bien que dernier venu sur la Terre, ne serait plus susceptible de s'engager sur la voie du progrès.

Effectivement, on peut dire que, physiquement, l'homme n'a guère varié depuis *Homo sapiens fossilis,* c'est-à-dire depuis l'homme fossile sage et intelligent, et, qu'au cours des temps historiques, son intellect a peu évolué.

A plus de deux mille ans de distance, en effet, Socrate, Platon, Aristote nous apparaissent toujours comme des génies qui ont pu parfois être égalés mais qui n'ont jamais été dépassés.

Et que l'on n'oppose pas à cette affirmation les étonnantes conquêtes de la science et de la technique modernes. Ces conquêtes ont pu être accomplies, et d'autres, plus étonnantes encore, seront certainement réalisées à l'avenir sans nécessiter une élévation réelle et profonde du niveau intellectuel de l'humanité : toutes les découvertes et inventions présentent une chaîne ininterrompue dont chaque anneau renferme en puissance ou à l'état latent l'anneau suivant et ce sont toujours les mêmes opérations intellectuelles qui entrent en jeu, quelle que soit la matière sur lesquelles elles s'exercent.

Si notre cerveau est aujourd'hui mieux meublé parce que nous avons, concernant les lois qui président aux phénomènes et aux forces de la nature, des idées plus claires et plus adéquates à la réalité, il reste, en tant qu'organe, peu différent de ce qu'il était il y a un millier ou deux milliers d'années. Cela est si vrai que des peuplades primitives, absolument incultes, mises en contact avec notre civilisation l'assimilent immédiatement. De même, au point de vue moral, l'homme ne semble ni meilleur ni pire que l'homme tel que nous le connaissons au début de l'histoire. Il suffit de lire attentivement les annales de l'humanité et de réfléchir sur ce qui se passe autour de nous pour s'apercevoir que l'homme est encore et toujours la principale cause de souffrance pour l'homme. Plus encore : l'homme est aujourd'hui à peu près l'unique source de souffrance pour son prochain puisque les progrès de la science et de la technique ont réussi à atténuer, dans une très large mesure, les souffrances qui avaient leur source en lui-même ou dans la nature extérieure. Si, cependant, certaines formes de cruauté ont disparu cela tient, non au progrès moral, mais aux changements opérés ou survenus dans les conditions d'existence, changements qui ont rendu inutiles ces formes de sauvagerie. Et la preuve en est dans leur retour, comme on peut le constater actuellement, toutes les fois que la barrière opposée par les nouvelles conditions d'existence disparaît pour une raison quelconque.

Mais en face de ces constatations quelque peu décevantes, s'offre cette autre réalité que l'avènement de l'humanité sur la Terre ne fait que commencer puisque *Homo sapiens* n'est apparu qu'à la fin du quaternaire, c'est-à-dire il y a quelques dizaines de millénaires seulement, durée infiniment courte si on la compare aux dizaines de millions d'années qu'a exigé la différenciation des grands groupes animaux. Rien d'étonnant, par conséquent, à ce que l'humanité soit restée à peu près identique à elle-même tant au point de vue physique que du côté intellectuel et moral.

Au surplus, et comme nous l'avons dit, pourquoi serions-nous arrivés à un point singulier du Temps ? L'évolution ne s'est jamais départie de son effort. Constamment, elle s'est élevée, de degré en degré, pour aboutir à l'homme. Sa marche passée est garante de l'avenir et rien n'indique que la pensée et la conscience aient atteint en nous leur point culminant. Les états qui ont été acquis au cours de l'évolution auraient, sans doute, paru tout à fait incroyables à un état antérieur. Qui, regardant par exemple une amibe lorsqu'elle était la forme la plus haute de la vie, aurait pu imaginer le chêne, l'aigle et le lion ? Et qui, considérant le stade actuel du développement humain, pourrait se faire une idée un peu claire de ce que sera l'être qui relaiera l'homme comme lui-même a relayé l'anthropomorphe ?

Si bien que ce n'est pas faire un acte de foi imprudent que de croire à l'avènement futur de cette forme évoluée, au cerveau perfectionné, qui naîtra de nous-mêmes, peut-être à la suite d'une mutation * ou par néoténie, c'est-à-dire par une sorte de rajeunissement évolutif permettant à de nouvelles possibilités organiques et psychiques d'apparaître et de s'épanouir, l'homme étant, à maints égards, assez peu différencié.

L'Univers, selon les uns, l'Être transcendant qui gouverne les Mondes et oriente les destinées, selon d'autres, qui sut attendre quelque deux milliards d'années l'apparition de l'espèce humaine sur notre planète, accordera aussi, sans doute, le temps nécessaire à l'accomplissement de cette race supérieure pourvue d'extraordinaires facultés. Et, s'il en est ainsi, une ère nouvelle succédera à la période actuelle.

Mais au fait, ce destin majestueux, que la marche du Monde nous conduit personnellement à penser qu'il est inévitable, cet avenir immense et splendide, cette émergence d'un nouveau palier évolutif qui s'exprime déjà dans ce besoin de dépassement que l'on observe dans tous les domaines de l'activité et de la pensée humaines, n'avons-nous pas la possibilité de l'assurer ? D'abord en évitant de provoquer la régression ou même la fin de l'humanité par une guerre atomique effroyable, et, d'une manière positive, en développant consciemment et volontairement nos facultés paranormales latentes, ou, plus simplement, en cultivant notre cerveau.

Il porte, par hérédité, les pensées de quelques grands ancêtres et nous pouvons saluer notre noblesse. A nous de faire surgir ce précieux patrimoine des profondeurs mystérieuses de nos cellules cérébrales, de le dépasser, d'épanouir et d'agrandir notre personnalité, de nous élever dans la sphère de l'esprit, de monter toujours plus haut, et de devenir ainsi les ascendants de ceux que révérera l'avenir.

Ce faisant, tout en assurant notre succès dans la vie, tout en réalisant nos espoirs et nos désirs, tout en prenant l'habitude d'une existence plus sereine et plus lucide, d'une activité fraîche, saine et joyeuse, nous aurons la certitude de marcher droit sur le grand chemin de l'évolution et nous aurons ainsi la possibilité de collaborer au destin de l'Univers, qui, selon l'expression de Bergson, semble être, en définitive :

« Une machine à faire des dieux. »

C'est-à-dire une machine à faire des êtres d'exception pour qui le « mens agitat molem » de Virgile ne sera plus un vain mot et dont la montée hasardeuse vers plus de lumière leur permettra d'atteindre des perspectives qui nous semblent actuellement inimaginables, et qui leur permettra peut-être aussi de connaître enfin ou de dévoiler la face, jusqu'ici inconnue, de cette entité métaphysique ou de ce mirage que d'aucuns désignent sous le nom de Dieu.

LEXIQUE

Adénoïde (végétation) : Les végétations adénoïdes (du gr. *adên,* glande, et *eidos,* forme), sont des petites tumeurs aberrantes qui résultent de l'hypertrophie de glandes pharyngiennes. Elles gênent la respiration et entravent la croissance.

Alopécie : L'alopécie (du gr. *alôpekia*) est la chute prématurée ou l'absence totale ou partielle des cheveux, des sourcils et quelquefois des poils.

Amniotique : Ce terme signifie qui appartient à l'amnios (du gr. *amnion*) c'est-à-dire à la plus interne des membranes qui enveloppent le fœtus, chez les mammifères, les reptiles et les oiseaux.

Année-lumière : L'année-lumière ou l'année de lumière est la distance parcourue par la lumière en une année. Sachant que la vitesse de la lumière est d'environ 300 000 kilomètres à la seconde, on calcule aisément qu'une année-lumière vaut approximativement 9 460 800 000 000 kilomètres, c'est-à-dire près de dix milliards de kilomètres. L'année-lumière équivaut également à environ 0,307 parsec, le parsec (de *par*allaxe et de *sec*onde), qui est une unité de distance couramment utilisée en astronomie, étant la distance de laquelle on verrait le rayon de l'orbite terrestre sous un angle de 1 seconde d'arc.

Apex : L'apex (mot lat.) est le point de la sphère céleste vers lequel se dirige le Soleil avec son cortège de planètes. Ce point est voisin de l'étoile (ksi) de la constellation d'Hercule et il est également assez peu éloigné de la belle étoile Véga de la constellation de la Lyre. La vitesse de translation du Soleil et du système solaire dans la direction de ce point est de 20 kilomètres environ par seconde, 1 728 000 kilomètres par jour, 630 millions de kilomètres environ par an.

Cartomancie : La cartomancie (de carte et du gr. *manteia,* divination) est l'art de prédire l'avenir par les combinaisons qu'offrent les cartes à jouer ou les tarots. Les figures stimulent simplement, semble-t-il, la vision subconsciente. Mais, étant donné qu'elles ont un sens traditionnel qui s'impose au voyant, celui-ci les traduit à sa manière, c'est-à-dire selon son inspiration et en fonction des questions posées par le consultant.

Chromosome : Au cours de la division cellulaire, le réseau nucléaire du noyau se condense en un gros filament contourné, le filament chromatique (du gr. *khrôma* couleur) : ainsi appelé parce qu'il se colore facilement par des colorants tels que le carmin et les couleurs basiques d'aniline (bleu et vert de méthyle par exemple). Ce filament se rompt bientôt en un certain nombre de fragments ou chromosomes (du gr. *khrôma,* couleur, et *sôma,* corps) longs de quelques microns (le micron vaut 1 millième de millimètre) et qui, pour l'espèce humaine, sont au nombre de 46, lesquels sont constitués de 22 paires d'autosomes et de deux chromosomes différents appelés hétérochromosomes ou chromosomes sexuels car ce sont ceux qui déterminent le sexe. Chez l'homme ces deux hétérochromosomes sont désignés respectivement par les lettres X et Y, l'hétérochromosome Y étant extrêmement ténu. Chez la femme, les deux hétérochromosomes sont semblables à l'hétérochromosome X de l'homme et sont précisément désignés, l'un et l'autre, par la lettre X.

Ce sont les chromosomes qui jouent un rôle capital dans l'hérédité. Ils sont, en effet, essentiellement formés par une file de particules distinctes, qui sont les supports des caractères héréditaires et qui sont constitués de la façon suivante.

L'axe des chromosomes est occupé par un acide, l'acide désoxyribonucléique, appelé en abrégé l'ADN. Bien qu'il se présente sous plusieurs aspects, cet acide est formé, en principe, de deux chaînes composées d'une suite alternée de molécules d'acide phosphorique et d'un sucre appelé le désoxyribose. Ces deux chaînes sont reliées entre elles, par l'intermédiaire du désoxyribose, au moyen de composés chimiques qui sont l'adénine, la cytosine, la guanine et la thymine, que, pour simplifier, nous désignerons par leurs initiales A, C, G, T. On a ainsi, entre les deux chaînes, une série de ponts où A est toujours lié à T, et C à G. En outre, les deux chaînes sont enroulées l'une autour de l'autre d'une manière hélicoïdale.

Or, à la suite de multiples expériences effectuées sur des bactéries, il est apparu que les gènes sont des variétés innombrables de l'acide désoxyribonucléique. Une molécule d'ADN pouvant différer d'une autre par le choix entre les quatre bases pour chaque pont, et l'ordre dans lequel ces bases sont rangées dans les ponts successifs, on conçoit facilement, et le calcul le montre, que le nombre de combinaisons possibles est pratiquement illimité, de sorte que, pour toutes les espèces vivantes réunies, le nombre de combinaisons effectivement réalisées dans la nature est loin d'atteindre celui qui est réalisable. Il s'ensuit que la transmission des caractères héréditaires, les plus insignifiants comme les plus importants, est possible par le truchement de l'ADN. Ainsi, même pour l'homme, cela est relativement facile puisque le nombre de gènes, nécessaires à la transmission de toutes ses particularités physiques et d'un certain nombre de ses traits psychiques, allant, par exemple, de la couleur de ses cheveux à une certaine propension pour les mathématiques (famille de mathématiciens), a été évalué par le professeur Haldane à 40 000. Si l'on admet, et ceci est fort possible, que, chez deux conjoints, chaque chromosome des cellules reproductrices héberge au moins un gène de réaction spécifique, le calcul indique que le couple peut théoriquement engendrer plus de 281 milliards d'enfants différents. Autrement dit, chacun de nous avait une chance sur 281 milliards d'être ce qu'il est, car toute autre association eût produit un individu différent. Et si l'un des conjoints avait été uni à une autre personne, il y aurait eu à envisager 281 milliards d'autres combinaisons : l'hérédité est un gigantesque coup de dés !

Ainsi que nous l'avons signalé, la femme possède deux hétérochromosomes X complets, ce qui la conduit à posséder 4 p. 100 environ de plus d'ADN que l'homme, car l'hétérochromosome Y de celui-ci est très ténu, et c'est probablement ce gain en ADN qui permet à la femme de mieux résister aux chocs extérieurs et de vivre en moyenne plus longtemps que son compagnon. Cette robustesse augmente d'autant la probabilité de survie de l'espèce. Mais, comme nous l'avons dit dans le corps de l'ouvrage, l'équilibre se trouve réalisé dans une certaine mesure par le fait que les naissances masculines dépassent en nombre les naissances féminines.

Chromosomiale : (voir Chromosome).

Congénital : Un caractère organique congénital (du lat. *cum,* avec, et *genitus,* engendré) est un caractère apporté en naissant.

Coriolis (force de) : D'après le théorème de Coriolis (mathématicien français), à un instant quelconque, l'accélération totale du mouvement composé d'un mobile est le résultat de l'accélération, à cet instant, du mouvement relatif du mobile donné, de celle du mouvement d'entraînement du point géométrique où se trouve alors le mobile et d'une troisième accélération complémentaire appelée accélération de Coriolis.

Le théorème de Coriolis a, entre autres applications, fourni les moyens de ramener à des questions de mouvements absolus toutes celles, si importantes, qui se rapportent aux mouvements observés à la surface de la Terre. Ainsi, la rotation de la Terre dévie tous les courants aériens vers la droite sur l'hémisphère nord et vers la gauche sur l'hémisphère sud. Près de l'équateur, la « force » de Coriolis est très faible.

Coupe (saut de) : Le saut de coupe, qui est utilisé en prestidigitation, ou plus exactement en cartomagie, a essentiellement pour but, un jeu de cartes étant divisé en deux paquets, l'un inférieur, l'autre supérieur, de faire passer invisiblement le paquet inférieur sur le paquet supérieur, l'un des paquets pouvant d'ailleurs se réduire à une seule carte.

Le saut de coupe est généralement employé lorsqu'un spectateur ayant choisi une carte, puis l'ayant remise dans le jeu, de la ramener sur le dessus, ou, parfois, au-dessous du jeu et cela à l'insu de tous.

Cristalloscopie : La cristalloscopie (de cristal et du gr. *skopein,* voir) est la divination au moyen d'une boule de cristal ou d'une surface réfléchissante. Pour « voir » dans la boule, le regard doit être porté non sur la surface, mais à l'intérieur de la boule. Au bout de peu de temps, la transparence semble s'altérer et les visions apparaissent. Bien entendu, elles sont purement subjectives et sont dues à un certain état de fatigue oculaire et cérébral. Les résultats obtenus à l'aide d'une surface réfléchissante quelconque sont analogues.

Quelle que soit la méthode employée, les images perçues peuvent être groupées en six catégories : 1° Visions imaginaires ; 2° Souvenirs oubliés rappelés à la mémoire sous forme de visions ; 3° Faits passés que le sujet affirme avoir toujours ignorés ; 4° Faits actuels inconnus du sujet ; 5° Faits futurs ; 6° Faits d'interprétation douteuse.

En somme, la boule de cristal ou les surfaces réfléchissantes provoquent l'apparition d'images oniriques dans un état de veille relatif.

Déterminants (théorie des) : La théorie des déterminants est une théorie qui, en algèbre, est utilisée dans la discussion d'un système de n équations du 1er degré à n inconnues.

Différentiel (calcul) : Le calcul différentiel est le calcul qui s'occupe des quantités variables dans leur mode d'accroissement par différences infiniment petites.

Dominant (caractère) : Un caractère héréditaire est dominant lorsqu'il apparaît à coup sûr chez les sujets issus de croisements et il est qualifié de récessif quand il n'apparaît pas nécessairement chez ces sujets. Ainsi, des souris grises de race pure, croisées avec des souris blanches, également de race pure, donnent uniquement naissance à des souris grises et l'on dit, dans ce cas, que le caractère gris est « dominant » et le caractère blanc « dominé » ou « récessif ». Mais le caractère blanc n'a pas disparu. En effet, si l'on croise entre elles ces souris grises de première génération, on obtient trois quarts de souris grises plus un quart de souris blanches, celles-ci étant de race pure. Quant à ces souris grises de seconde génération, on constate, par leur descendance, qu'une sur trois est de race pure et que deux sur trois sont des hybrides lesquels, par la suite, se comporteront comme les souris grises de première génération.

Les termes « dominant » et « récessif » s'appliquent également aux gènes qui correspondent aux caractères envisagés.

Élémental : En occultisme, on désigne, sous le nom d' « élémentals », les esprits des quatre éléments : le feu, l'air, l'eau et la terre. Ce sont les salamandres, esprits du feu, les sylphes, esprits de l'air, les ondines, esprits de l'eau, et les gnomes, esprits de la terre.

Endocrine (glande) : On appelle glandes endocrines (du gr. *endon,* en dedans, et *krinein,* sécréter) ou glandes à sécrétion interne, des glandes qui n'ont pas de canal excréteur et dont les produits de leur sécrétion passent directement dans le sang. Les principales glandes endocrines sont la rate, l'appareil thyroïdien, le thymus, les capsules surrénales, l'hypophyse et les amygdales.

Le foie, le pancréas et l'épithélium intestinal sont des glandes mixtes : elles sont à la fois à sécrétion externe et à sécrétion interne.

Entropie : L'entropie (du gr. *entropê,* retour) est une grandeur qui, en thermodynamique, permet d'évaluer la dégradation d'un système. Quand l'énergie d'un système se dégrade, on dit que son entropie augmente.

Érythème : On désigne sous le nom d'érythème (du gr. *eruthêma,* rougeur) toute hyperémie cutanée, c'est-à-dire toute congestion externe locale. Cliniquement, les érythèmes sont caractérisés par des taches rouges d'étendue et d'intensité variables.

Étiologie : L'étiologie (du gr. *aitia,* cause, et *logos,* discours) est la science des causes. En médecine, c'est la partie de la science médicale qui recherche et étudie les causes des maladies.

Fioretti : Les Fioretti (petites fleurs) sont un recueil de légendes hagiographiques relatives à saint François d'Assise. Ce florilège est un des chefs-d'œuvre de la littérature primitive italienne.

Forçage de cartes : Forcer une carte c'est obliger votre partenaire à choisir dans le jeu la carte ce que vous voulez lui faire prendre et cela sans qu'il s'en doute. Cette passe, dont l'exécution effraie tout d'abord les débutants, est certainement l'une des plus faciles à pratiquer. Il suffit d'un peu d'assurance pour la réussir à coup sûr. Dans notre livre : *Les Tours de cartes à la portée de tous,* nous décrivons les différents procédés permettant de la réaliser.

Galaxie : Si nous pouvions observer de très loin l'ensemble des étoiles qui constituent notre Univers, nous verrions qu'elles se groupent en une sorte de gigantesque lentille dont le diamètre égale 5 ou 6 fois l'épaisseur. Cette formidable agglomération d'astres est la Galaxie (du gr. *gala, galaktos,* lait). D'après l'observation et le calcul, la Galaxie renferme de 200 à 300 milliards d'étoiles qui sont autant de centres de force et d'énergie. Ses dimensions sont telles qu'un rayon lumineux, parcourant environ 300 000 kilomètres en une seconde, mettrait plus de 100 000 années pour traverser son grand diamètre. La grande traînée blanche qui fait le tour complet du ciel, et qu'on appelle la Voie Lactée, est la trace visible de la Galaxie sur la voûte céleste. Elle est formée d'une multitude d'étoiles, apparemment serrées les unes contre les autres, mais qui, en fait, sont séparées les unes des autres par des distances considérables.

On emploie d'autre part le mot *galaxie* (avec un g minuscule) comme nom commun pour désigner toutes les nébuleuses extragalactiques qui sont analogues à notre Galaxie.

Gène : (voir Chromosome).

Goétie (sorcellerie de) : La sorcellerie de goétie (du gr. *goêteia*) est la sorcellerie satanique ou noire par opposition à la théurgie, magie angélique ou blanche. D'autre part, dans l'Antiquité, on désignait par goétie une incantation lugubre, par laquelle on invoquait les esprits malfaisants.

Graviton : On sait maintenant que le champ nucléaire, le champ électromagnétique, le champ des interactions faibles de Fermi et le champ gravitationnel ne sont que des cas particuliers d'un champ unitaire.

Or, la notion classique de champ, et tout spécialement celle de champ nucléaire, étant associée à celle de particule, il était logique de penser que le champ de gravitation n'échappait pas à la règle.

De plus, des développements mathématiques ont montré que si le champ de Fermi (dont l'antiparité a été mise en évidence par les jeunes chercheurs chinois Lee et Yang de l'*Université Columbia*) possédait un certain nombre de caractères différents du champ de la pesanteur, il présentait néanmoins avec lui quelque parenté. Comme, d'autre part, le neutrino est associé de façon indubitable aux manifestations du champ de Fermi, cette particule, ou une particule très analogue, que l'on désigne sous le nom de graviton, apparut *ipso facto* comme étant liée au champ gravitationnel.

Il est à noter que la matérialité des particules et l'intensité du champ, auxquelles elles sont associées, décroissent parallèlement. Le champ nucléaire est plusieurs millions de fois plus intense que le champ électromagnétique ; or, le premier est lié à l'émission de mésons-pi, qui sont des particules assez lourdes, alors que le second est uni aux photons de faible masse. Le neutrino est pratiquement immatériel et le champ de Fermi très faible. L'évolution se poursuit avec le graviton.

Née au départ de suggestions purement hypothétiques destinées à rendre justes certaines équations mathématiques relatives à l'énergie, dénuée de charge et ayant au repos une masse égale à zéro, cette singulière entité, que l'on peut, étant donné ses caractéristiques physiques, qualifier de « particule fantôme », traverse la matière avec la plus grande facilité. Pour l'arrêter, il faudrait une épaisseur de plomb de 2000 années-lumière, l'année-lumière étant, on le sait, la distance parcourue par la lumière en une année, soit près de dix mille milliards de kilomètres.

Hodographe : L'hodographe (du grec. *hodos,* route, et *graphein,* écrire) est la courbe décrite par l'extrémité d'un vecteur équipollent au vecteur vitesse de ce mouvement et tracé à partir d'un point fixe.

Homozygote : Parmi les facteurs qui dirigent l'hérédité, ceux qui sont relatifs à un même caractère sont dits allélomorphes (du gr. *allêlôn,* les uns, les autres, et *morphê,* forme). Ainsi chez les poules andalouses qui comprennent des poules blanches tachetées, des poules noires et des poules bleues (la couleur bleue résultant de la juxtaposition, en une mosaïque très fine, de taches blanches et noires) si nous appelons *B* le facteur qui provoque la formation du plumage blanc et *N* celui qui conduit au plumage noir, nous dirons que *BN* représente un couple d'allélomorphes. Dans les races pures, tous les couples d'allélomorphes sont semblables entre eux, ce que l'on exprime en disant que ces êtres sont homozygotes (du gr. *homoios,* semblable, et *zugos,* couple) pour tous leurs caractères : les œufs sont identiques entre eux. En revanche, chez les hybrides, les facteurs allélomorphes sont différents au moins par un caractère. Les gamètes et les œufs qui en résultent seront également différents quant à leur contenu héréditaire et l'on dit que les hybrides sont hétérozygotes (du gr. *heteros,* autre, et *zugos,* couple) pour le caractère considéré.

Hypercénesthésie : La cénesthésie (du gr. *koinos,* commun, et de *aisthêsis,* sensibilité) est le sentiment que nous avons de notre existence indépendante et qui provient de la sensibilité diffuse des tissus et des organes. Les perturbations de la cénesthésie constituent les cénestopathies. L'hypercénesthésie (du gr. *huper,* au-delà, et de cénesthésie) est une cénesthésie exagérée.

Hyperlaxité : La laxité (du lat. *laxus,* lâche) est l'état de ce qui est relâché, détendu. L'hyperlaxité ligamentaire est le relâchement exagéré des ligaments, de ceux d'une articulation par exemple.

Hypersthénie : L'hypersthénie (du gr. *huper,* au-delà, et de *sthenos,* force) est le fonctionnement exagéré de certains tissus et organes, et, en particulier, l'exagération du tonus nerveux.

Kirlian (effet) : L'effet Kirlian, découvert il y a une trentaine d'années par le Soviétique Semyon Kirlian, et qui, actuellement, connaît un considérable regain d'intérêt, semble imputable à certaines caractéristiques de la peau sur les plans chimique, électronique, électrostatique et non à une action psychoénergétique.

Ainsi, si l'on place l'index sur un film sensible séparé, par une couche diélectrique, d'une plaque métallique maintenue sous haute tension, une décharge se produit à travers le film qui enregistre une certaine image du doigt. Si le sujet est, par exemple, schizophrène ou alcoolique et en état de crise, la « psychophotographie » digitale montre une fragmentation de l'empreinte en petites taches lumineuses dispersées au hasard et séparées par de vastes espaces sombres. Quelques jours plus tard, et après un traitement médical efficace (une thérapie à la phénothiazine dans le cas des schizophrènes), les photographies digitales du même sujet ressemblent beaucoup plus à des empreintes digitales habituelles, régulières et pleines.

En outre, et comme le souligne justement Georges Clauzure qui a étudié expérimentalement l'effet Kirlian, « les franges d'interférence enregistrées indiquent le dérèglement d'un organe déterminé ».

Personnellement, au cours du *Congreso International de Parasicologia* organisé par l'*Universidad Iberoamericana* et ayant lieu à Mexico en décembre 1974, nous avons été conduit à examiner de nombreuses et intéressantes « fotograffa » Kirlian, réalisées par le Dr Carlos Trevino, et, à partir de ces documents, à formuler quelques diagnostics qui se sont révélés exacts : schizophrénie, troubles caractériels, tabagisme, etc.

Mais, répétons-le, une action psychoénergétique n'est certainement pas, en aucun cas, directement responsable des images obtenues par l'effet Kirlian.

Laser : Le laser, angl L (ight) a (mplifier) (by) s (timulated) e (mission) (of) r (radiation), résulte d'une adaptation aux ondes lumineuses du procédé déjà utilisé avec les ondes radio-électriques ultracourtes. Toute la puissance émise par la source lumineuse se trouve concentrée dans un pinceau lumineux très étroit au lieu d'être dispersée dans toutes les directions de l'espace. Cela permet de produire localement des ondes lumineuses dont l'amplitude est extrêmement intense.

La série d'applications des sources lumineuses laser est très variée et on peut, en particulier, envisager leur emploi comme source d'énergie agissant à de grandes distances.

Marc de café (voyance par le) : La voyance par le marc de café est le plus populaire des procédés de voyance. Il consiste à laisser déposer le marc de café sur une tasse, puis à retourner rapidement celle-ci sur une soucoupe. Le marc s'écoule et présente différents aspects dans lesquels le « voyant » découvre toutes sortes de choses : des visages, des animaux, des paysages, etc. En réalité, ces signes n'ont aucune valeur en soi et ne sont que des supports à la vision subconsciente. Il en est de même, par exemple, des floculations produites par un blanc d'œuf versé dans un verre d'eau, des écoulements d'une bougie allumée, des figures obtenues, en géomancie, en lançant une poignée de cailloux sur une surface lisse, etc.

Métabolisme basal : Le métabolisme basal est le nombre de calories produites par heure et par mètre carré de la surface corporelle par un homéotherme (organisme dont la température est constante, l'homme par exemple), à jeun, au repos, et au point de neutralité thermique. On l'évalue généralement par la calorimétrie respiratoire.

Micron : Le micron (du gr. *mikros,* petit) est une unité de mesure microscopique qui vaut 1 millième de millimètre. On le désigne par la lettre grecque µ (mu).

Microvolt : Le microvolt (du gr. *mikros,* petit et volt) est le millionième de volt, celui-ci étant la différence de potentiel qui correspond à un travail de 1 joule dans le déplacement de 1 coulomb. Son symbolisme est υV.

Mutation : On désigne, en biologie, sous le nom de mutation (du lat. *mutare,* changer) toute variation héréditaire d'emblée. Les généticiens admettent en général que les mutations résultent de la modification d'un ou de plusieurs gènes ou encore des chromosomes, ceux-ci pouvant être fragmentés, modifiés dans leur structure, ou bien doublés, triplés, quadruplés. On dit, dans ce dernier cas, qu'il y a polyploïdie.

Mythomanie : La mythomanie (du gr. *muthos,* fable, et manie) est la manie du mensonge consistant à travestir les faits ou à les inventer de toutes pièces.

Onirisme : L'onirisme (du gr. *oneiros,* songe) est une sorte de délire des rêves, une hallucination visuelle qui s'apparente au rêve.

Oniromancie : L'oniromancie (du gr. *oneiros,* songe, et *manteia,* divination) est la prévision de l'avenir par l'interprétation donnée aux rêves.

Elle constitue l'un des plus anciens arts divinatoires de l'humanité et elle est universellement répandue. Actuellement, à la suite de Freud et surtout de Yung, des psychanalystes et des parapsychologues tels que Wilfried Daim et le professeur Tenhaeff analysent systématiquement les rêves et y recherchent les éléments télépathiques ou prémonitoires qui peuvent s'y trouver.

Oui-ja : Le oui-ja (du franc, *oui,* et de l'allem. *ja* qui signifie également oui) des spirites est constitué, d'une part, d'un tableau portant les lettres de l'alphabet ainsi que les chiffres 0, 1, 2, 3, 4... 9, et, d'autre part, d'une planchette avec index, munie de pieds à roulettes ou simplement caoutchoutés. Le médium pose sa main sur la planchette, qui est elle-même placée sur le tableau, et, sous l'effet d'impulsions musculaires inconscientes, celle-ci se déplace sur le tableau indiquant ainsi des chiffres ou des lettres qui, réunis, constituent des mots et des phrases constituant des réponses aux questions posées.

Photon : L'existence de certains phénomènes a conduit les physiciens à développer une théorie dualiste de la lumière dans laquelle le concept d'onde est associé à celui de corpuscule lumineux. Une source de lumière monochromatique émettrait bien des ondes de fréquence donnée comme le veulent les théories électromagnétiques, mais ces ondes ne seraient pas les véhicules de l'énergie ; celle-ci serait transportée par des corpuscules, les photons (du gr. *phôs, phôtos,* lumière).

Le photon peut être considéré comme une unité physique caractérisée par certaines constantes. Il a, en particulier, une masse puisqu'il transporte de l'énergie ; elle est donnée par la relation : $\lambda = \frac{h}{mv}$ dans laquelle m est la masse du photon, v sa vitesse, la longueur d'onde de l'onde associée et h la constante de Planck ($6{,}6 \times 10^{-27}$ CGS). Cependant, il ne faudrait pas assimiler le photon à un véritable corpuscule matériel qui occuperait, à chaque instant, une position bien définie. A cause de sa très grande vitesse (égale dans le vide à celle de la lumière) il relève, non de la mécanique newtonienne, mais de la mécanique einsteinienne. Il en résulte que le photon individuel nous échappe et que la connaissance que nous en avons est uniquement statistique. Si nous connaissons par exemple sa quantité de mouvement, nous ignorons sa position et réciproquement. Cette inéluctable ignorance est le fondement du *principe d'incertitude* de Heisenberg.

Placebo : Les placebos sont, du point de vue strictement pharmacologique, des produits absolument et sûrement inefficaces (eau, poudres inertes) donnés à un malade sous des formes diverses telles que ampoules, cachets, comprimés, mais *sous l'étiquette et sous le nom d'un véritable médicament.* Leur emploi est donc en quelque sorte une tromperie voulue et organisée à l'insu du malade. Mais cette supercherie est effectuée soit pour en faire bénéficier celui-ci, car dans un certain nombre de cas ils agissent par effet suggestif, soit dans un but expérimental qui est de déterminer les réactions du patient et de les comparer à celles d'un autre malade ayant reçu le véritable médicament indiqué par son état.

Il est à remarquer que le terme placebo qui signifie « je plairai » et qui n'est que la simple transposition de la conjugaison au futur du verbe latin « placere », plaire, n'est pas nouveau en thérapeutique. Les dictionnaires médicaux du XVIIIe siècle le définissent comme suit : « Qualificatif donné à toute médication prescrite plus pour plaire au malade que pour son bénéfice. »

D'ailleurs, depuis toujours, dans les cas pathologiques douteux, mal définis, il est arrivé et il arrive encore au thérapeute de prescrire au malade une médication anodine tout en pensant *in petto :* « Si la drogue ne lui fait pas de bien, en tout cas, elle ne lui fera pas de mal. » C'est là le principe de l'application du placebo.

Placentaire : Cet adjectif signifie qui appartient au placenta (m. lat. signif. gâteau du gr. *plakous,* gâteau) qui, chez les mammifères, est une masse charnue et spongieuse, en forme de gâteau, reliant l'embryon à l'utérus maternel pendant la gestation.

Psychométrie : La psychométrie (du gr. *psukhê,* âme, et *metron,* mesure) est une forme de voyance souvent employée. Elle consiste à prendre connaissance de l'ambiance d'une personne, de ses états affectifs et intellectuels, de son passé et de son avenir par l'intermédiaire d'un objet lui appartenant ou ayant été plus ou moins en contact avec elle. En l'occurrence, il y aurait une certaine « mémoire des choses ». Mais les réussites observées semblent plutôt montrer qu'il existe une sorte de communication télépathique entre les vivants.

Notons au passage que le terme « psychométrie », qui a été créé par le professeur américain Buchanan, est à vrai dire peu adéquat puisqu'il signifie littéralement « mesure de l'âme ».

Quaternion : Le quaternion (du lat. *quaterni,* qui vont par quatre) est un nombre hypercomplexe formé par l'assemblage de quatre nombres ordinaires, s, a, b, c, (dits encore « nombres réels » ou « scalaires ») pris dans un ordre déterminé et qui se combinent suivant certaines lois.

On représente souvent un quaternion comme une fonction linéaire de trois variables i, j, k, telle que :

$$q = s + ai + bj + ck$$

et le calcul des quaternions est lié aux opérations effectuées sur de tels polynômes.

Rap : Lorsqu'on expérimente avec un médium puissant, et, en particulier, lorsqu'on réalise des expériences de télékinésie, il se produit assez souvent des bruits insolites qui ont été nommés des raps, rap étant un mot anglais qui signifie « coup » ou « choc ». Ces bruits s'entendent également dans les maisons dites « hantées ».

Récessif : (voir dominant).

Romagnole (race) : La Romagne, en italien Romagna, et anciennement Romandiola, est une région historique de l'Italie qui, actuellement, correspond aux provinces de Forti et de Ravenne. Un certain nombre d'habitants de cette contrée appartient à la « race » romagnole.

Rythmes cérébraux : Les variations électriques des cellules cérébrales produisent des courants d'ensemble que l'on peut enregistrer à travers le crâne. Ces courants d'action, qui sont des courants oscillants de très faible voltage (de l'ordre du dixième de millivolt) et de basse fréquence (de 4 à 30 pulsations par seconde), ont été découverts en 1929 par le Dr Hans Berger de Leipzig.

Le plus important est le rythme *alpha* qui correspond au repos sensoriel. Il est formé d'oscillations assez régulières d'aspect pseudosinusoïdal et présentant de 8 à 12 cycles par seconde. On l'obtient chez un sujet normal au repos, détendu psychiquement, en relâchement musculaire complet et les yeux fermés. Il disparaît lorsqu'on ordonne au patient d'ouvrir les yeux. Il s'évanouit également si le sujet fait un effort intellectuel suffisant, si on lui fait entendre un bruit assez intense ou si on le soumet à une excitation douloureuse.

Le rythme *bêta* se rapporte à l'activité sensorielle. Il est constitué de très petites oscillations de fréquence plus rapide que celle du rythme alpha (de 14 à 30 oscillations par seconde). Il persiste chez certains sujets gardant les yeux fermés. Ce sont des personnes dont l'imagination est à prédominance visuelle ou qui présentent un médiocre équilibre vago-sympathique.

Une troisième forme d'activité rythmique se manifeste beaucoup plus rarement et sa présence est inconstante. Sa fréquence, qui est basse, est de l'ordre de 4 à 7 oscillations par seconde. On l'appelle le rythme *thêta*. Il est habituellement lié à un état émotionnel désagréable survenant au cours de l'enregistrement électro-encéphalique. On le rencontre aussi chez les personnes à comportement agressif et dans certaines phases du sommeil.

D'autres rythmes cérébraux apparaissent dans l'enfance, pendant le sommeil, sous l'influence de maladies cérébrales ou à l'approche de la mort. C'est le cas, par exemple, pour le rythme *delta* de forte amplitude. En outre, le Dr Grey Walter a montré que des ondes spéciales, qu'il a appelées « ondes d'expectative », apparaissent dans les lobes frontaux chaque fois qu'un sujet a l'intention d'effectuer un acte intellectuel complexe. Le docteur moscovite Livanof a confirmé cette observation.

Scrotum : Le scrotum (m. lat. signif. bourse) est une sorte de poche qui renferme les deux testicules et qui est formée par un repli de la peau.

Séméiologie : La séméiologie (du gr. *sêmeion,* signe, et *logos,* discours) est la partie de la médecine qui s'occupe des symptômes des maladies pour en tirer des conclusions relatives au diagnostic et au pronostic.

Spéculaire : En psychiatrie, l'hallucination spéculaire (du lat. *specularis,* transparent) est l'hallucination dans laquelle le malade se voit devant lui-même comme dans un miroir.

Synesthésie : La synesthésie (pref. *syn* issu du gr. *sun,* avec, et du gr. *aisthêsis,* sensibilité) est un trouble de la perception des sensations. Pour une impression unique portant sur une région sensible définie, le sujet éprouve deux sensations : l'une provenant de la région précisément excitée, l'autre d'une région éloignée de la précédente et n'ayant été le siège d'aucune excitation.

Tribade : Une tribade (du gr. *tribas, ados* de *tribein,* frotter) est une femme qui entretient un commerce charnel avec une autre femme (syn : lesbienne).

Vasopressine : La vasopressine est une hormone du lobe postérieur de l'hypophyse qui contracte les artères et élève la tension artérielle.

Vectoriel (calcul) : Le calcul vectoriel est la mise en œuvre de certaines opérations algébriques applicables aux vecteurs et comprenant une addition, une soustraction et deux multiplications au moins, le vecteur étant une grandeur dont le modèle géométrique est le segment de droite orienté, c'est-à-dire le segment de longueur, de direction et de sens déterminés.

TABLE DES MATIÈRES

LES PHÉNOMÈNES D'ADRESSE ET DE TÉMÉRITÉ

LES PHÉNOMÈNES INTELLECTUELS

LES PHÉNOMÈNES PARAPSYCHOLOGIQUES